TOSEL®

READING SERIES

BASIC

READING

FOR TEACHERS

ITC International TOSEL Committee

CONTENTS

TOSEL® Level Chart TOSEL 단계표

TOSEL은 비영어권 국가들의 영어 사용자들을 대상으로 영어 구사능력을 평가하여
그 결과를 공식 인증하는 영어 능력인증 시험제도입니다.

COCOON

아이들이 접할 수 있는 공식 인증 시험의 첫 단계로써 아이들의 부담을 줄이고
즐겁게 흥미를 유발할 수 있도록 다채로운 색상과 디자인으로 시험지를 구성하였습니다.

Pre-STARTER

친숙한 주제에 대한 단어, 짧은 대화, 짧은 문장을 사용한 기본적인 문장표현 능력을 평가합니다.

STARTER

일상과 관련된 주제 / 상황에 대한 짧은 대화 및 문장을 이해하고
알맞은 응답을 할 수 있는 기초적인 의사소통 능력을 평가합니다.

BASIC

개인 정보와 일상 활동, 미래 계획, 과거의 경험에 대해 구어와 문어의 형태로 의사소통을
할 수 있는 능력을 평가합니다.

JUNIOR

일반적인 주제와 상황을 다루는 회화와 짧은 단락, 실용문, 짧은 연설 등을 이해하고
알맞은 응답을 할 수 있는 의사소통 능력을 평가합니다.

HIGH JUNIOR

넓은 범위의 사회적, 학문적 주제에서 영어를 유창하고 정확하게 사용할 수 있는
능력 및 중문과 복잡한 문장을 포함한 다양한 문장구조의 파악 능력을 평가합니다.

ADVANCED

대학 수준의 영어를 사용하고 이해할 수 있는 능력 및 취업 또는 직업근무환경에 필요한 실용영어능력을 평가합니다.

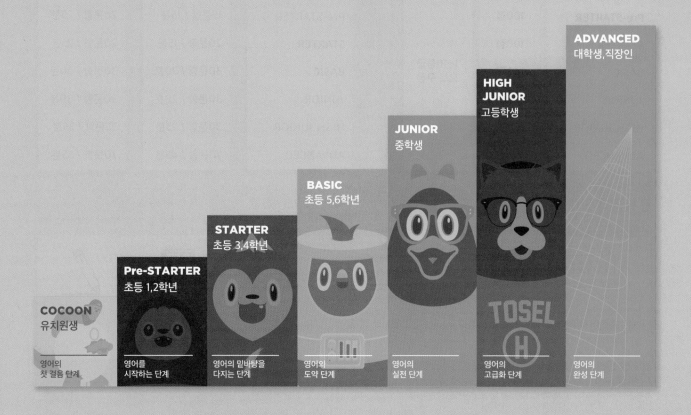

About TOSEL ® ——— TOSEL에 대하여

대상
유아, 초, 중, 고등학생,
대학생 및 직장인 등 성인

목적
한국을 비롯한 비영어권 국가
영어 사용자의 영어구사능력 증진

용도
실질적인 영어구사능력 평가 +
입학전형 / 인재선발 등에 활용 및
직무역량별 인재 배치

영어 사용자 중심의 맞춤식 영어능력 인증시험제도

**획일적 평가에서
맞춤식 평가로의 전환**

TOSEL은 응시자의 연령별 인지
단계, 학습 수준 등을 고려한
문항과 난이도를 적용하여 맞춤식
평가 시스템을 구축하였습니다.

**공정성과 신뢰성 확보
국제토셀위원회의 역할**

TOSEL은 대학입학 수학능력시험
출제위원 교수들이 중심이 된
국제토셀위원회가 출제하여
사회적 공정성과 신뢰성을 확보한
평가제도입니다.

**수입대체 효과
외화유출 차단 및 국위선양**

TOSEL은 해외 시험 응시로 인한
외화의 유출을 막는 수입대체
효과를 기대할 수 있습니다.
TOSEL의 문항과 시험제도는
비영어권 국가에 수출하여
국위선양에 기여하고 있습니다.

배점 및 등급

구분	배점	등급
COCOON	100점	
Pre-STARTER	100점	
STARTER	100점	
BASIC	100점	1~10등급 으로 구성
JUNIOR	100점	
HIGH JUNIOR	100점	
ADVANCED	990점	

문항 수 및 시험시간

구분	Section I Listening & Speaking	Section II Reading & Writing
COCOON	15문항 / 15분	15문항 / 15분
Pre-STARTER	15문항 / 15분	20문항 / 25분
STARTER	20문항 / 15분	20문항 / 25분
BASIC	30문항 / 20분	30문항 / 30분
JUNIOR	30문항 / 20분	30문항 / 30분
HIGH JUNIOR	30문항 / 25분	35문항 / 35분
ADVANCED	70문항 / 45분	70문항 / 55분

응시 방법 안내

01 홈페이지 접속 → 02 온라인 접수 → 03 응시료 결제 → 04 접수확인 및 수정 → 05 수험표 출력 및 고사장 확인 → 06 시험응시

*지원서 작성은 온라인(www.tosel.org) 및 지역 본부를 통해 가능합니다. 학업성취기록부, 성적표 확인을 위해 회원가입은 필수입니다.

Evaluation ——— 평가

기본 원칙
TOSEL은 PBT(PAPER BASED TEST)를 통하여 간접평가와 직접평가를 모두 시행합니다.

TOSEL은 언어의 네 가지 요소인 읽기, 듣기, 말하기, 쓰기 영역을 모두 평가합니다.

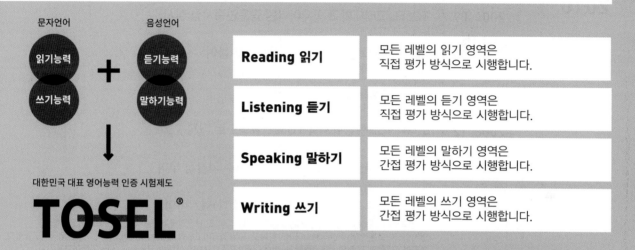

문자언어
읽기능력
쓰기능력

＋

음성언어
듣기능력
말하기능력

↓

대한민국 대표 영어능력 인증 시험제도

TOSEL®

Reading 읽기	모든 레벨의 읽기 영역은 직접 평가 방식으로 시행합니다.
Listening 듣기	모든 레벨의 듣기 영역은 직접 평가 방식으로 시행합니다.
Speaking 말하기	모든 레벨의 말하기 영역은 간접 평가 방식으로 시행합니다.
Writing 쓰기	모든 레벨의 쓰기 영역은 간접 평가 방식으로 시행합니다.

TOSEL은 연령별 인지단계를 고려하여 7단계로 나누어 평가합니다.

1 단계		TOSEL® COCOON	5~7세의 미취학 아동
2 단계		TOSEL® Pre-STARTER	초등학교 1~2학년
3 단계		TOSEL® STARTER	초등학교 3~4학년
4 단계		TOSEL® BASIC	초등학교 5~6학년
5 단계		TOSEL® JUNIOR	중학생
6 단계		TOSEL® HIGH JUNIOR	고등학생
7 단계		TOSEL® ADVANCED	대학생 및 성인

TOSEL® History ——— 연혁

2002 ~ 2010

- 2002. 02 | 국제토셀위원회 창설 (수능출제위원역임 전국대학 영어전공교수진 중심)
- 2004. 09 | TOSEL 고려대학교 국제어학원 공동인증시험 실시
- 2006. 04 | EBS 한국교육방송공사 주관기관으로 참여
- 2006. 05 | 민족사관고등학교 입학전형에 반영
- 2008. 12 | 고려대학교 편입학시험 TOSEL 유형으로 대체
- 2009. 01 | 서울시 공무원 근무평정에 TOSEL점수 가산점 부여
- 2009. 01 | 전국 대부분 외고, 자사고 입학전형에 TOSEL 반영
  (한영외국어고등학교, 한일고등학교, 고양외국어고등학교, 과천외국어고등학교, 김포외국어고등학교, 명지외국어고등학교, 부산국제외국어고등학교, 부일외국어고등학교, 성남외국어고등학교, 인천외국어고등학교, 전북외국어고등학교, 대전외국어고등학교, 청주외국어고등학교, 강원외국어고등학교, 전남외국어고등학교)
- 2009. 12 | 청심국제중, 고등학교 입학전형 TOSEL 반영
- 2009. 12 | 한국외국어교육학회, 팬코리아영어교육학회, 한국음성학회, 한국응용언어학회 TOSEL 인증
- 2010. 03 | 고려대학교, TOSEL 출제기관 및 공동 인증기관으로 참여
- 2010. 07 | 경찰청 공무원 임용 TOSEL 성적 가산점 부여

2011 ~ 현 재

- 2014. 04 | 전국 200개 초등학교 단체 응시 실시
- 2017. 03 | 중앙일보 주관기관으로 참여
- 2018. 11 | 관공서, 대기업 등 100여 개 기관에서 TOSEL 반영
- 2019. 06 | 미얀마 TOSEL 도입 발족식
  베트남 TOSEL 도입 협약식
- 2019. 11 | 고려대학교 편입학전형에 TOSEL 반영

Why TOSEL® ——— 왜 TOSEL인가

01 학교 시험 폐지

중학교 이하 중간, 기말고사 폐지로 인해 객관적인 영어 평가 제도의 부재가 우려됩니다. 그러나 전국단위로 연간 4번 시행되는 TOSEL 정기시험을 통해 학생들은 정확한 역량과 체계적인 학습 방향을 꾸준히 진단받을 수 있습니다.

02 연령별 / 단계별 대비로 영어학습 점검

TOSEL은 응시자의 연령별 인지단계와 영어 학습 정도 등에 따라 총 7단계로 구성됩니다. 각 단계에 알맞은 문항 유형과 난이도를 적용해 연령 및 학습 과정에 맞추어 가장 효율적으로 영어실력을 평가할 수 있도록 개발된 영어시험입니다.

03 학교 내신성적 향상

TOSEL은 학년별 교과과정과 연계하여 학교에서 배우는 내용을 복습하고 평가할 수 있도록 문항 및 주제를 구성하여, 내신영어 향상을 위한 최적의 솔루션을 제공합니다.

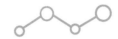

04 수능대비 직결

유아, 초, 중학시절 어렵지 않고 즐겁게 학습해 온 영어이지만, 수능시험준비를 위해 접하는 영어 문항의 유형과 난이도에 주춤하게 됩니다. 이를 대비하기 위해 TOSEL은 유아부터 성인까지 점진적인 학습을 통해 수능대비도 함께 해나갈 수 있도록 설계되어 있습니다.

05 진학과 취업에 대비한 필수 스펙관리

개인별 '학업성취기록부' 발급을 통해 영어학업성취이력을 꾸준히 기록한 영어학습 포트폴리오를 제공하여, 영어학습 이력을 관리할 수 있습니다.

06 자기소개서에 TOSEL 기재

개별적인 진로 적성 Report를 제공하여 진로를 파악하고 자기소개서 작성시 적극적으로 활용할 수 있는 객관적인 자료를 제공합니다.

07 영어학습 동기부여

시험실시 후 응시자 모두에게 수여되는 인증서는 영어학습에 대한 자신감과 성취감을 고취시키고 동기를 부여합니다.

08 미래형 인재 진로지능진단

문항의 주제 및 상황을 각 교과와 연계하여 정량적으로 진단하는 분석 자료를 통해 학생 개인에 대한 이해도를 향상하고 진로선택에 유용한 자료를 제공합니다.

09 명예의 전당, 우수협력기관 지정

성적우수자, 우수교육기관은 'TOSEL 명예의 전당'에 등재되고, 각 시/도별, 레벨별 만점자 및 최고득점자를 명예의 전당에 등재합니다.

TOSEL®

미래형 인재 진로적성지능 진단

십 수년간 전국단위 정기시험으로 축적된 **빅데이터**를 교육공학적으로 분석,
활용하여 산출한 **개인별 성적자료**

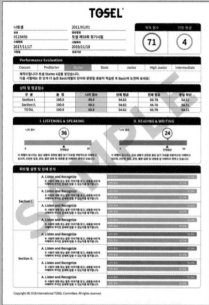

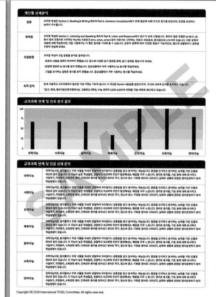

- 정확한 영어능력진단
- 응시지역, 동일학년, 전국에서의 학생의 위치
- 개인별 교과과정, 영어단어 숙지정도 진단
- 강점, 취약점, 오답문항 분석결과 제시

TOSEL 공식인증서

대한민국 초,중,고등학생의 영어숙달능력 평가 결과 공식인증

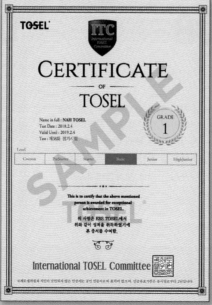

- 2010.03 고려대학교 인증획득
- 2009.10 팬코리아영어교육학회 인증획득
- 2009.11 한국응용언어학회 인증획득
- 2009.12 한국외국어교육학회 인증획득
- 2009.12 한국음성학회 인증획득

'학업성취기록부'에 TOSEL 인증등급 기재

개인별 '학업성취기록부' 평생 발급. 진학과 취업을 대비한 **필수 스펙관리**

명예의 전당

특별시, 광역시, 도 별 1등 선발 (7개시 9개도 1등 선발)

*홈페이지 로그인 - 시험결과 - 명예의 전당에서 해당자 상장 출력 가능

Reading Series 특장점

언어의 4대 영역 균형 학습 + 평가

말하기 연습

각 단어 학습 도입부에 주제와 관련된 이미지와 질문에 대해 말하기 연습

단어 학습

각 Unit의 목표 단어가 레벨별로 4-6개 제시, 그림 또는 영문으로 단어 뜻을 제공하여 독해학습 전에 단어 숙지

독해 학습

같은 주제로 일반 독해와 실용문을 모두 연습할 수 있는 지문과 함께 Comprehension 문항을 10개씩 수록하여 이해도 확인 및 진단

듣기 훈련

숙지한 독해지문을 원어민 음성으로 들으며 듣기 전, 듣기 중, 듣기 후 활동을 통해 학습 (MP3 스트리밍: www.tosel.org)

쓰기 훈련

단어 복습 및 요약연습을 통해 쓰기 연습

세분화된 레벨링

20년 간 대한민국 영어 평가 기관으로서 연간 4회 전국적으로 실시되는 정기시험에서 축적된 성적 데이터를 기반으로 정확하고 세분화된 레벨링을 통한 영어 학습 콘텐츠 개발

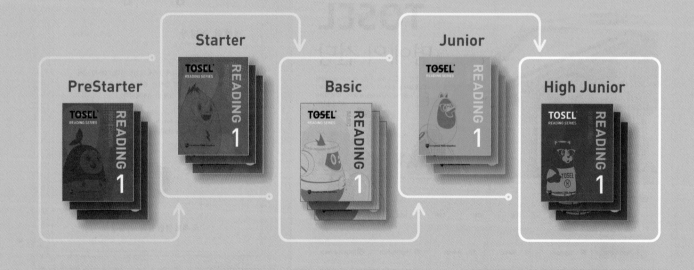

TOSEL 영어 학습 성장 프로그램

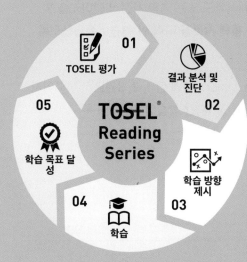

1 **TOSEL 평가**: 학생의 영어 능력을 정확하게 평가

2 **결과 분석 및 진단**: 시험 점수와 결과를 분석하여 학생의 강점, 취약점, 학습자 특성 등을 객관적으로 진단

3 **학습 방향 제시**: 객관적 진단 데이터를 기반으로 학습자 특성에 맞는 학습 방향 제시 및 목표 설정

4 **학습**: 제시된 방향과 목표에 따라 학생에게 적합한 콘텐츠 / 학습법으로 학습

5 **학습 목표 달성**: 학습 후 다시 평가를 통해 목표 달성 여부 확인 및 성장을 위한 다음 학습 목표 설정

학생이 공부하기 쉽고, 교사 / 학부모가 가르치기 편한 교재

교사 / 학부모

■ **편의성**
과학적인 교수설계에 따른 교수지도안 제공

■ **활용성**
풍부한 교수-학습 활용 자료 제공

■ **학생 상담 데이터 축적**
학생 학습 데이터 기록을 통한 전문 상담 도구 제공

학생

■ **정확한 수준별 학습**
학습자 데이터를 통해 레벨링하여 점진적으로 학습 가능

■ **효율적 학습**
1시간 학습으로 말하기, 단어, 독해, 듣기, 쓰기, TOSEL까지 학습 및 훈련

■ **학습 성취 및 동기부여**
수준별로 효율적인 학습을 통해 성취감을 고취, 영어 학습에 재미를 느끼며 동기 부여

About this book

TOSEL Reading Series는 영어 독해 학습에 특화된 교재로서 각 Unit 마다 대상 학생의 **인지능력 수준 및 학습 교과와 연계**한, 흥미롭고 유용한 주제의 읽기 지문을 중심으로 다양한 학습자료와 활동이 제시되어 있습니다.

TOSEL Section II. Reading and Writing에 해당하는 Comprehension Questions 10문항으로 지문에 대한 이해력을 확인하고, 주제에 대한 배경지식을 영어로 말해볼 수 있는 말하기 연습, 플래시카드 또는 영영 사전식 단어학습 및 쓰기 연습, 지문 듣고 받아쓰기 훈련, 요약문 쓰기 훈련 등의 **다양한 활동을 통해 지문을 여러 번 연습 / 복습하도록 구성**되었습니다.

Reading Series는 총 **5개의 레벨** (PreStarter, Starter, Basic, Junior, High Junior), 레벨 당 **1, 2, 3권**으로 이루어져 있습니다. 각 권은 3개의 Chapter, 총 12개의 Unit으로 구성되어 있으며 **Unit 당 1시간 학습**이 가능하도록 설계되었습니다.

레벨마다 **학생용 교재 3권과 교사용 교재 1권**으로 이루어져 있습니다.

학생용 교재 (Basic)

영어 원문과 문항이 수록되어 있으며 학습자들이 활용하는 교재입니다.

학생용 교재 한 권은 주제에 따라 **3개의 Chapter, 총 12개의 Unit**으로 구성되었습니다.

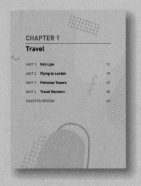  

Chapter 1
Unit 1-4

Chapter 2
Unit 5-8

Chapter 3
Unit 9-12

교사용 교재

원문 해석과 문항별 정답 및 해설이 수록되어 있으며, 학생용 교재를 가르치는 데 필요한 교수 가이드라인과 Reading Series 구성표 등을 제시합니다.

교사용 교재 한 눈에 보기

Syllabus

TOSEL Reading Series 모든 레벨의 Chapter, Unit별 주제 요목

교사용 교재 활용 가이드

1시간 학습 / 지도 가이드라인

Book 1 정답 및 해설

영어 원문 해석과 문항 풀이

Book 2 정답 및 해설

영어 원문 해석과 문항 풀이

Book 3 정답 및 해설

영어 원문 해석과 문항 풀이

1 Syllabus

TOSEL Reading Series에 수록된 **각 Chapter와 Unit의 주제와 제목, 교과연계 정보**를 한눈에 보기 쉽게 정리했습니다.

전 레벨(PreStarter, Starter, Basic, Junior, High Junior)의 정리표를 통해 **단기 / 중·장기 수업 계획**을 수립하거나 학생 및 학부모와의 **학습 진도 / 수업 상담** 시 유용하게 활용할 수 있습니다.

2 교사용 교재 활용 가이드

교사용 교재에는 **Unit별 1시간 학습 플랜**을 돕기 위해 **교재 활용 가이드**를 수록하였으며, 한 Unit에 있는 모든 활동에 대한 지침을 제시합니다.

활동마다 학습 내용, 학습 시간, 학습 목적, 학습 지도 팁 등을 세세하게 설명하여 선생님 또는 학부모의 **지도 방향**을 제시합니다.

정답 및 해설

교사용 교재의 정답 및 해설 부분은 **영어 지문 해석, 정답, 풀이**를
상세하게 제공합니다. **문제 유형, 관련 문장, 새겨 두기** 등의 코너를 통해
학생 지도 시 유용하게 활용할 수 있도록 하였습니다.

주요 구성

- **빠른 정답**
  책 앞에는 전체 Unit 정답표, 각 Unit의 처음에는 빠른
  정답표를 배치하여 채점의 용이성을 높였습니다.

- **해석**
  영어 지문과 문항 등 영어 원문에 대한 한국어 해석을 제공합니다.

- **풀이**
  정답을 먼저 자세히 설명하고, 어렵거나 헷갈릴 만한 오답에 대한 설명도
  추가하였습니다.

PreStarter Syllabus

Book 1

All about Me

Chapter	Unit	Title	교과연계
1 Me & My Family	1	I Know My Friends' Names	초등학교 1, 2학년 – 봄, 국어
	2	Maria's Monday	초등학교 1, 2학년 – 봄, 국어
	3	Family at a Birthday Party	초등학교 1, 2학년 – 봄
	4	Birthday Gifts	초등학교 1, 2학년 – 수학
2 A Colorful World	5	Color Land	초등학교 3, 4학년 – 미술
	6	So Many Shapes!	초등학교 1, 2학년 – 수학
	7	Animals at the Zoo	초등학교 1, 2학년 – 봄
	8	Packing Clothes for Camping	초등학교 3, 4학년 – 사회
3 My House	9	Linda's New House	초등학교 1, 2학년 – 여름
	10	Guess What It Is!	초등학교 3, 4학년 – 과학
	11	Sandra's Dad Is a Great Cook!	초등학교 3, 4학년 – 사회
	12	Lars Loves Music	초등학교 3, 4학년 – 음악

Book 2

All about School

Chapter	Unit	Title	교과연계
1 In My Classroom	1	A Happy Art Class	초등학교 1, 2학년 – 봄
	2	In Math Class	초등학교 1, 2학년 – 봄
	3	How Taki Studies	초등학교 1, 2학년 – 봄
	4	The Class Rules	초등학교 1, 2학년 – 봄
2 My Day at School	5	Josef's Morning	초등학교 1, 2학년 – 수학 / 초등학교 3, 4학년 – 수학
	6	A School Festival	초등학교 1, 2학년 – 수학 / 초등학교 3, 4학년 – 수학
	7	A Busy Year	초등학교 1, 2학년 – 수학 / 초등학교 3, 4학년 – 수학
	8	Four Seasons	초등학교 1, 2학년 – 봄, 여름, 가을, 겨울
3 At School	9	Olaf's Day	초등학교 3, 4학년 – 국어
	10	Shopping with Your Family	초등학교 1, 2학년 – 수학
	11	Henry and His Bike	초등학교 3, 4학년 – 사회
	12	Tennis and Table Tennis	초등학교 3, 4학년 – 체육

Book 3

All around Me

Chapter	Unit	Title	교과연계
1 People	1	Who Is She?	초등학교 1, 2학년 – 봄
	2	Zoe Likes Korea	초등학교 3, 4학년 – 사회
	3	Kari's Neighbor	초등학교 3, 4학년 – 국어
	4	Anna and Hennie	초등학교 3, 4학년 – 국어, 도덕
2 Nature	5	Paul and the Weather	초등학교 3, 4학년 – 과학
	6	What Bug Is It?	초등학교 1, 2학년 – 봄
	7	A Family Trip	초등학교 3, 4학년 – 과학, 사회
	8	Giraffes	초등학교 3, 4학년 – 과학
3 Places	9	Martin Gets Cookies	초등학교 1, 2학년 – 가을 / 초등학교 3, 4학년 – 사회
	10	Kate Loves Her Teddy Bear	초등학교 3, 4학년 – 사회
	11	Finding Things	초등학교 3, 4학년 – 미술
	12	Finding a Place	초등학교 3, 4학년 – 사회

Starter Syllabus

Book 1

Talking to Friends

Chapter	Unit	Title	교과연계
1 Weekend Activities	1	Sarah's Strange Night	초등학교 3, 4학년 - 국어, 수학
	2	Sunday Morning at Carl's House	초등학교 3, 4학년 - 국어
	3	A Field Trip	초등학교 3, 4학년 - 국어, 체육
	4	Zoe's Busy Weekend	초등학교 3, 4학년 - 사회 / 초등학교 5, 6학년 - 국어
2 Find Out about Your Friends	5	All about Pumpkins	초등학교 3, 4학년 - 과학
	6	Chores at Home	초등학교 3, 4학년 - 도덕 / 초등학교 5, 6학년 - 실과
	7	Having a Party	초등학교 3, 4학년 - 국어
	8	Kelly Learns Chinese Sounds	초등학교 5, 6학년 - 사회
3 Ask More Questions	9	Andrea Loves Sports	초등학교 3, 4학년 - 수학, 체육
	10	Alec Gets Sick in Winter	초등학교 3, 4학년 - 체육 / 초등학교 5, 6학년 - 과학
	11	Mr. Wind and Mr. Sun	초등학교 3, 4학년 - 국어
	12	At the Theme Park	초등학교 3, 4학년 - 국어

Book 2

Family & House

Chapter	Unit	Title	교과연계
1 Daily Life	1	Going to the Movies	초등학교 3, 4학년 - 수학
	2	Tina's Day	초등학교 3, 4학년 - 국어, 수학
	3	Jisoo Cleans Her Room	초등학교 3, 4학년 - 도덕 / 초등학교 5, 6학년 - 실과
	4	At Blue Mountain	초등학교 3, 4학년 - 체육 / 초등학교 5, 6학년 - 국어
2 House	5	Lea's Dream House	초등학교 5, 6학년 - 수학
	6	Milo Sits in Chairs	초등학교 3, 4학년 - 미술
	7	Show and Tell Class	초등학교 3, 4학년 - 국어
	8	Summer Vacation	초등학교 3, 4학년 - 국어 / 초등학교 5, 6학년 - 수학
3 Family Occasion	9	Grandma's Birthday	초등학교 3, 4학년 - 도덕
	10	Eating Out vs. Eating at Home	초등학교 5, 6학년 - 실과
	11	Henry's Family	초등학교 3, 4학년 - 사회
	12	My Aunt's Wedding Day	초등학교 3, 4학년 - 사회

Book 3

School

Chapter	Unit	Title	교과연계
1 School Activity	1	Our Music Teacher	초등학교 3, 4학년 - 음악
	2	A Day at a Gallery	초등학교 3, 4학년 - 미술
	3	How Do You Make Salad?	초등학교 5, 6학년 - 실과
	4	A Book about Street Dogs	초등학교 3, 4학년 - 국어
2 School Festival	5	Field Trip to the Aquarium	초등학교 3, 4학년 - 사회
	6	The Book Fair	초등학교 3, 4학년 - 국어
	7	Fast Runners	초등학교 3, 4학년 - 체육
	8	Buying and Selling	초등학교 3, 4학년 - 사회
3 Fun with Friends	9	My New Best Friend	초등학교 3, 4학년 - 도덕
	10	Clubs Meet on Fridays	초등학교 3, 4학년 - 체육
	11	Word Game!	초등학교 3, 4학년 - 미술 / 초등학교 5, 6학년 - 실과
	12	Weekend Fun	초등학교 3, 4학년 - 도덕

Basic Syllabus

Book 1

My Town

Chapter	Unit	Title	교과연계
1 Neighbors	1	My Perfect Neighborhood	초등학교 5, 6학년 – 국어
	2	Asking People about Jobs	초등학교 5, 6학년 – 실과
	3	Volunteering for the Community	초등학교 5, 6학년 – 도덕
	4	A Great Man in Town	초등학교 5, 6학년 – 도덕
2 Neighborhood	5	Kali's Favorite Park	초등학교 5, 6학년 – 체육
	6	Problems at the Mall	초등학교 5, 6학년 – 사회
	7	A Horror Movie	초등학교 5, 6학년 – 미술
	8	The Best Library in the City	초등학교 5, 6학년 – 국어
3 Stadium in My Town	9	At the Baseball Game	초등학교 5, 6학년 – 체육
	10	A Favorite Sports Star	초등학교 5, 6학년 – 수학, 체육
	11	A Magic Show	초등학교 5, 6학년 – 미술
	12	Quiet Hip Hop Songs	초등학교 5, 6학년 – 음악

Book 2

General Interest

Chapter	Unit	Title	교과연계
1 Healthy Life	1	How to Keep Friends	초등학교 5, 6학년 – 국어
	2	Is Having a Dog Good for You?	초등학교 5, 6학년 – 실과
	3	What Is Hay Fever?	초등학교 5, 6학년 – 과학
	4	Smartphone Posture	초등학교 5, 6학년 – 과학, 국어(글쓴이의 주장)
2 Food Trend	5	Hawaiian Pizza	초등학교 5, 6학년 – 실과
	6	Fourth Meal	초등학교 5, 6학년 – 실과
	7	Jamie and Local Food	초등학교 5, 6학년 – 실과
	8	Good Avocados	초등학교 5, 6학년 – 과학, 실과
3 Arts and Crafts	9	Art Gallery of Saint Peter	초등학교 5, 6학년 – 미술
	10	What Is Origami?	초등학교 5, 6학년 – 미술
	11	Introduction to Webtoons	초등학교 5, 6학년 – 미술, 실과
	12	Haihat's Recycled Pig	초등학교 5, 6학년 – 사회, 미술

Book 3

Travel & the Earth

Chapter	Unit	Title	교과연계
1 Travel	1	Koh Lipe	초등학교 5, 6학년 – 국어, 사회
	2	Flying to London	초등학교 5, 6학년 – 실과
	3	Petronas Towers	초등학교 5, 6학년 – 수학, 미술
	4	Travel Manners	초등학교 5, 6학년 – 도덕
2 Culture	5	Thanksgiving in Detroit	초등학교 5, 6학년 – 사회
	6	Siesta	초등학교 5, 6학년 – 사회
	7	The Mystery of King Tut	초등학교 5, 6학년 – 사회, 미술
	8	The History of the Mexican Flag	초등학교 5, 6학년 – 사회, 미술
3 Nature & the Earth	9	Eric's Book about Habitats	초등학교 5, 6학년 – 과학, 국어
	10	Global Warming: The Sahara	초등학교 5, 6학년 – 사회, 과학
	11	Three Ways to Save the Earth	초등학교 5, 6학년 – 사회
	12	How Will 2035 Be Different?	초등학교 5, 6학년 – 사회

Junior Syllabus

Book 1 — Math & Science

Chapter	Unit	Title	교과연계
1 Humans and Animals	1	Animal Communication	중학교 - 기술·가정
	2	Animals and Earthquakes	중학교 - 과학
	3	Super Babies	중학교 - 과학, 기술·가정
	4	Pigeons	중학교 - 기술·가정
2 Math	5	The Fields Medal	중학교 - 수학
	6	Statistics	중학교 - 수학, 사회
	7	The Golden Ratio	중학교 - 수학, 미술
	8	Barcodes	중학교 - 수학, 과학, 기술·가정
3 Science	9	The Water Cycle	중학교 - 과학
	10	Earth Day	중학교 - 과학
	11	Lightning	중학교 - 과학
	12	Superbugs	중학교 - 과학

Book 2 — Cultural Life

Chapter	Unit	Title	교과연계
1 Sports	1	Sit-ups	중학교 - 체육
	2	The Skeleton	중학교 - 체육
	3	Doping in Sports	중학교 - 체육, 도덕
	4	Supersuits	중학교 - 체육
2 Art	5	Camera Shots	중학교 - 미술, 기술·가정
	6	The State Hermitage	중학교 - 미술
	7	Persian Miniatures	중학교 - 미술
	8	Animals Symbols	중학교 - 미술
3 Music	9	Musical vs. Opera	중학교 - 음악
	10	Vivaldi's "The Four Seasons"	중학교 - 음악
	11	Dynamics in Music	중학교 - 음악
	12	The Alphorn	중학교 - 음악

Book 3 — Famous People

Chapter	Unit	Title	교과연계
1 Famous People 1	1	Linus Pauling	중학교 - 과학
	2	Maryam Mirzakhani	중학교 - 수학
	3	CV Raman	중학교 - 과학
	4	Ada Lovelace	중학교 - 기술·가정
2 Famous People 2	5	Tu Youyou	중학교 - 과학
	6	Rigoberta Menchú	중학교 - 사회
	7	Antoni Gaudi	중학교 - 미술
	8	Wangari Maathai	중학교 - 사회
3 Famous People 3	9	Mary Jackson	중학교 - 과학, 기술·가정
	10	Isabel Allende	중학교 - 국어
	11	Pius Mau Piailug	중학교 - 과학, 기술·가정
	12	Mary Anning	중학교 - 과학

High Junior Syllabus

Book 1

Awards and Award Winners

Chapter	Unit	Title	교과연계
1 Competitions 1	1	Toe Wrestling: UK	고등학교 - 체육
	2	Chessboxing	고등학교 - 체육
	3	The World Memory Championships	고등학교 - 체육
	4	The O Henry Pun-Off	고등학교 - 문학
2 Competitions 2	5	The Air Guitar Championships	고등학교 - 음악
	6	Mistakes at the Academy Awards	고등학교 - 미술
	7	Extreme Ironing	고등학교 - 체육
	8	The Heso Odori	고등학교 - 세계지리
3 Competitions 3	9	Making Faces	고등학교 - 체육
	10	The Argungu Fishing Festival	고등학교 - 세계지리
	11	ClauWau	고등학교 - 세계지리
	12	Competitive Chili Eating	고등학교 - 세계지리

Book 2

Health & Science

Chapter	Unit	Title	교과연계
1 Health	1	Health Literacy	고등학교 - 체육
	2	Yoga	고등학교 - 체육
	3	Digital Eye Strain	고등학교 - 생명과학
	4	Just One Food	고등학교 - 기술·가정
2 Environment	5	Climate Change	고등학교 - 통합사회, 지구과학
	6	Drone-based Delivery	고등학교 - 기술·가정
	7	The Nene	고등학교 - 통합과학
	8	The Amazon	고등학교 - 통합사회, 지구과학
3 Science	9	Memory	고등학교 - 생명과학
	10	Phases of the Moon	고등학교 - 지구과학
	11	Plasma	고등학교 - 물리, 화학
	12	Contagious Yawning	고등학교 - 생명과학

Book 3

Society & Technology

Chapter	Unit	Title	교과연계
1 Social Studies / Psychology	1	Forms of Government	고등학교 - 정치와 법
	2	A Violinist in the Station	고등학교 - 음악, 미술
	3	Biopiracy: The Neem Tree	고등학교 - 통합사회, 생활과 윤리
	4	A Hierarchy of Needs	고등학교 - 통합사회, 사회·문화
2 Culture	5	Mythical Creatures	고등학교 - 문학, 미술
	6	Ramadan: The Fast	고등학교 - 통합사회, 사회·문화
	7	The Bibliomotocarro	고등학교 - 문학, 통합사회
	8	Garífuna Punta	고등학교 - 통합사회, 음악
3 Technology	9	Virtual Reality	고등학교 - 통합과학, 기술·가정
	10	Suspension Bridges	고등학교 - 통합과학, 기술·가정
	11	Bone Conduction	고등학교 - 생명과학, 기술·가정
	12	Videophones	고등학교 - 과학, 기술·가정

TOSEL® READING SERIES FOR TEACHERS

교사용 교재
활용 가이드

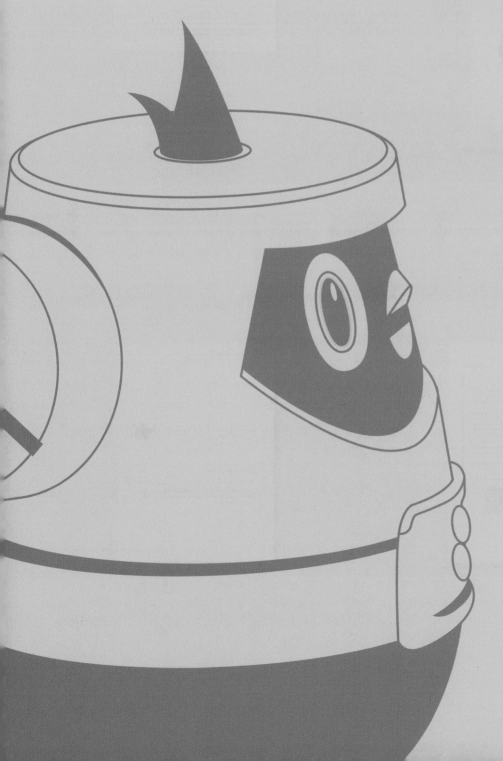

1시간 학습 가이드라인

3분

01 Pre-reading Questions

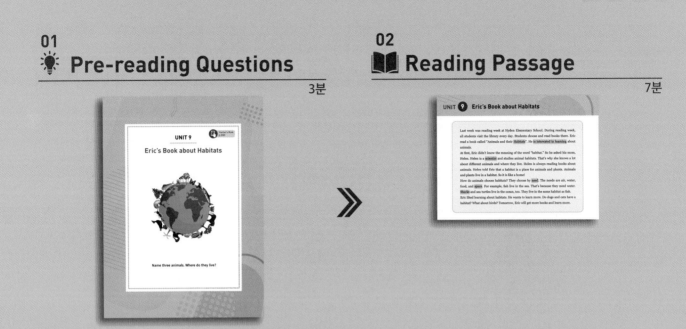

02 Reading Passage

7분

05 Listening Practice

10분

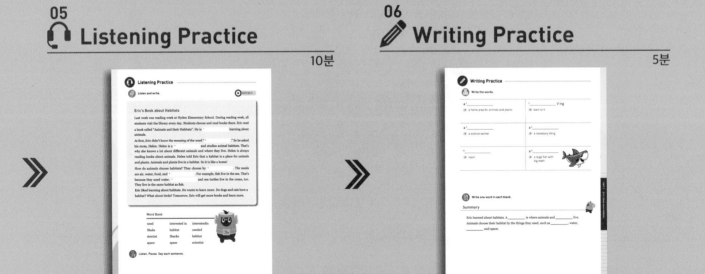

06 Writing Practice

5분

03 New Words

10분

New Words

get lost	all about
not know the right way	everything about
an international flight	**a suitcase**
an airplane ride to another country	a bag for travelling
baggage	**a baggage claim area**
suitcases	a place in the airport to get suitcases

04 Comprehension Questions

10분

Part A. Sentence Completion

1. I loved _____ in reading books.
   (A) interests
   (B) interesting
   (C) is interested
   (D) is interesting

2. _____ are swimming in the sea.
   (A) Fish
   (B) Seal
   (C) A Fish
   (D) A seal

Part B. Situational V

Part C. Practical Reading and Retelling

Deserts	Grasslands	Oceans
Rainforests	The Arctic	Forests

5. Delar will draw a rainforest poster. What kind of animal should he draw?
   (A) a frog
   (B) a seal
   (C) a camel
   (D) a polar bear

6. According to the poster, which animals share the same habitat?
   (A) sharks and bears
   (B) camels and seals
   (C) deer and squirrels
   (D) frogs and beluga whales

82 TOSEL Reading

07 Word Puzzle

5분

Complete the word puzzle.

1↓ want to V

1↓ a home area for animals and plants

3→ a science worker

4↓ room

a large fish with big teeth

5→ a necessary thing

86 TOSEL Reading

08 오답노트

10분

TOSEL

날짜 2020 (1 / 10 (금)	문제
교재 타입(Starter Book)	1. She _____ wakes up early.
단원 Unit 1	(A) wake s
번호 Part A 1번	(B) wakes
난이도 ★★★☆☆	(C) ✗ wake
정답	(D) woke ✗
(B) wakes	
오답	
(A) woke	

틀린 이유	풀이	요점 정리
과거형 맞는 동사인지 틀리는 것을 확실히	빈칸에는 동사를 확인할 수 있는 (단수)가 들어가야 하는데, 주어 She는 3인칭 단수이고 동사 뒤에 wake에 s를 붙여서 wakes에 s를 붙여야 한다.	I / you — up early we, they — wakes up early he she — wakes up early
학습체크 ☑✓☑		

Pre-reading Questions

듣기 / 말하기 연습 (3분)

수업 전 Unit의 지문과 관련된 주제에 대해 영어로 대답해 보는 시간

- Unit과 관련된 Pre-reading Questions에 직접 답변하게 하여 수업에 대한 흥미 유발

- 본인의 경험과 연관지어 봄으로써 학생들의 능동적인 생각 촉진

- 일상생활과 관련된 주제를 통해 실생활에서 활용할 수 있는 표현을 학습

📝 학생용 교재 예시

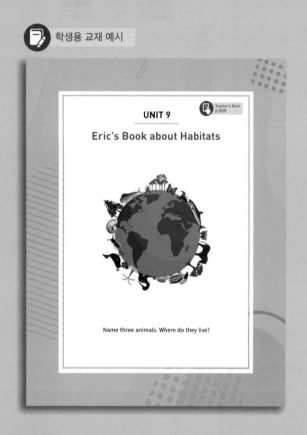

📑 교사용 교재 예시

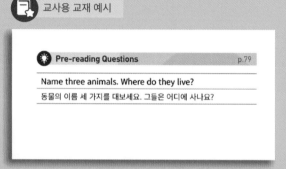

👉 이렇게 지도하세요

- **학습 목표:** 교사의 질문에 완전한 문장으로 대답할 수 있다.

- **학습 유의 사항:**

교사

질문의 의미 전달에 중점을 두어 질문한다. 학습자에게 말하기를 위한 준비 시간을 약 1분 정도 주도록 한다.

학생

문장의 구조 및 순서에 유의하여 완전한 문장으로 답변할 수 있도록 한다.

- **학습 참고 지표:** 2015 개정교육과정 영어과 성취기준 [6영 02-07] (초등학교 5-6학년 군의 말하기 영역)

Reading Passage

독해 연습 (7분)

Unit의 해당 지문 내용을 파악하는 시간

- 주어진 시간 내에 지문을 읽고 핵심 내용과 단어를 파악

- TOSEL 독해 문항을 전략적으로 준비 가능

- Unit에서 다루는 새로운 어휘는 학생용 교재 지문에 표시되어 있으며, 교사용 교재에서는 해석과 등장 어휘를 소개

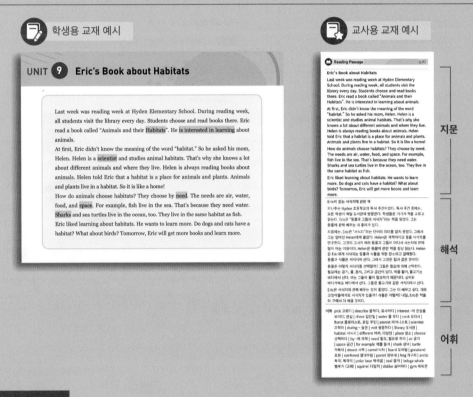

학생용 교재 예시

교사용 교재 예시

 이렇게 지도하세요

- 학습 목표: Reading Passage의 문장을 문법 단위, 의미 단위로 끊어 읽고 문장을 해석할 수 있다.

- 학습 유의 사항:

  교사 ─ 지문의 문장을 의미 덩어리들로 문법 단위를 끊어 읽은 뒤, 문장을 해석하는 훈련을 한다.
  예) The quiet neighborhood / lets / me / sleep / well / at night. (5형식)

   학생 ─ 문장을 문법 단위 / 의미 단위로 끊어 읽으며 New Words 내 expressions를 지문 내에서 이해하도록 한다.

- 학습 참고 지표: 2015 개정교육과정 영어과 성취기준 [6영 03-04] (초등학교 5-6학년 군의 읽기 영역)

  ※ 문장 따라 읽기 / 소리 내어 읽기를 단순 반복하게 할 경우 수업이 지루해질 수 있다.
  따라서 홀수 / 짝수 번호 교대로 읽기, 짝과 교대로 읽기, 목소리 바꾸어서 읽기, 혼자 읽기 등 다양한 방법을 활용하도록 한다.

New Words

새로운 어휘 암기 연습 (10분)

지문 속 표시된 새로운 어휘를 배우는 시간

학생용 교재 예시

New Words

get lost *v* not know the right way	**all about** *adv* everything about
an international flight *n* an airplane ride to another country	**a suitcase** *n* a bag for travelling
baggage *n* suitcases	**a baggage claim area** *n* a place in the airport to get suitcases

지문 속 표시된 새로운 어휘의 이해를 돕기 위해 영문 뜻 혹은 영문 예문 제공

새로운 어휘의 품사는 색깔과 약어로 표시

n 명사	*pron* 대명사	*v* 동사	*adj* 형용사
adv 부사	*prep* 전치사	*conj* 접속사	*int* 감탄사

- 두 단어 이상인 어휘의 경우 지문 내의 역할 기준으로 품사 표시

  예)

지문	In fact, the date of April 22nd was chosen because it came between university students' holidays and their final exams.
해석	사실, 4월 22일이라는 날짜가 선택된 것은 그것이 대학생들의 방학과 그들의 기말시험 사이에 왔기 때문이었다.
품사	in fact *adv* (부사) be chosen *v* (동사)

- 품사로 구분되기 어려운 관용어구나 표현(expressions) 등은 품사의 색깔이 표시되지 않음

  예) for more information about, that's why, virtually everyone 등

New Words 추가 활동

TOSEL 홈페이지(www.tosel.org)에서 New Words 학습을 위한 **Word Cards / Word List** 제공
(다운로드 후 출력 사용 가능)

Word Cards

 워크시트 예시

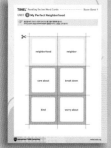

- **활용 방법:** 점선을 따라 오린 후 카드 뒷면에 단어의 뜻을 쓰거나 그림으로 뜻을 표현한다.

- **활용 예시:** ① Word Cards 한 개를 고른 뒤 카드 뒷면에 단어의 동의어 / 반의어 쓰기

  ② 카드 단어를 그림으로 표현하여 상대방이 맞추기 (Picturesque)

  ③ 팀을 나누어 카드의 철자를 팀원 한 명이 몸으로 표현하고 나머지 팀원이 카드의 단어를 맞추기 (Charades)

  ④ Word Cards를 활용하여 문장을 만든 후 품사의 문장 속 역할 파악하기

  예)

Word List

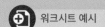 워크시트 예시

- **활용 방법:** 단어 / 어구의 품사 또는 expressions를 선택하여 뜻과 예문을 쓰게 한다.

- **활용 예시:** ① 수업 전 예습지 또는 수업 후 복습지로 활용

  ② Unit / Chapter 완료 시 New Words 평가지로 활용

  ③ 지문 외 다양한 장르(뉴스 기사, 책, 포스터 등)에서 New Words의 쓰임을 찾아 예문에 적어보기

  ④ 뜻을 영어로 재표현(paraphrase)하여 자신만의 단어로 만들기
     예) volunteering = helping others for free

Comprehension Questions

독해 문제 풀이 (10분)

새로운 어휘를 익히고 지문과 관련된 문제를 풀어보는 시간

4개의 파트로 구성된 Comprehension Questions를 통해 TOSEL 읽기와 간접 쓰기 유형에 해당하는 문항을 풀어봄으로써 시험을 전략적으로 대비할 수 있다.

---

1 Part A. Sentence Completion
문장 내 빈칸에 들어갈 알맞은 단어 고르기

- 문법적으로 가장 알맞은 단어를 골라 문장을 완성하는 유형으로 평서문, 의문문, 명령문 등으로 출제

- 동사의 시제·태·수 일치 / 동명사·부정사 / 분사 / 관계사 / 가정법 등의 문법 사항을 통해 문장 구조 파악 및 완성 능력 평가

📝 학생용 교재 예시

Part A. **Sentence Completion**

1. Liuwei _____ in reading books.

   (A) interests
   (B) interesting
   (C) is interested
   (D) is interesting

❗ 지도 팁

학생은 제시된 문장의 빈칸에 들어갈 단어의 품사나 성분 등을 파악한 뒤 정답을 선택한다.

📑 교사용 교재 예시

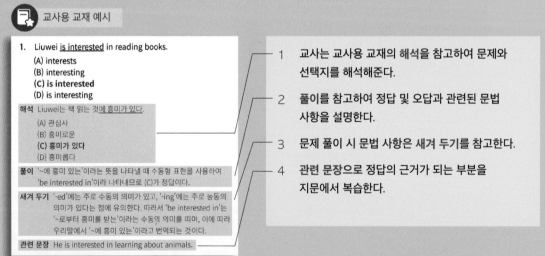

1. Liuwei <u>is interested</u> in reading books.
   (A) interests
   (B) interesting
   (C) is interested
   (D) is interesting

해석 Liuwei는 책 읽는 것에 흥미가 있다.
   (A) 관심사
   (B) 흥미로운
   (C) 흥미가 있다
   (D) 흥미롭다

풀이 '~에 흥미 있는'이라는 뜻을 나타낼 때 수동형 표현을 사용하여 'be interested in'이라 나타내므로 (C)가 정답이다.

새겨 두기 '-ed'에는 주로 수동의 의미가 있고, '-ing'에는 주로 능동의 의미가 있다는 점에 유의한다. 따라서 'be interested in'는 '~로부터 흥미를 받는'이라는 수동의 의미를 띠며, 이에 따라 우리말에서 '~에 흥미 있는'이라고 번역되는 것이다.

관련 문장 He is interested in learning about animals.

1. 교사는 교사용 교재의 해석을 참고하여 문제와 선택지를 해석해준다.

2. 풀이를 참고하여 정답 및 오답과 관련된 문법 사항을 설명한다.

3. 문제 풀이 시 문법 사항은 새겨 두기를 참고한다.

4. 관련 문장으로 정답의 근거가 되는 부분을 지문에서 복습한다.

2 Part B. Situational Writing
제시된 그림 / 상황에 가장 알맞은 단어 고르기

- 제시된 그림 / 상황에 일치하는 문장이 되도록 빈칸에 가장 알맞은 단어를 선택하는 유형
- 적절한 어휘 선택 및 사용 능력 평가

📝 학생용 교재 예시

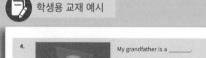

4.

My grandfather is a _____.

(A) cook
(B) florist
(C) pianist
(D) scientist

❗ 지도 팁

학생은 제시된 그림을 가장 잘 설명하는 문장이 되도록
빈칸에 알맞은 단어를 선택한다.

📕 교사용 교재 예시

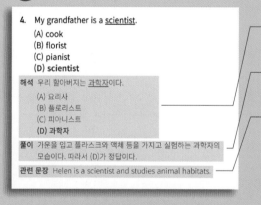

4. My grandfather is a scientist.
(A) cook
(B) florist
(C) pianist
(D) scientist

해석 우리 할아버지는 과학자이다.
(A) 요리사
(B) 플로리스트
(C) 피아니스트
(D) 과학자

풀이 가운을 입고 플라스크와 액체 등을 가지고 실험하는 과학자의
모습이다. 따라서 (D)가 정답이다.

관련 문장 Helen is a scientist and studies animal habitats.

1 교사는 교사용 교재의 해석을 참고하여 문제와
   선택지를 해석해준다.

2 풀이를 참고하여 관련 문법 사항과 그림을
   연계시켜 정답과 오답을 설명한다.

3 관련 문장으로 정답의 근거가 되는 부분을
   지문에서 복습한다.

Part C. Practical Reading and Retelling
실용문 읽고 정보 파악하기

- 실용적 주제와 관련된 자료나 지문을 읽고 구체적인 내용을 파악하여 답하는 유형으로,
  수능의 실용문 세부내용 파악 유형과 유사

- 실생활에서 자주 접할 수 있는 지문들을 통해 정보를 파악하고 이해하는 능력 평가

 학생용 교재 예시

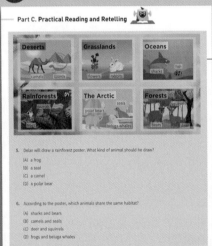

❗ 지도 팁

학생은 실용문의 종류를 파악한 뒤 지문 안에서 문제에 필요한
정보를 찾는다.

교사는 실용문의 종류에 따라 내용을 해석하는 방법을 지도한다.
예) • 그래프(가로·세로 막대, 원형 등): 최소 / 최대치 찾기
  • 벤 다이어그램: 공통점 / 차이점, 포함 관계가 의미하는 내용
  • 초대장: 일시 / 장소 / 대상 / 중심 내용 파악하기
  • 광고: 제목 / 일시 / 장소 / 혜택 등의 단서 찾기

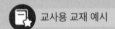 교사용 교재 예시

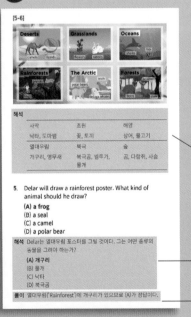

1 교사는 교사용 교재를 참고하여 문제와 선택지를 해석한다.

2 **풀이**를 참고하여 실용문의 주제 / 목적 / 내용 등과 연계시켜
  정답과 오답을 설명한다.

4 Part D. General Reading and Retelling
지문 읽고 내용 파악하기

- 교과나 학술적인 주제와 관련된 지문을 읽고 주제 / 내용을 파악하는 유형으로, 수능의 제목 찾기·일치 / 불일치·세부내용 파악 유형과 유사

- 지문의 주제 및 세부 내용을 파악하고 이해하는 능력 평가

 학생용 교재 예시

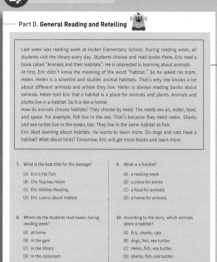

💬 지도 팁

학생은 지문을 읽고 문제에 따라 중심 / 세부 내용을 파악한다.

교사는 문제 유형별로 접근 방법을 지도한다.
- 예) • 주제(제목, 요지) 찾기 유형: 첫 문장과 마지막 문장, 접속사 (Therefore, However, In short 등) 등을 활용한 주제문 찾기
  - 세부 내용 파악 유형: 고유명사·숫자·접속사 등을 활용하여 지문의 내용을 단락별로 구분 지은 후 질문에서 요구하는 세부 내용 찾기
  - 내용 일치 / 불일치 유형: 질문의 단서를 지문에서 찾은 뒤 선택지를 하나씩 지워나가기, 질문에서 요구하는 세부 정보를 먼저 파악한 뒤 지문 읽기

 교사용 교재 예시

1 교사는 교사용 교재를 참고하여 해당 문제의 유형을 파악한다.

2 교사는 교사용 교재를 참고하여 지문을 해석 후 문제와 선택지를 해설한다.

3 풀이를 참고하여 지문에서 정답과 오답의 근거를 찾아 설명한다.

Listening Practice

듣기 연습 (10분)

듣기 훈련을 통해 지문을 듣고 복습하는 시간

- 듣고 받아쓰기: 음원을 들으며 키워드 위주로 빈칸 채우기

- Listening Practice를 듣기 전 활동, 듣기 중 활동, 듣기 후 활동으로 단계별로 나누어 지도

학생용 교재 예시

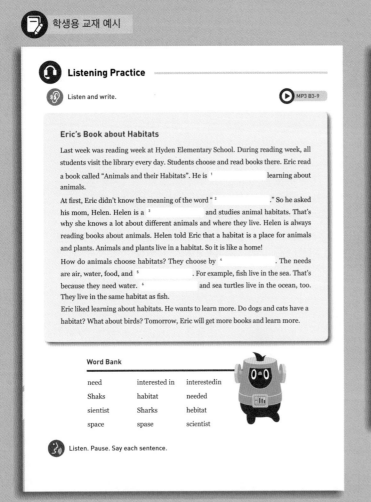

Listening Practice

Listen and write.   MP3 B3-9

Eric's Book about Habitats

Last week was reading week at Hyden Elementary School. During reading week, all students visit the library every day. Students choose and read books there. Eric read a book called "Animals and their Habitats". He is ¹ _____ learning about animals.

At first, Eric didn't know the meaning of the word " ² _____ ." So he asked his mom, Helen. Helen is a ³ _____ and studies animal habitats. That's why she knows a lot about different animals and where they live. Helen is always reading books about animals. Helen told Eric that a habitat is a place for animals and plants. Animals and plants live in a habitat. So it is like a home!

How do animals choose habitats? They choose by ⁴ _____ . The needs are air, water, food, and ⁵ _____ . For example, fish live in the sea. That's because they need water. ⁶ _____ and sea turtles live in the ocean, too. They live in the same habitat as fish.

Eric liked learning about habitats. He wants to learn more. Do dogs and cats have a habitat? What about birds? Tomorrow, Eric will get more books and learn more.

Word Bank

need	interested in	interestedin
Shaks	habitat	needed
sientist	Sharks	hebitat
space	spase	scientist

Listen. Pause. Say each sentence.

교사용 교재 예시

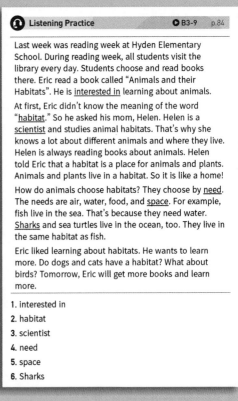

Listening Practice   ▶ B3-9   p.84

Last week was reading week at Hyden Elementary School. During reading week, all students visit the library every day. Students choose and read books there. Eric read a book called "Animals and their Habitats". He is <u>interested in</u> learning about animals.

At first, Eric didn't know the meaning of the word "<u>habitat</u>." So he asked his mom, Helen. Helen is a <u>scientist</u> and studies animal habitats. That's why she knows a lot about different animals and where they live. Helen is always reading books about animals. Helen told Eric that a habitat is a place for animals and plants. Animals and plants live in a habitat. So it is like a home!

How do animals choose habitats? They choose by <u>need</u>. The needs are air, water, food, and <u>space</u>. For example, fish live in the sea. That's because they need water. <u>Sharks</u> and sea turtles live in the ocean, too. They live in the same habitat as fish.

Eric liked learning about habitats. He wants to learn more. Do dogs and cats have a habitat? What about birds? Tomorrow, Eric will get more books and learn more.

---

1. interested in
2. habitat
3. scientist
4. need
5. space
6. Sharks

❶ 듣기 전 활동

- **목표**: 학생의 적극적인 참여 유도 및 듣기 이해도(listening comprehension)를 높인다.

- **예시**: 지문과 관련된 배경 지식이나 주제를 간단히 설명

❷ 듣기 중 활동

 Dictation 음원을 들으면서 빈칸의 내용 받아쓰기

1 음원을 1회 들려주고 전체적인 내용이나 주제를 파악하도록 하기
 (음원에만 집중하도록 Word Bank는 가린다)

2 두번째 음원 재생 시 빈칸의 단어나 어구의 철자에 유념하여 Word Bank에서 찾아 쓴다.

3 빈칸의 정답 공개 후 학생이 쓴 내용 확인

4 틀린 부분을 반복 청취함으로써 세부 내용 파악 연습

5 마지막 음원 재생 시 빈칸을 처음부터 다시 채우게 하여 지문을 이해했는지 최종 점검 및 듣기 능력 향상 확인
 (음원에만 집중하도록 Word Bank는 가린다)

Shadow Reading 듣고 바로 따라 읽기

듣기 / 말하기 영역 향상을 위해 음원을 들으며, 거의 동시에 한 문장씩 같이 읽기 또는 듣고 바로 따라하기

1 억양, 발음, 속도, 강세, 리듬, 끊어 읽는 구간 등을 최대한 따라하기

2 3~5번 정도 반복 훈련하기

3 학생의 shadow reading 음성을 녹음하거나 모습을 동영상으로 촬영 후,
 발음이나 억양, 속도, 강세 등에 대한 피드백 제공하기

❸ 듣기 후 활동

- **목표**: 지문의 문장을 듣고 문장을 순서에 맞게 나열할 수 있다.

- **예시**: 지문 내 2-3개의 문장을 들은 뒤 내용의 순서에 맞게 문장의 순서를 맞추기

Writing Practice

쓰기 연습 (10분)

Unit에서 익힌 단어를 글로 표현하는 시간

 New Words 단어 쓰기

Unit을 마치기 전 New Words 숙지 여부를 철자 쓰기를 통해 확인

학생용 교재 예시

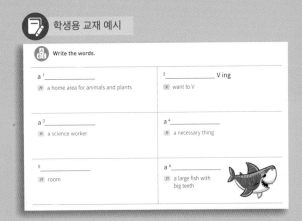

교사용 교재 예시

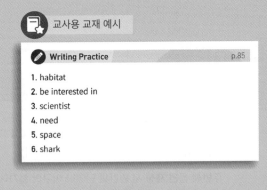

Summary

수능에 고정적으로 출제되는 유형으로 한 Unit에서 다룬 지문을 요약하는 훈련 및 내용 정리

※ Summary 문장의 빈칸을 채울 때 수, 시제, 능동 / 수동태 등 문법 요소가 문맥에 맞게 잘 지켜졌는지 확인하기

학생용 교재 예시

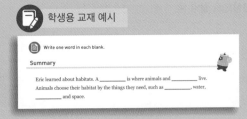

교사용 교재 예시

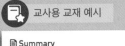

📄 Summary

Eric learned about habitats. A <u>habitat</u> is where animals and <u>plants</u> live. Animals choose their habitat by the things they need, such as <u>air</u>, water, <u>food</u> and space.

Eric은 서식지에 관해 배웠다. 서식지는 동물과 식물이 사는 곳이다. 동물은 공기, 물, 음식, 그리고 공간과 같이 그들이 필요로 하는 것들에 의해 그들의 서식지를 선택한다.

Writing Practice 추가 활동

Writing Practice 추가 활동의 워크시트는 TOSEL 홈페이지(www.tosel.org) 자료실에서 다운로드 후 사용 가능

워크시트 예시

- 목표: 1-2개의 완전한 문장을 쓸 수 있다.

- 예시: ① 실생활에서 활용 가능한 내용을 영어로 짧게 써보게 함으로써 영어 작문 연습 유도

     ② 감사 카드나 크리스마스 카드, 초대장 작성해 보기

Word Puzzle

어휘 퍼즐 (5분)

Unit에서 학습한 단어들을 퍼즐 속에서 찾기

 학생용 교재 예시   교사용 교재 예시

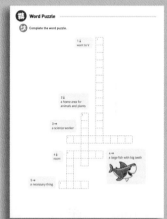

영영 사전의 뜻을 활용하여 영어 노출 최대화

- 한정된 시간 내 퍼즐 풀기나 퍼즐을 가장 빨리 푸는
  학생에게 선물주기 등의 활동을 더하여, 해당 Unit의 복습
  및 동기 부여를 하며 수업을 마무리

Chapter Review

학생들과 가볍게 Chapter를 마무리하는 시간

 학생용 교재 예시   교사용 교재 예시

- Chapter를 재미있게 마무리하기 위한
  독해 지문 / 활동

- 4개 Unit 완료 시 자유롭게 활용 가능,
  교사용 교재에 해석 제공

오답노트

취약 부분 점검 (10분)

채점 후 오답노트 작성

Unit을 마친 뒤 학습자 스스로 틀린 문제를 적게 함으로써 해당 학습 내용에 대한 이해 여부와 취약점 등을 파악, 정리

- 한 Chapter가 끝나면 오답노트에 기록한 문제들을 모아 프린트 후 다시 풀어보게 하기
- TOSEL 홈페이지(www.tosel.org) 자료실에서 다운로드 후 사용 또는 오답노트 구매

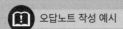 오답노트 작성 예시

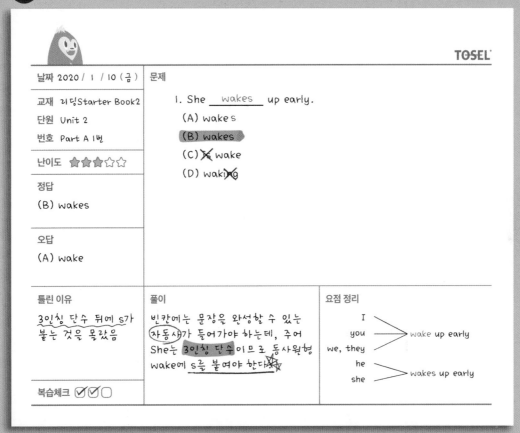

오답노트 활용법

1 오답노트에 학습 날짜, Reading Series 책 번호, Unit, 틀린 번호를 적는다.

2 자신이 느끼는 난이도를 표시한다.

3 정답 및 내가 쓴 답(오답)을 적는다.

4 문제란에 틀린 문제와 틀린 이유, 풀이를 적는다.

5 요점 정리로 해당 문제를 마무리하며, 복습을 할 때마다 복습 체크란에 표시한다.

Voca Syllabus

Prestarter

Book	N.S	T.N.W	T.N.U.W
1	138	667	270
2	137	661	274
3	144	700	292

Starter

Book	N.S	T.N.W	T.N.U.W
1	269	1446	456
2	279	1560	409
3	279	1489	428

Basic

Book	N.S	T.N.W	T.N.U.W
1	333	2469	695
2	333	2528	710
3	340	2662	730

Junior

Book	N.S	T.N.W	T.N.U.W
1	289	3012	974
2	263	2985	985
3	232	3206	994

High Junior

Book	N.S	T.N.W	T.N.U.W
1	219	3432	1195
2	223	3522	1145
3	288	4170	1339

- N.S: Number of Sentences, 교재에 사용된 전체 문장 수
- T.N.W: Total Number of Words, 교재에 사용된 전체 단어 수 (중복 포함)
- T.N.U.W: Total Number of Unique Words, 교재에 사용된 전체 단어 수 (중복 미포함)

Reading Series는 각 레벨별 3권, 총 15권의 본교재와 5권의 교사용 교재로 이루어져 있으며, 학생의 수준에 맞는 난이도의 교재를 선택해 학습을 진행하실 수 있습니다. Prestarter 레벨부터 High Junior 레벨까지의 리딩시리즈 교재를 통해 총 3,766개의 문장과 10,866개의 단어를 학습하실 수 있습니다.

TOSEL vs 수학능력시험

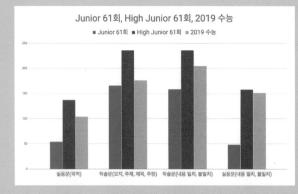

Junior 61회, High Junior 61회, 2019 수능
- Junior 61회 - High Junior 61회 - 2019 수능

실용문(목적) / 학술문(요지, 주제, 제목, 주장) / 학술문(내용 일치, 불일치) / 실용문(내용 일치, 불일치)

유형 직접 유사도

Junior 47%   High Junior 52%

평균적으로 수학 능력 시험 (CSAT) 영어 과목 1등급을 받기 위해 요구되는 단어의 수는 5,000개 이상입니다. TOSEL Reading Series 교재를 통해 학습할 수 있는 단어의 수는 총 10,866개로, 이는 수학 능력 시험을 대비하기에 충분한 숫자입니다. Prestarter, Starter, Basic, Junior, High Junior 레벨의 TOSEL 문항은 각급 학교 내신 시험 및 수학 능력 시험과 높은 문항 일치율을 보인다는 점에서 내신 1등급과 수학 능력 시험 1등급이라는 결과를 동시에 기대할 수 있습니다.

TOSEL® Reading
Basic Book 1

Basic Book 1

ANSWERS

CHAPTER 1 | Neighbors
p.10

UNIT 1 · B1-1 · p.11
⏱ 1 (C)　2 (D)　3 (B)　4 (D)　5 (B)　6 (C)　7 (A)　8 (D)　9 (B)　10 (B)

🎧 1 neighbors　2 care　3 broke down　4 kind　5 worry　6 neighborhood

✏ 1 neighborhood　2 neighbor　3 care about　4 break down　5 kind　6 worry about

📄 neighbors, officers, is, live

🔳 → 2 break down　4 care about　5 worry about　6 neighbor　↓ 1 kind　2 neighborhood

UNIT 2 · B1-2 · p.19
⏱ 1 (A)　2 (A)　3 (B)　4 (B)　5 (C)　6 (C)　7 (D)　8 (C)　9 (A)　10 (B)

🎧 1 decided　2 photographer　3 customers　4 police officer　5 protects　6 uniform

✏ 1 photographer　2 customer　3 police officer　4 protect　5 uniform　6 decide

📄 four, photographer, job, not

🔳 → 5 photographer　↓ 1 customer　2 uniform　3 police officer　4 decide　5 protect

UNIT 3 · B1-3 · p.27
⏱ 1 (A)　2 (C)　3 (B)　4 (A)　5 (D)　6 (C)　7 (B)　8 (C)　9 (A)　10 (B)

🎧 1 free time　2 volunteer　3 trash　4 plastic　5 pick up　6 right

✏ 1 volunteer　2 free time　3 trash　4 plastic　5 pick up　6 right

📄 volunteer, trash, trees, library

🔳 → 4 volunteer　5 trash　6 pick up　↓ 1 free time　2 right　3 plastic

UNIT 4 · B1-4 · p.35
⏱ 1 (B)　2 (A)　3 (A)　4 (C)　5 (D)　6 (D)　7 (D)　8 (C)　9 (D)　10 (D)

🎧 1 popular　2 warm　3 elderly　4 juicy　5 share　6 hero

✏ 1 popular　2 warm　3 elderly　4 juicy　5 share　6 hero

📄 bread, watermelon, coloring, cats

🔳 → 1 share　4 hero　5 juicy　6 warm　↓ 2 elderly　3 popular

CHAPTER 2 | Neighborhood
p.44

UNIT 5 · B1-5 · p.45
⏱ 1 (B)　2 (B)　3 (D)　4 (B)　5 (D)　6 (D)　7 (C)　8 (A)　9 (C)　10 (B)

🎧 1 favorite　2 fountain　3 tulips　4 healthy　5 delicious　6 take a nap

✏ 1 favorite　2 fountain　3 tulip　4 healthy　5 delicious　6 take a nap

📄 rose, park, thirsty, nap

🔳 → 2 healthy　6 take a nap　↓ 1 favorite　3 tulip　4 fountain　5 delicious

UNIT 6 · B1-6 · p.53
⏱ 1 (C)　2 (D)　3 (D)　4 (A)　5 (D)　6 (D)　7 (D)　8 (C)　9 (A)　10 (D)

🎧 1 grocery　2 Thanksgiving　3 vegetables　4 parking lot　5 waited　6 quickly

✏ 1 grocery shopping　2 Thanksgiving　3 vegetable　4 parking lot　5 wait in line　6 quickly

📄 family, fish, parking, eggs

🔳 → 2 quickly　6 wait in line　↓ 1 grocery shopping　3 vegetable　4 parking lot　5 Thanksgiving

UNIT 7 · B1-7 · p.61
⏱ 1 (C)　2 (B)　3 (D)　4 (A)　5 (C)　6 (D)　7 (B)　8 (C)　9 (A)　10 (A)

🎧 1 horror　2 scariest　3 scared　4 lights　5 platform　6 screamed

✏ 1 horror movie　2 scary　3 scared　4 the lights go out　5 station platform　6 scream

📄 horror, scariest, subway, woman

🔳 → 5 horror movie　6 scary　↓ 1 station platform　2 scream　3 scared　4 the lights go out

UNIT 8 · B1-8 · p.69
⏱ 1 (B)　2 (D)　3 (D)　4 (C)　5 (C)　6 (D)　7 (A)　8 (C)　9 (D)　10 (C)

🎧 1 floors　2 members　3 borrow　4 at a time　5 shy　6 cheer

✏ 1 floor　2 member　3 borrow　4 at a time　5 shy　6 cheer, up

📄 Library, every week, desks, programs

🔳 → 1 at a time　4 borrow　6 cheer up　↓ 2 member　3 floor　5 shy

CHAPTER 3 | Stadium in My Town
p.78

UNIT 9 · B1-9 · p.79
⏱ 1 (C)　2 (A)　3 (D)　4 (B)　5 (C)　6 (D)　7 (B)　8 (D)　9 (B)　10 (B)

🎧 1 stadium　2 home run　3 seats　4 excited　5 dropped　6 signed

✏ 1 baseball stadium　2 home run　3 drop　4 seat　5 excited　6 sign

📄 stadium, orange, chicken, signed

🔳 → 3 sign　4 seat　5 excited　6 drop　↓ 1 home run　2 baseball stadium

UNIT 10 · B1-10 · p.87
⏱ 1 (C)　2 (D)　3 (C)　4 (D)　5 (B)　6 (B)　7 (B)　8 (A)　9 (B)　10 (C)

🎧 1 national　2 champion　3 reasons　4 moves　5 inspiring　6 hard

✏ 1 national　2 champion　3 reason　4 move　5 inspiring　6 hard

📄 sports, reasons, skater, kind

🔳 → 3 inspiring　6 move　↓ 1 champion　2 hard　4 national　5 reason

UNIT 11 · B1-11 · p.95
⏱ 1 (A)　2 (B)　3 (A)　4 (C)　5 (B)　6 (D)　7 (B)　8 (A)　9 (A)　10 (C)

🎧 1 magician　2 magic　3 arena　4 called　5 pick up　6 strips

✏ 1 magician　2 arena　3 be called　4 magic show　5 pick up　6 chicken strips

📄 magician, friends, concert, restaurant

🔳 → 1 magician　3 magic show　4 arena　5 pick up　↓ 2 chicken strips　6 called

UNIT 12 · B1-12 · p.103
⏱ 1 (B)　2 (B)　3 (A)　4 (A)　5 (B)　6 (B)　7 (D)　8 (C)　9 (C)　10 (A)

🎧 1 fight　2 fan　3 usually　4 dumb　5 Normally　6 album

✏ 1 have a fight with　2 be a big fan of　3 usually　4 dumb　5 normally　6 album

📄 fight, cool, slow, fans

🔳 → 4 usually　6 be a big fan of　↓ 1 normally　2 album　3 have a fight with　5 dumb

Chapter 1. Neighbors

💡 **Pre-reading Questions** p.11

Who lives in your neighborhood?

여러분의 동네에는 누가 사나요?

📖 **Reading Passage** p.12

My Perfect Neighborhood

I love my neighborhood. It is safe and quiet. My neighbors care about each other. They always try to help. One day my father's car broke down. Ms. Pitafi came and fixed it. I think she is very kind. Another time, Ms. Filio's cat ran away. My father walked around the neighborhood to help her. He walked around for more than an hour. Finally, he found the cat. There are also many police officers in my neighborhood. They help people with problems. Sometimes they help wild animals. They mostly walk or drive around the neighborhood to help us. So I don't worry about going outside late at night. Lastly, there aren't many cars on the road. People usually take the bus to go to school or work. This is why my neighborhood is quiet. We don't have to worry about cars! The quiet neighborhood lets me sleep well at night. My neighborhood is perfect. I want to live here forever.

내 완벽한 동네

나는 나의 동네를 좋아한다. 그곳은 안전하고 조용하다. 내 이웃들은 서로 아낀다. 그들은 항상 도우려고 한다. 어느 날 내 아버지의 차가 고장 났다. Pitafi 씨가 와서 그것을 고쳐주었다. 나는 그녀가 아주 친절하다고 생각한다. 어느 다른 때, Filio 씨의 고양이가 달아났다. 내 아버지는 그녀를 돕기 위해 동네 주위를 걸어 다녔다. 그는 1시간 넘게 돌아다녔다. 마침내, 그는 고양이를 찾았다. 나의 동네에는 또한 많은 경찰관들이 있다. 그들은 문제가 있는 사람들을 돕는다. 때때로 그들은 야생 동물들을 돕는다. 그들은 주로 우리를 도우려고 동네 주위를 걷거나 운전한다. 그래서 나는 밤늦게 밖에 나가는 것에 관해 걱정하지 않는다. 마지막으로, 도로에 자동차들이 많지 않다. 사람들은 학교나 일에 가려고 보통 버스를 탄다. 이것이 나의 동네가 조용한 이유이다. 우리는 자동차들에 관해 걱정할 필요가 없다! 이 조용한 동네는 밤에 내가 잘 잘잘 수 있게 해준다. 나의 동네는 완벽하다. 나는 여기서 영원히 살고 싶다.

어휘 neighborhood 동네; 이웃 | (police) officer 경(찰)관 | fix 고치다 | sell 팔다 | quiet 조용한 | care about 상관하다, 관심을 가지다 | always 항상 | break down 고장 나다 | run away 달아나다 | around ~의 주위에 | problem 문제 | sometimes 때때로 | wild 야생의 | mostly 주로 | worry about ~에 대해 걱정하다 | lastly 마지막으로 | road 도로 | This is why~. 이것이 ~한 이유이다. | sleep well 잘 자다 | perfect 완벽한 | forever 영원히 | theater 극장 | gallery 미술관 | library 도서관 | avenue -가(거리) | street 거리 | trouble 곤경, 문제

⏱ Comprehension Questions

p.13

1. I played chess <u>for</u> two hours.

(A) at
(B) on
(C) for
(D) while

해석 나는 두 시간 동안 <u>동안</u> 체스를 했다.

(A) ~에
(B) ~ 위에
(C) ~ 동안
(D) ~하는 동안

풀이 시간 앞에서 전치사 'for'를 사용하여 '~ 동안'이라는 시간의 길이를 나타내므로 (C)가 정답이다. (D)는 'while'이 'while my sister was doing her homework'에서와 같이 뒤에 절이 나와야 하므로 오답이다.

관련 문장 He walked around for more than an hour.

2. There are many police <u>officers</u> in our town.

(A) car
(B) a car
(C) officer
(D) officers

해석 우리 동네에는 많은 <u>경찰관들</u>이 있다.

(A) 차
(B) 차 한 대
(C) 경찰관
(D) 경찰관들

풀이 한정사 'many'가 꾸밀 수 있는 복수 명사가 들어가야 하므로 (D)가 정답이다.

관련 문장 There are also many police officers in my neighborhood.

3. They walk <u>late at night</u>.

(A) at noon
(B) late at night
(C) in the afternoon
(D) late in the morning

해석 그들은 <u>밤늦게</u> 걷는다.

(A) 정오에
(B) 밤늦게
(C) 오후에
(D) 아침 늦게

풀이 달이 떠 있는 밤에 산책하고 있으므로 (B)가 정답이다.

관련 문장 So I don't worry about going outside late at night.

4. Jinhee is <u>driving</u> a red car.

(A) fixing
(B) selling
(C) buying
(D) driving

해석 Jinhee는 빨간 차를 <u>운전하고</u> 있다.

(A) 고치는
(B) 파는
(C) 사는
(D) 운전하는

풀이 차를 운전하고 있으므로 (D)가 정답이다.

관련 문장 They mostly walk or drive around the neighborhood to help us.

[5-6]

해석

건물	장소	전화번호
Lux 극장	Q 거리	234-5678
Chaut 미술관	Holdridge가	111-2323
Salton 도서관	Saint Paul가	055-2434
Parkins 옷가게	North 34거리	277-8603
Huskers 은행	Vine 거리	922-5678

5. Which building is on Vine Street?

(A) Lux Theater
(B) Huskers Bank
(C) Salton Library
(D) Chaut Art Gallery

해석 어떤 건물이 Vine 거리에 있는가?

(A) Lux 극장
(B) Huskers 은행
(C) Salton 도서관
(D) Chaut 미술관

풀이 'Vine Street'에는 'Huskers Bank'가 있다고 나와 있으므로 (B)가 정답이다.

6. What number should you probably call if you want to buy a dress?

(A) 234-5678
(B) 055-2434
(C) 277-8603
(D) 922-5678

해석 드레스를 사고 싶다면 어떤 번호에 전화해야 하겠는가?

(A) 234-5678
(B) 055-2434
(C) 277-8603
(D) 922-5678

풀이 드레스를 사려면 옷가게에 연락해야 한다. 옷가게인 'Parkins Clothes Store'의 전화번호는 '277-8603'이므로 (C)가 정답이다.

[7-10]

I love my neighborhood. It is safe and quiet. My neighbors care about each other. They always try to help. One day my father's car broke down. Ms. Pitafi came and fixed it. I think she is very kind. Another time, Ms. Filio's cat ran away. My father walked around the neighborhood to help her. He walked around for more than an hour. Finally, he found the cat. There are also many police officers in my neighborhood. They help people with problems. Sometimes they help wild animals. They mostly walk or drive around the neighborhood to help us. So I don't worry about going outside late at night. Lastly, there aren't many cars on the road. People usually take the bus to go to school or work. This is why my neighborhood is quiet. We don't have to worry about cars! The quiet neighborhood lets me sleep well at night. My neighborhood is perfect. I want to live here forever.

해석

나는 나의 동네를 좋아한다. 그곳은 안전하고 조용하다. 내 이웃들은 서로 아낀다. 그들은 항상 도우려고 한다. 어느 날 내 아버지의 차가 고장 났다. Pitafi 씨가 와서 그것을 고쳐주었다. 나는 그녀가 아주 친절하다고 생각한다. 어느 다른 때, Filio 씨의 고양이가 달아났다. 내 아버지는 그녀를 돕기 위해 동네 주위를 걸어 다녔다. 그는 1시간 넘게 돌아다녔다. 마침내, 그는 고양이를 찾았다. 나의 동네에는 또한 많은 경찰관들이 있다. 그들은 문제가 있는 사람들을 돕는다. 때때로 그들은 야생 동물들을 돕는다. 그들은 주로 우리를 도우려고 동네 주위를 걷거나 운전한다. 그래서 나는 밤늦게 밖에 나가는 것에 관해 걱정하지 않는다. 마지막으로, 도로에 자동차들이 많지 않다. 사람들은 학교나 일에 가려고 보통 버스를 탄다. 이것이 나의 동네가 조용한 이유이다. 우리는 자동차들에 관해 걱정할 필요가 없다! 이 조용한 동네는 밤에 내가 잘 잘 수 있게 해준다. 나의 동네는 완벽하다. 나는 여기서 영원히 살고 싶다.

7. What is the main idea of the passage?

(A) My neighborhood is great.
(B) I hate noisy neighborhoods.
(C) People should buy more cars.
(D) Neighbors should help each other.

해석 지문의 요지는 무엇인가?

(A) 나의 동네는 훌륭하다.
(B) 나는 시끄러운 동네가 싫다.
(C) 사람들은 차를 더 사야 한다.
(D) 이웃들은 서로 도와야 한다.

유형 전체 내용 파악

풀이 서로 아끼고 돕는 글쓴이의 동네를 주로 다루고 있는 글이다. 특히 첫 부분('I love my neighborhood.')과 마지막 부분('My neighbor is perfect.')에서 글쓴이가 자신의 동네를 칭찬하며 중심 내용을 드러내고 있다. 따라서 (A)가 정답이다.

8. Who is Ms. Pitafi, probably?

(A) the writer
(B) the writer's sister
(C) the writer's mother
(D) the writer's neighbor

해석 Pitafi 씨는 아마도 누구인가?

(A) 글쓴이
(B) 글쓴이의 여동생
(C) 글쓴이의 어머니
(D) 글쓴이의 이웃

유형 추론하기

풀이 세 번째 문장 'My neighbors care about each other.'에서 글쓴이의 이웃들이 서로 돕는다고 한 뒤, 곧바로 Pitafi 씨가 아버지 차를 고쳐준 일화를 이야기하고 있다. 이를 통해 Pitafi가 글쓴이의 이웃이라는 것을 알 수 있으므로 (D)가 정답이다.

9. What do police officers NOT do in this neighborhood?

(A) help wild animals
(B) drive buses to work
(C) help people who are in trouble
(D) walk around the neighborhood

해석 동네에서 경찰관들이 하는 일이 아닌 것은 무엇인가?

(A) 야생 동물 돕기
(B) 직장에 버스 운전해서 가기
(C) 곤경에 처한 사람들 돕기
(D) 동네 돌아보기

유형 세부 내용 파악

풀이 경찰관들이 버스를 운전해서 직장에 간다는 말은 언급되지 않았으므로 (B)가 정답이다. (A)는 'help wild animals', (C)는 'help people with problems', (D)는 'walk or drive around the neighborhood'에서 확인할 수 있는 내용이므로 오답이다.

10. What happened to Ms. Filio?

　　(A) She lost her dog.
　　(B) Her cat ran away.
　　(C) Her car broke down.
　　(D) She caught a wild animal.

해석　Filio 씨에게 무슨 일이 생겼는가?

　　(A) 개를 잃어버렸다.
　　(B) 고양이가 도망쳤다.
　　(C) 자동차가 고장 났다.
　　(D) 야생 동물을 잡았다.

유형　세부 내용 파악

풀이　'Ms. Filio's cat ran away.'에서 Filio 씨의 고양이가 달아났다고 했으므로 (B)가 정답이다. (A)는 개가 아니라 고양이를 잃어버린 것이므로 오답이다.

🎧 Listening Practice　　　🔘 B1-1　　p.16

I love my neighborhood. It is safe and quiet. My <u>neighbors</u> <u>care</u> about each other. They always try to help. One day my father's car <u>broke down</u>. Ms. Pitafi came and fixed it. I think she is very <u>kind</u>. Another time, Ms. Filio's cat ran away. My father walked around the neighborhood to help her. He walked around for more than an hour. Finally, he found the cat. There are also many police officers in my neighborhood. They help people with problems. Sometimes they help wild animals. They mostly walk or drive around the neighborhood to help us. So I don't <u>worry</u> about going outside late at night. Lastly, there aren't many cars on the road. People usually take the bus to go to school or work. This is why my <u>neighborhood</u> is quiet. We don't have to worry about cars! The quiet neighborhood lets me sleep well at night. My neighborhood is perfect. I want to live here forever.

1. neighbors
2. care
3. broke down
4. kind
5. worry
6. neighborhood

✏️ Writing Practice　　　　　　　　　p.17

1. neighborhood
2. neighbor
3. care about
4. break down
5. kind
6. worry about

📄 Summary

I love my neighborhood. My <u>neighbors</u> help people and animals. There are also police <u>officers</u> in the neighborhood. Also, my neighborhood <u>is</u> quiet. I want to <u>live</u> here forever!

나는 나의 동네를 사랑한다. 나의 <u>이웃</u>들은 사람들과 동물들을 돕는다. 동네에는 경찰<u>관</u>들도 있다. 또한, 나의 동네는 조용<u>하다</u>. 나는 이곳에 영원히 <u>살고</u> 싶다!

🧩 Word Puzzle　　　　　　　　　　p.18

Across
2. break down
4. care about
5. worry about
6. neighbor

Down
1. kind
3. neighborhood

Unit 2 | Asking People about Jobs

Listening Practice   p.24

1 decided	2 photographer
3 customers	4 police officer
5 protects	6 uniform

Writing Practice   p.25

1 photographer	2 customer
3 police officer	4 protect
5 uniform	6 decide

Summary   four, photographer, job, not

Word Puzzle   p.26

Across

    5 photographer

Down

    1 customer   2 uniform

    3 police officer   4 decide

    5 protect

☀ Pre-reading Questions
p.19

Think! You are thirty years old.

Do you have a job? What do you do?

생각해 보세요! 당신이 30살이에요.

당신에게 직업이 있나요? 당신은 무슨 일을 하나요?

📖 Reading Passage

p.20

Asking People about Jobs

My teacher gave us some fun homework last week. We had to talk to different people about their jobs. First, I made a list of people. Then, I decided to talk to Mr. Moreno, Ms. Adame, Ms. Mayo, and Mr. Kinny. Mr. Moreno is a photographer. He takes pet pictures. He sees many dogs and cats every day. I went to his studio. He showed me cool cameras. Ms. Adame works at a restaurant. She brings food to customers. She loves to talk to them. She said it is fun to hear different stories. Ms. Mayo is a teacher. She teaches first and third grade math. Her students are very smart. They read a lot. Lastly, Mr. Kinny is a police officer. He protects the town every day. He wears a cool uniform to work. I spoke to these four people. Then I wrote a short essay about my future job. I want to meet many people, like Ms. Adame does. I also want to help others, like Mr. Kinny does. Oh, I don't know what I want to do!

직업에 관해 사람들에게 묻기

나의 선생님은 지난주 우리에게 재밌는 숙제를 내주셨다. 우리는 다양한 사람들과 그들의 직업에 관해 이야기해야 했다. 우선, 나는 사람들 목록을 만들었다. 그다음, 나는 Moreno 씨, Adame 씨, Mayo 씨, 그리고 Kinny 씨와 이야기하기로 결정했다. Moreno 씨는 사진작가이다. 그는 반려동물 사진을 찍는다. 그는 매일 많은 개와 고양이를 본다. 나는 그의 스튜디오에 갔다. 그는 나에게 멋진 카메라들을 보여주었다. Adame 씨는 레스토랑에서 일한다. 그녀는 손님들에게 음식을 가져다준다. 그녀는 그들과 이야기하는 것을 아주 좋아한다. 그녀는 다양한 이야기를 듣는 것이 재밌다고 말했다. Mayo 씨는 선생님이다. 그녀는 1학년과 3학년 수학을 가르친다. 그녀의 학생들은 매우 똑똑하다. 그들은 많이 읽는다. 마지막으로, Kinny 씨는 경찰관이다. 그는 매일 동네를 보호한다. 그는 근무할 때 멋진 유니폼을 입는다. 나는 이 네 명의 사람들과 이야기했다. 그런 다음 내 미래 직업에 관한 짧은 수필을 썼다. 나는 Adame 씨가 그런 것처럼, 많은 사람을 만나고 싶다. 나는 Kinny 씨가 그러는 것처럼, 다른 이들을 돕고도 싶다. 아, 나는 내가 무엇을 하고 싶은지 모르겠다!

어휘   job 직업 | restaurant 레스토랑, 식당 | cook 요리사; 요리하다 | around ~ 주위에 | teach 가르치다 | take a picture 사진을 찍다 | give 주다 | homework 숙제 | last week 지난주 | different 다양한, 다른 | list 목록 | decide 결정하다 | photographer 사진작가 | pet 반려동물 | studio 스튜디오 | cool 멋진; 시원한 | grade 학년, 등급 | smart 똑똑한 | a lot 많이 | uniform 유니폼 | essay 수필, 에세이 | future 미래 | meet 만나다 | pianist 피아니스트 | president 대통령

Comprehension Questions

p.21

1. Ian gave <u>me</u> a box of chocolates.

   (A) me
   (B) we
   (C) my
   (D) our

해석 Ian이 <u>나에게</u> 초콜릿 한 상자를 주었다.

   (A) 나에게
   (B) 우리는
   (C) 나의
   (D) 우리의

풀이 'give A B'라는 4형식 문장 구조를 사용하여 'A에게 B를 주다'라는 뜻을 나타낼 수 있다. 빈칸에는 동사 'give'의 간접 목적어가 들어가야 하므로 1인칭 단수 목적격 대명사 (A)가 정답이다.

관련 문장 My teacher gave us some fun homework last week.

2. My mom works <u>at</u> a restaurant. She is a cook.

   (A) at
   (B) to
   (C) on
   (D) around

해석 우리 엄마는 레스토랑<u>에서</u> 일하신다. 그녀는 요리사이다.

   (A) ~에
   (B) ~로
   (C) ~ 위에
   (D) ~ 주위에

풀이 장소 앞에서 전치사 'at'을 사용하여 '~에, ~에서'라는 뜻을 나타내므로 (A)가 정답이다.

관련 문장 Ms. Adame works at a restaurant.

3. Ms. Davis teaches <u>six</u> students.

   (A) five
   (B) six
   (C) ten
   (D) twelve

해석 Davis 선생님은 학생 <u>여섯</u> 명을 가르친다.

   (A) 다섯
   (B) 여섯
   (C) 열
   (D) 열둘

풀이 선생님의 수업을 듣는 학생이 여섯 명이므로 (B)가 정답이다.

관련 문장 She teaches first and third grade math.

4. Nick is <u>taking</u> a picture of the dinner menu.

   (A) doing
   (B) taking
   (C) making
   (D) painting

해석 Nick은 저녁 메뉴 사진을 <u>찍고</u> 있다.

   (A) 하는
   (B) (사진을) 찍는
   (C) 만드는
   (D) 칠하는

풀이 휴대 전화로 음식 사진을 찍고 있는 모습이다. '~의 사진을 찍다'는 영어로 'take a picture of ~'라고 표현하므로 (B)가 정답이다.

관련 문장 He takes pet pictures.

[5-6]

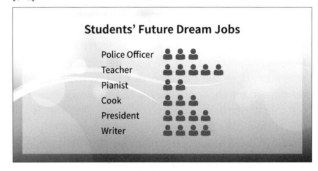

해석

학생들의 장래 희망 직업	
경찰관	3
선생님	5
피아니스트	2
요리사	3
대통령	4
작가	4

5. How many students want to become writers?

   (A) 2
   (B) 3
   (C) 4
   (D) 5

해석 얼마나 많은 학생이 작가가 되기를 희망하는가?

   (A) 2
   (B) 3
   (C) 4
   (D) 5

풀이 4명의 학생이 장래 희망 직업으로 'Writer'를 골랐으므로 (C)가 정답이다.

6. What do most of the students want to be?

    (A) cooks
    (B) writers
    (C) teachers
    (D) presidents

해석 가장 많은 수의 학생들이 무엇이 되고 싶어 하는가?

    (A) 요리사
    (B) 작가
    (C) 선생님
    (D) 대통령

풀이 'Teacher'가 되고 싶은 학생들이 5명으로 가장 많으므로 (C)가
    정답이다.

[7-10]

My teacher gave us some fun homework last week.
We had to talk to different people about their jobs.
First, I made a list of people. Then, I decided to talk to
Mr. Moreno, Ms. Adame, Ms. Mayo, and Mr. Kinny. Mr.
Moreno is a photographer. He takes pet pictures. He
sees many dogs and cats every day. I went to his studio.
He showed me cool cameras. Ms. Adame works at a
restaurant. She brings food to customers. She loves to
talk to them. She said it is fun to hear different stories.
Ms. Mayo is a teacher. She teaches first and third grade
math. Her students are very smart. They read a lot.
Lastly, Mr. Kinny is a police officer. He protects the town
every day. He wears a cool uniform to work. I spoke to
these four people. Then I wrote a short essay about my
future job. I want to meet many people, like Ms. Adame
does. I also want to help others, like Mr. Kinny does. Oh,
I don't know what I want to do!

해석

    나의 선생님은 지난주 우리에게 재밌는 숙제를 내주셨다.
    우리는 다양한 사람들과 그들의 직업에 관해 이야기해야 했다.
    우선, 나는 사람들 목록을 만들었다. 그다음, 나는 Moreno 씨,
    Adame 씨, Mayo 씨, 그리고 Kinny 씨와 이야기하기로
    결정했다. Moreno 씨는 사진작가이다. 그는 반려동물 사진을
    찍는다. 그는 매일 많은 개와 고양이를 본다. 나는 그의
    스튜디오에 갔다. 그는 나에게 멋진 카메라들을 보여주었다.
    Adame 씨는 레스토랑에서 일한다. 그녀는 손님들에게 음식을
    가져다준다. 그녀는 그들과 이야기하는 것을 아주 좋아한다.
    그녀는 다양한 이야기를 듣는 것이 재밌다고 말했다. Mayo
    씨는 선생님이다. 그녀는 1학년과 3학년 수학을 가르친다.
    그녀의 학생들은 매우 똑똑하다. 그들은 많이 읽는다.
    마지막으로, Kinny 씨는 경찰관이다. 그는 매일 동네를
    보호한다. 그는 근무할 때 멋진 유니폼을 입는다. 나는 이 네
    명의 사람들과 이야기했다. 그런 다음 내 미래 직업에 관한
    짧은 수필을 썼다. 나는 Adame 씨가 그런 것처럼, 많은 사람을
    만나고 싶다. 나는 Kinny 씨가 그러는 것처럼, 다른 이들을
    돕고도 싶다. 아, 나는 내가 무엇을 하고 싶은지 모르겠다!

7. What is the best title for the passage?

    (A) Ms. Mayo Is Very Smart
    (B) I Want to Protect My Town
    (C) Where to Buy New Cameras
    (D) Talking to Four People about Jobs

해석 지문에 가장 알맞은 제목은 무엇인가?

    (A) Mayo 씨는 아주 똑똑하다
    (B) 나는 우리 동네를 지키고 싶다
    (C) 새로운 카메라를 사는 곳
    (D) 직업에 관해 네 명과 대화하기

유형 전체 내용 파악

풀이 글쓴이가 숙제를 위해 네 사람과 만나 대화를 나누고, 이를
    토대로 그들의 직업과 하는 일을 차례대로 설명하고 있으므로
    (D)가 정답이다.

8. Why did the writer ask people questions?

    (A) to find a job
    (B) to join a club
    (C) to do some homework
    (D) to meet friends' parents

해석 글쓴이는 왜 사람들에게 질문했는가?

    (A) 직업을 찾으려고
    (B) 동아리에 가입하려고
    (C) 숙제를 하려고
    (D) 친구들의 부모님을 만나려고

유형 세부 내용 파악

풀이 처음 두 문장 'My teacher gave us some fun homework last
    week. We had to talk to different people about their jobs.'
    에서 글쓴이가 숙제하려고 사람들에게 질문했다는 것을 알 수
    있으므로 (C)가 정답이다.

9. Which person probably sees many dogs?

    (A) Mr. Moreno
    (B) Ms. Adame
    (C) Ms. Mayo
    (D) Mr. Kinny

해석 다음 중 어떤 사람이 개를 많이 보겠는가?

    (A) Moreno 씨
    (B) Adame 씨
    (C) Mayo 씨
    (D) Kinny 씨

유형 세부 내용 파악

풀이 'Mr. Moreno is a photographer. [...] He sees many dogs
    and cats every day.'에서 반려동물 사진을 찍는 Moreno 씨가
    개와 고양이를 많이 본다고 했으므로 (A)가 정답이다.

10. Which of the following did the writer do last?

    (A) visit a studio
    (B) write an essay
    (C) make a list of people
    (D) ask people questions

해석 다음 중 글쓴이가 마지막으로 한 일은 무엇인가?

    (A) 스튜디오 방문하기
    (B) 수필 작성하기
    (C) 사람들의 목록 만들기
    (D) 사람들에게 질문하기

유형 세부 내용 파악

풀이 글쓴이가 마지막에 한 일은 수필 작성이므로 (B)가 정답이다.
    (C)는 선택지 중에 가장 처음 한 일이므로 오답이다.

🎧 **Listening Practice** ▶ B1-2 p.24

My teacher gave us some fun homework last week. We had to talk to different people about their jobs. First, I made a list of people. Then, I <u>decided</u> to talk to Mr. Moreno, Ms. Adame, Ms. Mayo, and Mr. Kinny. Mr. Moreno is a <u>photographer</u>. He takes pet pictures. He sees many dogs and cats every day. I went to his studio. He showed me cool cameras. Ms. Adame works at a restaurant. She brings food to <u>customers</u>. She loves to talk to them. She said it is fun to hear different stories. Ms. Mayo is a teacher. She teaches first and third grade math. Her students are very smart. They read a lot. Lastly, Mr. Kinny is a <u>police officer</u>. He <u>protects</u> the town every day. He wears a cool <u>uniform</u> to work. I spoke to these four people. Then I wrote a short essay about my future job. I want to meet many people, like Ms. Adame does. I also want to help others, like Mr. Kinny does. Oh, I don't know what I want to do!

1. decided
2. photographer
3. customers
4. police officer
5. protects
6. uniform

✏️ **Writing Practice** p.25

1. photographer
2. customer
3. police officer
4. protect
5. uniform
6. decide

📄 **Summary**

I talked to <u>four</u> people. I talked to a <u>photographer</u>, a restaurant worker, a teacher, and a police officer. Then I wrote about my future <u>job</u>. What is my dream job? I do <u>not</u> know.

나는 <u>네</u> 명의 사람들과 이야기했다. 나는 <u>사진작가</u>, 레스토랑 직원, 선생님, 그리고 경찰관과 이야기했다. 그런 다음 내 미래 <u>직업</u>에 관해 썼다. 내가 꿈꾸는 직업은 무엇일까? 나는 알지 <u>못</u>하겠다.

🔲 **Word Puzzle** p.26

Across

5. photographer

Down

1. customer
2. uniform
3. police officer
4. decide
5. protect

☀ Pre-reading Questions p.27

Think! You are helping someone. Where are you?

생각해 보세요! 당신이 누군가를 돕고 있어요. 당신은 어디에 있나요?

📖 Reading Passage p.28

Volunteering for the Community

Are you bored sometimes? Do you want to help others to feel happy? Then volunteering is perfect for you! Volunteering means helping others in your free time. You will not get money when you volunteer, but you will feel great! There are many things you can do in your own neighborhood. First, you can clean the street. Some streets are very dirty because people throw trash on the ground. There are plastic cups, paper, gum, and many other things on the ground. You can pick up the trash and clean the street. Second, you can plant trees in your neighborhood. Your parents can help you buy and plant trees. Just ask them! You can volunteer to plant trees in your neighborhood. The trees will grow and the air will be cleaner. The neighborhood will look great, too. Finally, you can volunteer at a library. You can help neighbors find books. You can also help to put the books in their right place. Why not start today?

지역 봉사하기

당신은 가끔 지루한가? 타인을 도와 행복을 느끼고 싶은가? 그렇다면 자원봉사는 여러분에게 완벽하다! 자원봉사는 자유시간에 타인을 돕는 것을 의미한다. 자원봉사를 할 때 돈을 받지 않지만, 기분이 아주 좋을 것이다! 당신이 본인의 동네에서 할 수 있는 일은 많다. 먼저, 거리를 청소할 수 있다. 몇몇 거리는 사람들이 땅바닥에 쓰레기를 버려서 아주 더럽다. 플라스틱 컵, 종이, 껌, 그리고 다른 많은 것들이 땅바닥에 있다. 당신은 그러한 쓰레기를 줍고 거리를 청소할 수 있다. 둘째, 본인의 동네에 나무를 심을 수 있다. 부모님은 당신이 나무를 사서 심는 것을 도울 수 있다. 그저 그들에게 부탁하라! 당신은 동네에 나무 심기를 자진해서 할 수 있다. 나무들은 자랄 것이고 공기는 더 깨끗해질 것이다. 동네도 보기 좋아질 것이다. 마지막으로, 도서관에서 자원봉사를 할 수 있다. 이웃들이 책 찾는 것을 도울 수 있다. 또한 책들을 알맞은 장소에 넣는 것도 도울 수 있다. 왜 오늘부터 시작해보지 않겠는가?

어휘 someone 어떤 사람 | forget (to V) (~하는 것을) 잊다 | trash 쓰레기 | under ~ 밑에 | soft 부드러운 | dirty 더러운 | fresh 신선한 | clean 깨끗한 | volunteer 자원봉사하다 | plant 심다 | bored 지루한 | sometimes 가끔 | free time 자유시간 | neighborhood 동네; 이웃 | street 거리 | plastic 플라스틱의[으로 만든] | gum 껌 | thing (사물 등) 것 | ask 부탁하다; 묻다 | throw 버리다; 던지다 | pick up 줍다 | grow 자라다 | air 공기 | place 장소 | senior 연장자, 손윗사람, 어르신 | Valentine's Day 밸런타인데이 | put up (남의 눈에 띄게) 내붙이다[게시하다] | wrap 포장하다 | decorate 장식하다 | clean up 청소하다 | celebrate 축하하다 | nearby 근처의 | farm 농장 | library 도서관 | hospital 병원 | seniors' home 경로당

⏱ Comprehension Questions   p.29

1. Your friends can <u>help</u> you with your project.

   (A) help
   (B) helps
   (C) helped
   (D) helping

해석 당신의 친구들은 당신의 프로젝트를 <u>도와줄</u> 수 있다.

   (A) 돕다
   (B) 돕다
   (C) 도왔다
   (D) 돕기

풀이 조동사 'can' 뒤에는 동사 원형이 나와야 하므로 (A)가 정답이다.

관련 문장 Your parents can help you buy and plant trees. [...] You can help neighbors find books. You can also help to put the books in their right place.

2. Don't forget to pick <u>up</u> the trash under the desk.

   (A) it
   (B) on
   (C) up
   (D) down

해석 책상 밑에 쓰레기 줍는 것을 잊지 말아라.

   (A) 그것
   (B) ~(위)에
   (C) 위로
   (D) 아래로

풀이 'pick up'은 '~를 집어 올리다, 줍다, 치우다'라는 뜻을 나타내는 구동사이므로 (C)가 정답이다. (A)는 목적어가 'it'과 'the trash'로 중복되기 때문에 오답이다.

관련 문장 You can pick up the trash and clean the street.

3. The air is very <u>dirty</u>.

   (A) soft
   (B) dirty
   (C) fresh
   (D) clean

해석 공기가 매우 <u>더럽다</u>.

   (A) 부드러운
   (B) 더러운
   (C) 신선한
   (D) 깨끗한

풀이 사람들이 마스크를 쓸 정도로 공기가 나쁜 상황이므로 (B)가 정답이다.

관련 문장 The trees will grow and the air will be cleaner.

4. Jina likes to volunteer by <u>planting trees</u>.

   (A) planting trees
   (B) helping babies
   (C) drawing pictures
   (D) cleaning the street

해석 Jina는 <u>나무를 심음</u>으로써 자원봉사하는 것을 좋아한다.

   (A) 나무 심기
   (B) 아기 돕기
   (C) 그림 그리기
   (D) 거리 청소하기

풀이 삽을 들고 나무를 심고 있는 모습이므로 (A)가 정답이다.

관련 문장 You can volunteer to plant trees in your neighborhood.

[5-6]

We are looking for volunteers for a seniors' Valentine's Day party.

Date & Time: 12 - 3 PM, February 14th
Place: Daisy Seniors' Home
Job: putting up balloons, wrapping gifts, decorating cakes, and cleaning up after the party

Please come and celebrate with us!

해석

어르신들의 밸런타인데이 파티를 위한 자원봉사자를 찾고 있습니다.

날짜 & 장소: 오후 12시-3시, 2월 14일

장소: Daisy 경로당

하는 일: 풍선 달기, 선물 포장하기, 케이크 장식하기, 그리고 파티 후에 치우기

오셔서 저희와 함께 축하해 주세요!

5. What is true about the party?

   (A) It is at 7 PM.
   (B) It is for children.
   (C) It is on February 13th.
   (D) It is held at a seniors' home.

해석 파티에 관해 옳은 설명은 무엇인가?

   (A) 오후 7시에 한다.
   (B) 아이들을 위한 것이다.
   (C) 2월 13일에 한다.
   (D) 경로당에서 열린다.

풀이 장소는 'Daisy Seniors' Home'(Daisy 경로당)이라고 나와 있으므로 (D)가 정답이다. (A)는 오후 12시에서 3시에 한다고 나와 있으므로 오답이다. (B)는 'a seniors' Valentine's Day party.'에서 'seniors'(어르신들)을 위한 파티라는 것을 알 수 있으므로 오답이다. (C)는 2월 14일 밸런타인데이에 하는 파티이므로 오답이다.

6. What job will volunteers NOT do?

    (A) clean up
    (B) wrap gifts
    (C) put up posters
    (D) decorate cakes

해석 자원봉사자들이 하지 않을 일은 무엇인가?

    (A) 치우기
    (B) 선물 포장하기
    (C) 포스터 붙이기
    (D) 케이크 장식하기

풀이 하는 일('Job')에서 포스터를 붙이는 일은 언급되지 않았으므로 (C)가 정답이다.

[7-10]

Are you bored sometimes? Do you want to help others to feel happy? Then volunteering is perfect for you! Volunteering means helping others in your free time. You will not get money when you volunteer, but you will feel great! There are many things you can do in your own neighborhood. First, you can clean the street. Some streets are very dirty because people throw trash on the ground. There are plastic cups, paper, gum, and many other things on the ground. You can pick up the trash and clean the street. Second, you can plant trees in your neighborhood. Your parents can help you buy and plant trees. Just ask them! You can volunteer to plant trees in your neighborhood. The trees will grow and the air will be cleaner. The neighborhood will look great, too. Finally, you can volunteer at a <u>library</u>. You can help neighbors find books. You can also help to put the books in their right place. Why not start today?

해석

    당신은 가끔 지루한가? 타인을 도와 행복을 느끼고 싶은가? 그렇다면 자원봉사는 여러분에게 완벽하다! 자원봉사는 자유시간에 타인을 돕는 것을 의미한다. 자원봉사를 할 때 돈을 받지 않지만, 기분이 아주 좋을 것이다! 당신이 본인의 동네에서 할 수 있는 일은 많다. 먼저, 거리를 청소할 수 있다. 몇몇 거리는 사람들이 땅바닥에 쓰레기를 버려서 아주 더럽다. 플라스틱 컵, 종이, 껌, 그리고 다른 많은 것들이 땅바닥에 있다. 당신은 그러한 쓰레기를 줍고 거리를 청소할 수 있다. 둘째, 본인의 동네에 나무를 심을 수 있다. 부모님은 당신이 나무를 사서 심는 것을 도울 수 있다. 그저 그들에게 부탁하라! 당신은 동네에 나무 심기를 자진해서 할 수 있다. 나무들은 자랄 것이고 공기는 더 깨끗해질 것이다. 동네도 보기 좋아질 것이다. 마지막으로, <u>도서관</u>에서 자원봉사를 할 수 있다. 이웃들이 책 찾는 것을 도울 수 있다. 또한 책들을 알맞은 장소에 넣는 것도 도울 수 있다. 왜 오늘부터 시작해보지 않겠는가?

---

7. What is the best title for the passage?

    (A) Money Can Help Anyone
    (B) Be Helpful in Your Neighborhood
    (C) Stop Throwing Away Plastic Cups
    (D) Read More Books and Become Smart

해석 지문에 가장 알맞은 제목은 무엇인가?

    (A) 돈은 누구나 도울 수 있다
    (B) 동네에 도움이 되어라
    (C) 플라스틱 컵을 그만 버려라
    (D) 책을 더 읽고 똑똑해져라

유형 전체 내용 파악

풀이 초반부에 봉사활동('volunteering')이라는 중심 소재를 언급하고, 중반부에 동네('neighborhood')에서 봉사활동 하는 방법을 세 가지 소개한 다음, 마지막에 'Why not start today?'라는 문장을 통해 독자에게 봉사활동을 장려하며 글을 마치고 있다. 따라서 지역 활동을 소개하고 장려하는 글이므로 (B)가 정답이다.

---

8. According to the passage, what is true about volunteering?

    (A) It is very boring.
    (B) You can get money.
    (C) You can do it nearby.
    (D) It takes too much time.

해석 지문에 따르면, 자원봉사에 관해 옳은 설명은 무엇인가?

    (A) 몹시 지루하다.
    (B) 돈을 받을 수 있다.
    (C) 근처에서 할 수 있다.
    (D) 시간이 오래 걸린다.

유형 세부 내용 파악 & 추론하기

풀이 'There are many things you can do in your own neighborhood.'에서 동네에서도 도울 수 있는 것이 많다고 언급하고 있으므로 (C)가 정답이다. (B)는 'You will not get money when you volunteer.'에서 돈을 받지 않는다고 했으므로 오답이다.

---

9. How can planting trees help people?

    (A) The air will be cleaner.
    (B) They can sell more paper.
    (C) They become homes for birds.
    (D) The street will have less trash.

해석 나무 심기가 어떻게 사람들을 도울 수 있는가?

    (A) 공기가 더 깨끗해진다.
    (B) 종이를 더 많이 팔 수 있다.
    (C) 그것들은 새들을 위한 집이 된다.
    (D) 거리에 쓰레기가 줄어든다.

유형 세부 내용 파악

풀이 'You can volunteer to plant trees [...] the air will be cleaner.'에서 나무를 심으면 공기가 더 깨끗해진다고 했으므로 (A)가 정답이다.

10. Fill in the blank with the most suitable word.

    (A) farm

    (B) library

    (C) candy shop

    (D) animal hospital

해석 빈칸에 가장 알맞은 단어를 고르시오.

    (A) 농장

    (B) 도서관

    (C) 사탕 가게

    (D) 동물 병원

유형 추론하기

풀이 뒤 문장 'You can help neighbors find books. You can also help to put the books in their right place.'에서 빈칸의 장소는 사람들이 책을 찾고 책을 꽂아두는 곳, 즉 도서관이라는 것을 추론할 수 있다. 따라서 (B)가 정답이다.

🎧 Listening Practice   ▶ B1-3   p.32

Are you bored sometimes? Do you want to help others to feel happy? Then volunteering is perfect for you! Volunteering means helping others in your <u>free time</u>. You will not get money when you <u>volunteer</u>, but you will feel great! There are many things you can do in your own neighborhood. First, you can clean the street. Some streets are very dirty because people throw <u>trash</u> on the ground. There are <u>plastic</u> cups, paper, gum, and many other things on the ground. You can <u>pick up</u> the trash and clean the street. Second, you can plant trees in your neighborhood. Your parents can help you buy and plant trees. Just ask them! You can volunteer to plant trees in your neighborhood. The trees will grow and the air will be cleaner. The neighborhood will look great, too. Finally, you can volunteer at a library. You can help neighbors find books. You can also help to put the books in their <u>right</u> place. Why not start today?

1. free time

2. volunteer

3. trash

4. plastic

5. pick up

6. right

✏️ Writing Practice   p.33

1. volunteer

2. free time

3. trash

4. plastic

5. pick up

6. right

📄 Summary

You can <u>volunteer</u> in your neighborhood. You can pick up <u>trash</u>. You can plant <u>trees</u>. You can also volunteer at a <u>library</u>.

당신은 동네에서 <u>자원봉사</u>할 수 있다. <u>쓰레기</u>를 주울 수 있다. <u>나무들</u>을 심을 수 있다. <u>도서관</u>에서 자원봉사를 할 수도 있다.

🧩 Word Puzzle   p.34

Across	Down
4. volunteer	1. free time
5. trash	2. right
6. pick up	3. plastic

Pre-reading Questions   p.35

Think! Who needs your help? How can you help them?

생각해 보세요! 누가 당신의 도움이 필요한가요? 어떻게 그들을 도울 수 있나요?

Reading Passage   p.36

A Great Man in Town

Mr. Dawod is sixty years old, and he lives on Jewel Street. Everyone on Jewel Street knows him. Mr. Dawod is really popular. Why is he popular? First, he bakes bread in his kitchen on Mondays. Then, he takes the warm bread to his elderly neighbors. He visits his neighbors and talks to them. People enjoy his visits because he tells funny stories. Second, Mr. Dawod grows watermelons in summer. He takes the watermelons to families. The neighbors love Mr. Dawod's watermelons. The fruit is sweet and juicy. Third, every weekend, Mr. Dawod goes to the art gallery. He teaches drawing and coloring. Little kids use crayons, and adults use paint. They share the crayons and paint. Finally, Mr. Dawod feeds street cats every day. He makes different snacks for the cats, too. Mr. Dawod is the hero of our neighborhood!

동네의 훌륭한 사람

Dawod 씨는 예순 살이고, 그는 Jewel가에서 산다. Jewel가의 모든 사람은 그를 안다. Dawod 씨는 아주 인기 있다. 왜 그는 인기 있을까? 먼저, 그는 월요일마다 그의 주방에서 빵을 굽는다. 그런 다음, 그는 따뜻한 빵을 그의 이웃 어른들께 가져다 드린다. 그는 이웃들을 방문하고 그들과 대화한다. 사람들은 그가 재밌는 이야기를 말해주기 때문에 그의 방문을 즐긴다. 둘째로, Dawod 씨는 여름에 수박을 키운다. 그는 가족들에게 수박을 가져다준다. 이웃들은 Dawod 씨의 수박을 아주 좋아한다. 그 과일은 달고 즙이 많다. 셋째로, 주말마다, Dawod 씨는 미술관에 간다. 그는 그리기와 색칠하기를 가르친다. 어린아이들은 크레용을 사용하고, 어른들은 그림물감을 사용한다. 그들은 크레용과 그림물감을 나눠 쓴다. 마지막으로, Dawod 씨는 매일 길고양이들에게 먹이를 준다. 그는 그 고양이들을 위한 여러 간식을 만들기도 한다. Dawod 씨는 우리 동네의 영웅이다!

어휘 need 필요로 하다 | delicious 맛있는 | swim 수영하다 | elderly 나이가 많은 | live 살다 | popular 인기 있는 | bake 굽다 | warm 따뜻한 | neighbor 이웃 | enjoy 즐기다 | grow 기르다, 재배하다; 자라다 | watermelon 수박 | weekend 주말 | art gallery 미술관 | teach 가르치다 | draw 그리다 | color 색칠하다; 색 | crayon 크레용 | paint 그림물감, 페인트 | share 나눠 쓰다, 공유하다 | feed 먹이를 주다 | different 여러 가지의; 다른, 차이가 나는 | hero 영웅 | listen 듣다 | letter 편지 | text message 문자(메시지) | carry 나르다 | heavy 무거운 | exercise 운동하다 | remember 기억하다 | host 열다, 주최하다 | grade 등급; 학년 | item 항목 | above 위에

Comprehension Questions   p.37

1. Everyone <u>knows</u> this song.

   (A) know
   (B) knows
   (C) known
   (D) knowing

해석 모두가 이 노래를 알고 있다.

   (A) 알다
   (B) 알다
   (C) 알려진
   (D) 알기

풀이 주어가 3인칭 단수 'Everyone'이므로 동사 원형 'know'에 '-s'를 붙인 (B)가 정답이다.

새겨 두기 'every'가 들어간 주어는 의미상 복수이지만, 문법적으로 3인칭 단수 취급한다는 점에 주목한다.

관련 문장 Everyone on Jewel Street knows him.

2. That juice <u>is</u> delicious!

   (A) is
   (B) am
   (C) did
   (D) were

해석 저 주스는 맛있다!

   (A) ~이다
   (B) ~이다
   (C) ~했다
   (D) ~였다

풀이 보어 'delicious'를 취할 수 있는 동사가 들어가야 한다. 그런 동사로는 be 동사가 있으며, 주어가 3인칭 단수인 'That juice'이므로 (A)가 정답이다.

관련 문장 The fruit is sweet and juicy.

3. In summer, kids <u>swim in the lake</u>.

   (A) swim in the lake
   (B) play in the snow
   (C) sing at the beach
   (D) hike up the mountain

해석 여름에, 아이들은 호수에서 수영한다.

   (A) 호수에서 수영하다
   (B) 눈 속에서 놀다
   (C) 해변에서 노래하다
   (D) 산을 오르다

풀이 아이들이 호수에서 헤엄치고 있는 모습이므로 (A)가 정답이다.

4. Mr. Barton and his dog are <u>elderly</u>.

   (A) young
   (B) sitting
   (C) elderly
   (D) jumping

해석 Barton 씨와 그의 개는 <u>늙었다</u>.

   (A) 어린
   (B) 앉아있는
   (C) 나이가 많은
   (D) 점프하는

풀이 남자와 개 모두 나이가 든 모습이므로 (C)가 정답이다.

관련 문장 Then, he takes the warm bread to his elderly neighbors.

[5-6]

해석

다른 사람을 행복하게 하는 7가지 방법

   1. 그들의 이야기를 들어 주어라.
   2. 안부를 묻기 위해 편지나 문자를 보내라.
   3. 무거운 물건 옮기는 것을 도와주어라.
   4. 함께 운동하라.
   5. 미소 지어라.
   6. 아는 것을 다른 이들과 공유하라.
   7. 그들의 생일을 기억하라.

5. Which of these is on the list?

   (A) Host parties.
   (B) Help write letters.
   (C) Give others money.
   (D) Play sports together.

해석 다음 중 목록에 있는 것은 무엇인가?

   (A) 파티를 열어라.
   (B) 편지 쓰기를 도와줘라.
   (C) 다른 이에게 돈을 줘라.
   (D) 함께 스포츠를 해라.

풀이 4번에서 'Exercise together.'라고 했으므로 이를 비슷한 말로 표현한 (D)가 정답이다.

6. Ava and Kai are best friends. Kai got a bad grade in his math test today. He looked sad. Ava told him how to be good at math. Then, Kai was no longer sad. From the list items above, which can explain what Ava did?

(A) 1
(B) 3
(C) 5
(D) 6

해석 Ava와 Kai는 단짝이다. Kai는 오늘 수학 시험에서 안 좋은 성적을 받았다. 그는 슬퍼보였다. Ava는 그에게 수학을 어떻게 잘할 수 있는지 말해줬다. 그러자, Kai는 더이상 슬프지 않았다. 위 목록 항목에서, 무엇이 Ava의 행동을 설명할 수 있는가?

(A) 1
(B) 3
(C) 5
(D) 6

풀이 Ava가 Kai에게 수학 잘하는 법을 알려주는 것은 6번 'Share what you know with others.'에 해당된다. 따라서 (D)가 정답이다.

[7-10]

Mr. Dawod is sixty years old, and he lives on Jewel Street. Everyone on Jewel Street knows him. Mr. Dawod is really popular. Why is he popular? First, he bakes bread in his kitchen on Mondays. Then, he takes the warm bread to his elderly neighbors. He visits his neighbors and talks to them. People enjoy his visits because he tells funny stories. Second, Mr. Dawod grows watermelons in summer. He takes the watermelons to families. The neighbors love Mr. Dawod's watermelons. The fruit is sweet and juicy. Third, every weekend, Mr. Dawod goes to the art gallery. He teaches drawing and coloring. Little kids use crayons, and adults use paint. They share the crayons and paint. Finally, Mr. Dawod feeds street cats every day. He makes different snacks for the cats, too. Mr. Dawod is the hero of our neighborhood!

해석

Dawod 씨는 예순 살이고, 그는 Jewel가에서 산다. Jewel 가의 모든 사람은 그를 안다. Dawod 씨는 아주 인기 있다. 왜 그는 인기 있을까? 먼저, 그는 월요일마다 그의 주방에서 빵을 굽는다. 그런 다음, 그는 따뜻한 빵을 그의 이웃 어른들께 가져다 드린다. 그는 이웃들을 방문하고 그들과 대화한다. 사람들은 그가 재밌는 이야기를 말해주기 때문에 그의 방문을 즐긴다. 둘째로, Dawod 씨는 여름에 수박을 키운다. 그는 가족들에게 수박을 가져다준다. 이웃들은 Dawod 씨의 수박을 아주 좋아한다. 그 과일은 달고 즙이 많다. 셋째로, 주말마다, Dawod 씨는 미술관에 간다. 그는 그리기와 색칠하기를 가르친다. 어린아이들은 크레용을 사용하고, 어른들은 그림물감을 사용한다. 그들은 크레용과 그림물감을 나눠 쓴다. 마지막으로, Dawod 씨는 매일 길고양이들에게 먹이를 준다. 그는 그 고양이들을 위한 여러 간식을 만들기도 한다. Dawod 씨는 우리 동네의 영웅이다!

7. What is the main idea of the passage?

(A) Children love Mr. Dawod.
(B) The watermelons are juicy.
(C) Jewel Street is very famous.
(D) Mr. Dawod is a popular man.

해석 이 지문의 요지는 무엇인가?

(A) 아이들이 Dawod 씨를 좋아한다.
(B) 수박들은 과즙이 많다.
(C) Jewel가는 매우 유명하다.
(D) Dawod 씨는 인기 있는 남자이다.

유형 전체 내용 파악

풀이 글의 마지막에 'Mr. Dawod is the hero of our neighborhood!' 라는 문장을 통해 인기 많은 Dawod 씨라는 중심 소재를 강조하며 글을 마치고 있으므로 (D)가 정답이다.

8. What does Mr. Dawod do every weekend?

(A) He bakes bread.
(B) He grows watermelons.
(C) He goes to the art gallery.
(D) He visits elderly neighbors.

해석 Dawod 씨는 주말마다 무엇을 하는가?

(A) 빵을 굽는다.
(B) 수박을 기른다.
(C) 미술관에 간다.
(D) 이웃 어른들을 방문한다.

유형 세부 내용 파악

풀이 'Third, every weekend, Mr. Dawod goes to the art gallery.' 에서 Dawod 씨가 주말마다 미술관에 간다고 했으므로 (C)가 정답이다. (A)와 (D)는 월요일에 하는 일이므로 오답이다.

9. What is NOT a reason Mr. Dawod is popular?

(A) He tells funny stories.
(B) He teaches how to draw.
(C) He feeds cats on the street.
(D) He sells crayons and paints.

해석 Dawod 씨가 인기 있는 이유가 아닌 것은 무엇인가?

(A) 재밌는 이야기를 한다.
(B) 그리는 방법을 가르친다.
(C) 거리의 고양이들에게 먹이를 준다.
(D) 크레용과 그림물감을 판다.

유형 세부 내용 파악

풀이 Dawod 씨가 크레용과 물감을 팔아서 인기가 있다는 내용은 언급되지 않았으므로 (D)가 정답이다. (A)는 'tells funny stories', (B)는 'teaches drawing and coloring'에서, (C)는 'feeds street cats every day'에서 찾을 수 있는 내용이므로 오답이다.

10. Why does Mr. Dawod bake bread?

    (A) to make art
    (B) to feed to cats
    (C) to eat in summer
    (D) to give to elderly neighbors

해석 Dawod 씨는 왜 빵을 굽는가?

    (A) 예술을 하려고
    (B) 고양이에게 먹이로 주려고
    (C) 여름에 먹으려고
    (D) 이웃 어른들에게 드리려고

유형 세부 내용 파악

풀이 'Then, he takes the warm bread to his elderly neighbors.' 에서 Dawod 씨가 빵을 구워 이웃 어른들에게 드린다고 했으므로 (D)가 정답이다.

🎧 **Listening Practice** ▶ B1-4   p.40

Mr. Dawod is sixty years old, and he lives on Jewel Street. Everyone on Jewel Street knows him. Mr. Dawod is really <u>popular</u>. Why is he popular? First, he bakes bread in his kitchen on Mondays. Then, he takes the <u>warm</u> bread to his <u>elderly</u> neighbors. He visits his neighbors and talks to them. People enjoy his visits because he tells funny stories. Second, Mr. Dawod grows watermelons in summer. He takes the watermelons to families. The neighbors love Mr. Dawod's watermelons. The fruit is sweet and <u>juicy</u>. Third, every weekend, Mr. Dawod goes to the art gallery. He teaches drawing and coloring. Little kids use crayons, and adults use paint. They <u>share</u> the crayons and paint. Finally, Mr. Dawod feeds street cats every day. He makes different snacks for the cats, too. Mr. Dawod is the <u>hero</u> of our neighborhood!

---

1. popular

2. warm

3. elderly

4. juicy

5. share

6. hero

✏️ **Writing Practice** p.41

1. popular

2. warm

3. elderly

4. juicy

5. share

6. hero

📄 **Summary**

Mr. Dawod is popular in the neighborhood. He bakes <u>bread</u> for elderly people. He gives families <u>watermelon</u>. He teaches people drawing and <u>coloring</u>. And he feeds street <u>cats</u>.

Dawod 씨는 동네에서 인기가 많다. 그는 어르신들을 위해 빵을 굽는다. 그는 가족들에게 <u>수박</u>을 준다. 그는 사람들에게 그리기와 <u>색칠하기</u>를 가르친다. 그리고 그는 길고양이들에게 먹이를 준다.

🧩 **Word Puzzle** p.42

Across	Down
1. share	**2.** elderly
4. hero	**3.** popular
5. juicy	
6. warm	

The Axes

A man had an axe with a wooden handle, but the axe fell in the river. The man cried. A fairy saw the problem. She went into the river. She returned with a golden axe. "Is this your axe?" she asked the man. "No, it's not." said the man. The fairy went back into the river and returned with a silver axe. "Is this your axe?" she said. "No, it's not." said the man. The fairy went back into the river. She returned with the wooden axe. "Is this your axe?" she asked. "Yes, it is." the man said. "Keep all the axes." the fairy said. The man's neighbor heard the story. He wanted a golden axe, too. He threw his axe with a wooden handle into the river. The fairy entered the river and returned with a golden axe. "Is this your axe?" she asked the neighbor. The neighbor said, "Yes, it is." The fairy took the golden axe. "You get no axes now." she said. Then she left.

도끼들

한 남자에게 나무 손잡이로 된 도끼가 있었는데, 도끼가 강으로 떨어졌다. 남자는 울었다. 요정이 그 문제(상황)를 보았다. 그녀는 강으로 들어갔다. 그녀는 금도끼를 가지고 돌아왔다. "이것이 당신의 도끼인가요?" 그녀가 남자에게 물었다. "아니요, 그렇지 않습니다." 라고 남자가 말했다. 요정은 강으로 다시 들어가서 은도끼를 갖고 돌아왔다. "이것이 당신의 도끼인가요?" 그녀가 말했다. "아니요, 그렇지 않습니다."라고 남자가 말했다. 요정은 강으로 다시 들어갔다. 그녀는 나무 도끼를 갖고 돌아왔다. "이것이 당신의 도끼인가요?" 그녀가 물었다. "네, 그렇습니다."라고 남자가 말했다. "도끼들을 다 가지세요."라고 요정이 말했다. 남자의 이웃이 이 이야기를 들었다. 그도 금도끼를 원했다. 그는 나무 손잡이로 된 도끼를 강 속으로 던졌다. 요정이 강으로 들어가 금도끼를 갖고 돌아왔다. "이것이 당신의 도끼인가요?" 그녀가 이웃에게 물었다. 이웃이 말했다, "네 그렇습니다." 요정은 금도끼를 가져갔다. "당신은 이제 아무 도끼도 얻을 수 없어요."라고 그녀가 말했다. 그런 다음 그녀는 떠났다.

Chapter 2. Neighborhood

💡 Pre-reading Questions — p.45

Where is your favorite park? What can people do there?

당신이 특히 좋아하는 공원은 어디인가요? 사람들이 거기서 무엇을 할 수 있나요?

📖 Reading Passage — p.46

Kali's Favorite Park

Kali takes bus number 075 on the weekends. The bus takes her to her favorite place — Divo Park. The park is open from 6:00 AM to 11:00 PM. There are many people there, even in winter. Kali's favorite place in Divo Park is the Hamann Rose Garden. There are many roses in the garden. There is also a great fountain in the middle of the garden. Kali also loves the Sunken Garden. The Sunken Garden is the biggest garden in the city. There are roses, tulips, and many other types of flowers. Kali likes taking her dog to the park. The dog's name is Milo. Milo and Kali run around the park. It helps them stay healthy. When Kali feels thirsty, she goes to Juice Top. They sell delicious lemonade. She also gets water for Milo from Juice Top. Sometimes they feel sleepy in the park. They take a nap in the grass. They go home when the sun goes down. That's because it gets cold without sunlight.

Kali가 특히 좋아하는 공원

Kali는 주말마다 075번 버스를 탄다. 그 버스는 그녀가 특히 좋아하는 장소인 Divo 공원에 그녀를 데려다준다. 그 공원은 오전 6시에서 오후 11시까지 운영한다. 거기에는 심지어 겨울에도 많은 사람들이 있다. Divo 공원에서 Kali가 매우 좋아하는 장소는 Hamann 장미(Rose) 정원이다. 그 정원에는 많은 장미가 있다. 또한 정원의 가운데에는 훌륭한 분수가 하나 있다. Kali는 또한 Sunken 정원을 아주 좋아한다. Sunken 정원은 도시에서 가장 큰 정원이다. 장미들, 튤립들, 그리고 많은 다른 종류의 꽃들이 있다. Kali는 공원에 그녀의 개를 데려가는 것을 좋아한다. 그 개의 이름은 Milo이다. Milo와 Kali는 공원을 뛰어다닌다. 그것(공원)은 그들이 건강하게 지낼 수 있도록 돕는다. Kali가 목마를 때, 그녀는 Juice Top에 간다. 거기서는 맛있는 레모네이드를 판다. 그녀는 또한 Juice Top에서 Milo를 위한 물도 산다. 때때로 그들은 공원에서 졸음이 온다. 그들은 잔디에서 낮잠을 잔다. 그들은 해가 지면 집으로 간다. 햇빛이 없으면 추워지기 때문이다.

어휘 favorite 특히(아주, 매우) 좋아하는; 특히 좋아하는 것 | square 광장; 정사각형 | hospital 병원 | bad 상한; 나쁜, 안 좋은| bitter 쓴 | during ~ 동안 | take 타다; 가지고 가다 | weekend 주말 | from A to B A에서 B까지 | even 심지어 | rose 장미 | fountain 분수 | in the middle of ~의 가운데에 | also 또한 | tulip 튤립 | type 종류, 유형 | around ~ 주위 | stay 지내다 | thirsty 목마른 | nap 낮잠 | take a nap 낮잠 자다 | go down (해가) 지다; 넘어지다 | without ~ 없이 | sunlight 햇빛 | until ~까지 | allowed (출입이) 허용된 | kite 연

1. Bus number 10 <u>takes</u> me to Union Square.

   (A) rides
   (B) takes
   (C) works
   (D) comes

해석 10번 버스는 Union 광장에 나를 <u>데려다준다</u>.

   (A) 타다
   (B) 데리고 가다
   (C) 일하다
   (D) 오다

풀이 문맥상 버스가 나를 광장으로('to Union Square') '데려다준다'
라는 내용이 적합하다. 따라서 '데리고 가다, 이동시키다'라는
뜻을 가진 동사 (B)가 정답이다. (A)는 'ride'가 'ride a car', 'ride
a bus'에서와 같이 목적어로 교통수단을 취하며 해당 문장에서는
의미상 어색하므로 오답이다.

관련 문장 The bus takes her to her favorite place — Divo Park.

2. John Peterson Hospital is the <u>biggest</u> hospital in town.

   (A) big
   (B) biggest
   (C) most big
   (D) more bigger

해석 John Peterson 병원은 동네에서 <u>가장 큰</u> 병원이다.

   (A) 큰
   (B) 가장 큰
   (C) 어색한 표현
   (D) 어색한 표현

풀이 'the + 최상급' 형태를 이용해서 '가장 ~한'이라는 뜻을 나타낼
수 있다. 따라서 (B)가 정답이다. (C)는 'the most + 형용사'로
최상급을 표현하는 경우 'beautiful', 'expensive'와 같이 주로
형용사가 3음절 이상일 때 해당하므로 오답이다.

관련 문장 The Sunken Garden is the biggest garden in the city.

3. Lee thinks the ice cream is <u>delicious</u>.

   (A) hot
   (B) bad
   (C) bitter
   (D) delicious

해석 Lee는 그 아이스크림이 <u>맛있다</u>고 생각한다.

   (A) 뜨거운
   (B) 상한
   (C) 쓴
   (D) 맛있는

풀이 아이스크림을 들고 기분 좋아하고 있는 모습이므로 (D)가
정답이다.

관련 문장 They sell delicious lemonade.

4. I like to <u>take a nap</u> during the day.

   (A) ride a bike
   (B) take a nap
   (C) walk my dog
   (D) clean my room

해석 나는 낮에 <u>낮잠 자는 것</u>을 좋아한다.

   (A) 자전거 타기
   (B) 낮잠 자기
   (C) 개 산책시키기
   (D) 내 방 청소하기

풀이 잔디에서 낮잠을 자는 모습이므로 (B)가 정답이다.

관련 문장 Sometimes they feel sleepy in the park. They take a
nap in the grass.

[5-6]

해석

춤추는 돌고래 공원

- 어린이는 10시까지 놀 수 있습니다.
- 공원에서 개 출입 안 됨.

5. What are kids NOT doing in the park?

   (A) flying a kite
   (B) playing soccer
   (C) playing with sand
   (D) swimming in a pool

해석 공원에서 아이들이 하고 있지 않은 행동은 무엇인가?

   (A) 연날리기
   (B) 축구 경기 하기
   (C) 모래 가지고 놀기
   (D) 수영장에서 헤엄치기

풀이 수영장에서 헤엄치는 아이의 모습은 볼 수 없으므로 (D)가
정답이다.

6. What is true about the park?

    (A) The park has two slides.
    (B) There are many dogs in the park.
    (C) It is called Sleeping Dolphin Park.
    (D) Children can play at 6 PM in the park.

해석 공원에 관해 옳은 설명은 무엇인가?

    (A) 공원에는 미끄럼틀 두 대가 있다.
    (B) 공원에는 많은 개가 있다.
    (C) 잠자는 돌고래 공원이라고 불린다.
    (D) 아이들은 오후 6시에 공원에서 놀 수 있다.

풀이 'Children can play until 10 PM.'에서 어린이들이 오후 10 시까지 놀 수 있다고 했으므로 (D)가 정답이다. (A)는 미끄럼틀이 한 대만 있으므로 오답이다. (B)는 개는 허용하지 않는다고 했으므로 오답이다. (C)는 공원의 이름은 'Dancing Dolphin Park'이므로 오답이다.

[7-10]

Kali takes bus number 075 on the weekends. The bus takes her to her favorite place — Divo Park. The park is open from 6:00 AM to 11:00 PM. There are many people there, even in winter. Kali's favorite place in Divo Park is the Hamann Rose Garden. There are many roses in the garden. There is also a great fountain in the middle of the garden. Kali also loves the Sunken Garden. The Sunken Garden is the biggest garden in the city. There are roses, tulips, and many other types of flowers. Kali likes taking her dog to the park. The dog's name is Milo. Milo and Kali run around the park. It helps them stay healthy. When Kali feels thirsty, she goes to Juice Top. They sell delicious lemonade. She also gets water for Milo from Juice Top. Sometimes they feel sleepy in the park. They take a nap in the grass. They go home when the sun goes down. That's because it gets cold without sunlight.

해석

Kali는 주말마다 075번 버스를 탄다. 그 버스는 그녀가 특히 좋아하는 장소인 Divo 공원에 그녀를 데려다준다. 그 공원은 오전 6시에서 오후 11시까지 운영한다. 거기에는 심지어 겨울에도 많은 사람들이 있다. Divo 공원에서 Kali가 매우 좋아하는 장소는 Hamann 장미(Rose) 정원이다. 그 정원에는 많은 장미가 있다. 또한 정원의 가운데에는 훌륭한 분수가 하나 있다. Kali는 또한 Sunken 정원을 아주 좋아한다. Sunken 정원은 도시에서 가장 큰 정원이다. 장미들, 튤립들, 그리고 많은 다른 종류의 꽃들이 있다. Kali는 공원에 그녀의 개를 데려가는 것을 좋아한다. 그 개의 이름은 Milo이다. Milo와 Kali는 공원을 뛰어다닌다. 그것(공원)은 그들이 건강하게 지낼 수 있도록 돕는다. Kali가 목마를 때, 그녀는 Juice Top에 간다. 거기서는 맛있는 레모네이드를 판다. 그녀는 또한 Juice Top에서 Milo를 위한 물도 산다. 때때로 그들은 공원에서 졸음이 온다. 그들은 잔디에서 낮잠을 잔다. 그들은 해가 지면 집으로 간다. 햇빛이 없으면 추워지기 때문이다.

7. What is the best title for the passage?

    (A) Fresh Juice Each Day
    (B) For Sale: Pretty Flowers
    (C) Divo Park: Kali's Favorite
    (D) Napping Contest at the Park

해석 지문에 가장 알맞은 제목은 무엇인가?

    (A) 매일 신선한 주스
    (B) 할인: 예쁜 꽃들
    (C) Divo 공원: Kali가 특히 좋아하는 곳
    (D) 공원에서의 낮잠 대회

유형 전체 내용 파악

풀이 Kali가 특히 좋아하는 Divo 공원이라는 소재를 중심으로 Kali가 그곳에서 무엇을 하는지 서술하고 있는 글이므로 (C)가 정답이다.

8. What does Kali do when the sun goes down?

    (A) go home
    (B) visit a garden
    (C) go to Juice Top
    (D) sleep in the grass

해석 해가 지면 Kali는 무엇을 하는가?

    (A) 집에 가기
    (B) 정원에 방문하기
    (C) Juice Top에 가기
    (D) 잔디에서 자기

유형 세부 내용 파악

풀이 'They go home when the sun goes down.'에서 해가 지면 Kali가 집으로 간다는 것을 알 수 있으므로 (A)가 정답이다.

9. What is NOT true about Divo Park?

    (A) It is open to dogs.
    (B) It has many flowers.
    (C) It is closed during the winter.
    (D) It has a store called Juice Top.

해석 Divo Park에 관해 옳지 않은 설명은 무엇인가?

    (A) 개들에게 열려 있다.
    (B) 꽃이 많다.
    (C) 겨울에는 닫는다.
    (D) Juice Top이라는 가게가 있다.

유형 세부 내용 파악 & 추론하기

풀이 'There are many people there, even in winter.'라고 한 점으로 보아 Divo 공원은 겨울에도 닫지 않고 운영한다는 것을 알 수 있으므로 (C)가 정답이다. (A)는 Kali가 그녀의 개 Milo와 공원에서 시간을 보낸다는 것은 공원에 개를 데려갈 수 있다는 의미이므로 맞는 설명이 되어 오답이다.

10. What is Milo?

  (A) a bus
  (B) a dog
  (C) a garden
  (D) a fountain

해석 Milo는 무엇인가?

  (A) 버스
  (B) 개
  (C) 정원
  (D) 분수

유형 세부 내용 파악

풀이 'Kali likes taking her dog to the park. The dog's name is Milo.'에서 Milo는 Kali가 키우는 개라는 것을 알 수 있으므로 (B)가 정답이다.

🎧 **Listening Practice**   ▶ B1-5   p.50

Kali takes bus number 075 on the weekends. The bus takes her to her favorite place — Divo Park. The park is open from 6:00 AM to 11:00 PM. There are many people there, even in winter. Kali's <u>favorite</u> place in Divo Park is the Hamann Rose Garden. There are many roses in the garden. There is also a great <u>fountain</u> in the middle of the garden. Kali also loves the Sunken Garden. The Sunken Garden is the biggest garden in the city. There are roses, <u>tulips</u>, and many other types of flowers. Kali likes taking her dog to the park. The dog's name is Milo. Milo and Kali run around the park. It helps them stay <u>healthy</u>. When Kali feels thirsty, she goes to Juice Top. They sell <u>delicious</u> lemonade. She also gets water for Milo from Juice Top. Sometimes they feel sleepy in the park. They <u>take a nap</u> in the grass. They go home when the sun goes down. That's because it gets cold without sunlight.

1. favorite
2. fountain
3. tulips
4. healthy
5. delicious
6. take a nap

✏️ **Writing Practice**   p.51

1. favorite
2. fountain
3. tulip
4. healthy
5. delicious
6. take a nap

📄 **Summary**

Kali likes Divo Park. She goes to a <u>rose</u> garden. She and Milo the dog run around the <u>park</u>. Sometimes Kali and Milo are <u>thirsty</u>. They drink juice and water. They take a <u>nap</u> in the grass.

Kali는 Divo 공원을 좋아한다. 그녀는 <u>장미</u> 정원에 간다. 그녀와 개 Milo는 <u>공원</u>을 뛰어다닌다. 때때로 Kali와 Milo는 <u>목이 마르다</u>. 그들은 주스와 물을 마신다. 그들은 잔디에서 <u>낮잠</u>을 잔다.

🔡 **Word Puzzle**   p.52

Across	Down
2. healthy	1. favorite
6. take a nap	3. tulip
	4. fountain
	5. delicious

Unit 6 | Problems at the Mall   p.53

🔅 Pre-reading Questions   p.53

You are at the grocery store.

What do you put in your cart?

당신은 슈퍼마켓에 있어요.

카트에 무엇을 담나요?

Reading Passage   p.54

Problems at the Mall

Alex enjoys grocery shopping with her parents. Last week, her family went to the supermarket in the mall. They needed food for Thanksgiving. They planned to cook a lot of food. Her mother wanted to buy some eggs, vegetables, beef, and fish. However, there was a problem at the supermarket. Her parents could not park their car. There were many cars in the parking lot. They waited in line for a long time. After they parked the car, they went into the mall. The mall also had too many people. Alex quickly put vegetables and beef into the cart. Her mother put fish into the cart. Then they paid for the food. Alex came home and looked at the food. Oh no! They did not buy eggs! She told her parents about the eggs. So her father walked to a small store. He bought ten eggs. He said, "Next time write a list. Then we will not forget the eggs."

쇼핑몰에서 겪은 문제

Alex는 그녀의 부모님과 장 보는 것을 즐긴다. 지난주, 그녀의 가족은 쇼핑몰에 있는 슈퍼마켓에 갔다. 그들은 추수감사절을 위한 음식이 필요했다. 그들은 많은 음식을 요리할 계획이었다. 그녀의 어머니는 달걀, 채소, 소고기, 그리고 생선을 좀 사고 싶었다. 그러나, 슈퍼마켓에서 문제가 하나 있었다. 그녀의 부모님이 차를 주차할 수가 없었다. 주차장에는 차가 많이 있었다. 그들은 오랫동안 줄 서서 기다렸다. 차를 주차한 후에, 그들은 쇼핑몰 안으로 갔다. 쇼핑몰에도 또한 사람이 너무 많았다. Alex는 채소들과 소고기를 카트에 재빠르게 담았다. 그녀의 어머니는 카트 안에 생선을 담았다. 그다음 그들은 음식값을 지불했다. Alex는 집에 와서 음식을 봤다. 이런! 그들은 달걀을 사지 않았다! 그녀는 달걀에 관해 부모님에게 말했다. 그래서 그녀의 아버지는 작은 가게로 걸어갔다. 그는 달걀 열 개를 샀다. 그가 말했다, "다음번에는 목록을 쓰렴. 그러면 달걀을 잊어버리지 않을 거야."

어휘 grocery 식료품 | store 가게 | grocery store 슈퍼마켓, 식료품점 | put 놓다 | a bottle of ~ 한 병 | off ~에서 떨어져 | into ~ 안으로 | through ~을 통해 | Thanksgiving 추수감사절 | out of ~(의 밖)에서 | a lot of 많은 | vegetable 채소 | remember 기억하다 | last week 지난주 | mall 쇼핑몰 | plan (to V) (~할, ~하려고) 계획하다 | beef 소고기 | however 그러나 | problem 문제 | park 주차하다; 공원 | parking lot 주차장 | quickly 재빠르게 | pay 값을 지불하다 | forget 잊다, 잊어버리다 | sweet 단 것 | cucumber 오이 | mushroom 버섯 | watermelon 수박 | hobby 취미 | mistake 실수 | lost 길을 잃은 | alone 혼자, 홀로 | farm 농장

1. Touma put a bottle of juice <u>into</u> his shopping cart.

   (A) at
   (B) off
   (C) into
   (D) through

   해석 Touma는 그의 쇼핑 카트<u>에</u> 주스 한 병을 담았다.

   (A) ~에
   (B) ~에서 떨어져
   (C) ~ 안으로
   (D) ~을 통해

   풀이 의미상 주스 한 병을 쇼핑 카트 '안으로' 담는다는 게 자연스럽다. 따라서 (C)가 정답이다.

   새겨 두기 '(~에) 담다, 넣다, 두다'라는 뜻을 가진 타동사 'put'은 목적어를 어디에 두는지 장소나 위치를 나타내는 구문이 필요하다는 점에 주목한다.

   관련 문장 Alex quickly put vegetables and beef into the cart. Her mother put fish into the cart.

2. Mom and Dad cook <u>a lot of</u> food on Thanksgiving.

   (A) so
   (B) none
   (C) out of
   (D) a lot of

   해석 엄마와 아빠는 추수감사절에 <u>많은</u> 음식을 요리하신다.

   (A) 너무
   (B) 아무도
   (C) ~(의 밖)에서
   (D) 많은

   풀이 셀 수 없는 명사 'food'를 꾸밀 수 있는 수식어구가 들어가야 하므로 (D)가 정답이다. (A)는 'so much food'와 같이 중간에 다른 수식어구가 필요하므로 오답이다. (B)는 대명사 'none'이 아니라 한정사 'no'가 되어야 적절하므로 오답이다.

   관련 문장 They planned to cook a lot of food.

3. David ate his meat, but he will not eat his <u>vegetables</u>.

   (A) milk
   (B) fruit
   (C) sweets
   (D) vegetables

   해석 David는 그의 고기를 먹었지만, 그의 <u>채소</u>는 먹지 않을 것이다.

   (A) 우유
   (B) 과일
   (C) 단 것
   (D) 채소

   풀이 소년이 접시 위에 있는 브로콜리가 먹기 싫어 울고 있다. 브로콜리는 채소이므로 (D)가 정답이다.

   관련 문장 Alex quickly put vegetables and beef into the cart.

4. <u>Writing a list</u> helps you remember things.

   (A) Writing a list
   (B) Asking friends
   (C) Calling parents
   (D) Teaching students

   해석 <u>목록을 작성하는 것</u>은 당신이 무언가를 기억하는 데 도움을 준다.

   (A) 목록 작성하기
   (B) 친구에게 물어보기
   (C) 부모님 부르기
   (D) 학생들 가르치기

   풀이 어떤 물품이나 항목 등을 일정한 순서로 나타내는 목록을 종이에 작성하고 있다. 따라서 (A)가 정답이다.

   관련 문장 Next time write a list. Then we will not forget the eggs.

[5-6]

해석

노래: "가게에서 쇼핑하기"

가수: 아이스크림 콘즈 (The Ice Cream Cones)

우리는 가게에서 쇼핑하지.
우리는 함께 쇼핑하지.
나에게는 쇼핑 카트가 하나 있네.
나는 무엇을 사야 할까?

채소들이 신선해 보여!
보라색, 빨간색, 그리고 흰색이지.
그런데 저걸 봐! 초록색이야! 기다랗지!
나는 그게 무엇인지 알지!
그건 <u>오이</u>야!
좋았어! 난 그걸 좋아해!
카트에 하나 담아!

5. Which word is best for the blank?

   (A) lemon
   (B) tomato
   (C) cucumber
   (D) mushroom

해석 다음 중 빈칸에 들어갈 가장 알맞은 단어는 무엇인가?

   (A) 레몬
   (B) 토마토
   (C) 오이
   (D) 버섯

풀이 'But look at that one! It is green! It is long!'에서 빈칸에
들어갈 채소는 길고 녹색인 오이라는 것을 알 수 있다. 따라서
(C)가 정답이다.

6. What is NOT in the shopping cart?

   (A) water
   (B) bread
   (B) a tomato
   (D) a watermelon

해석 쇼핑카트에 있지 않은 것은 무엇인가?

   (A) 물
   (B) 빵
   (C) 토마토
   (D) 수박

풀이 그림에서 쇼핑카트 안에 수박은 보이지 않으므로 (D)가 정답이다.

[7-10]

Alex enjoys grocery shopping with her parents. Last
week, her family went to the supermarket in the mall.
They needed food for Thanksgiving. They planned to
cook a lot of food. Her mother wanted to buy some
eggs, vegetables, beef, and fish. However, there was a
problem at the supermarket. Her parents could not park
their car. There were many cars in the parking lot. They
waited in line for a long time. After they parked the car,
they went into the mall. The mall also had too many
people. Alex quickly put vegetables and beef into the
cart. Her mother put fish into the cart. Then they paid
for the food. Alex came home and looked at the food.
Oh no! <u>They did not buy eggs!</u> She told her parents
about the eggs. So her father walked to a small store. He
bought ten eggs. He said, "Next time write a list. Then
we will not forget the eggs."

해석

Alex는 그녀의 부모님과 장 보는 것을 즐긴다. 지난주, 그녀의
가족은 쇼핑몰에 있는 슈퍼마켓에 갔다. 그들은 추수감사절을
위한 음식이 필요했다. 그들은 많은 음식을 요리할 계획이었다.
그녀의 어머니는 달걀, 채소, 소고기, 그리고 생선을 좀 사고
싶었다. 그러나, 슈퍼마켓에서 문제가 하나 있었다. 그녀의
부모님이 차를 주차할 수가 없었다. 주차장에는 차가 많이
있었다. 그들은 오랫동안 줄 서서 기다렸다. 차를 주차한 후에,
그들은 쇼핑몰 안으로 갔다. 쇼핑몰에도 또한 사람이 너무
많았다. Alex는 채소들과 소고기를 카트에 재빠르게 담았다.
그녀의 어머니는 카트 안에 생선을 담았다. 그다음 그들은
음식값을 지불했다. Alex는 집에 와서 음식을 봤다. 이런!
<u>그들은 달걀을 사지 않았다!</u> 그녀는 달걀에 관해 부모님에게
말했다. 그래서 그녀의 아버지는 작은 가게로 걸어갔다. 그는
달걀 열 개를 샀다. 그가 말했다, "다음번에는 목록을 쓰렴.
그러면 달걀을 잊어버리지 않을 거야."

7. What is the passage mainly about?

   (A) Alex's new car
   (B) Alex's favorite hobby
   (C) Alex's cooking mistake
   (D) Alex's shopping problems

해석 주로 무엇에 관한 지문인가?

   (A) Alex의 새 차
   (B) Alex가 특히 좋아하는 취미
   (C) Alex의 요리 실수
   (D) Alex가 장볼 때 겪은 문제

유형 전체 내용 파악

풀이 Alex 가족이 장보러 가서 주차를 하지 못한 것과 달걀을
잊어버리고 사 오지 않은 일화를 주로 서술하고 있으므로 (D)가
정답이다.

8. What was Alex's first problem?

(A) She could not find eggs.
(B) She got lost in the store.
(C) Her parents could not park.
(D) Her dad was alone in the car.

해석 Alex의 첫 번째 문제는 무엇이었는가?

(A) 달걀을 찾을 수 없었다.
(B) 가게에서 길을 잃었다.
(C) 부모님이 주차할 수 없었다.
(D) 그녀의 아빠가 차에 혼자 있었다.

유형 세부 내용 파악

풀이 'However, there was a problem at the supermarket. Her parents could not park their car.'에서 Alex의 부모님이 슈퍼마켓에서 주차를 하지 못했다는 첫 번째 문제 상황을 알 수 있으므로 (C)가 정답이다.

9. Which sentence is best for the blank?

(A) They did not buy eggs!
(B) There were a lot of people!
(D) They bought too much beef!
(D) There was no place to park!

해석 다음 중 빈칸에 가장 알맞은 문장은 무엇인가?

(A) 그들은 달걀을 사지 않았다!
(B) 많은 사람들이 있었다!
(C) 소고기를 너무 많이 샀다!
(D) 주차할 공간이 없었다!

유형 추론하기

풀이 'So her father walked to a small store. He bought ten eggs.'에서 Alex의 아버지가 작은 가게에 가서 달걀 10개를 샀다고 했으므로, Alex의 가족이 슈퍼마켓에서 달걀을 깜빡하고 사지 않았다는 사실을 유추할 수 있다. 또한 'Then we will not forget the eggs.'를 통해서도 이를 추론할 수 있으므로 (A)가 정답이다.

10. How did Alex's dad get eggs?

(A) He went back to the farm.
(B) Alex's grandfather had some.
(C) There were eggs in the house.
(D) He found them in a small store.

해석 Alex의 아빠는 어떻게 달걀을 얻었는가?

(A) 농장으로 돌아갔다.
(B) Alex의 할아버지에게 조금 있었다.
(C) 집에 달걀이 있었다.
(D) 작은 가게에서 찾았다.

유형 세부 내용 파악

풀이 'So her father walked to a small store. He bought ten eggs.'에서 Alex의 아버지가 작은 가게에서 달걀을 샀다는 것을 알 수 있으므로 (D)가 정답이다.

 Listening Practice　　　　▶ B1-6　　p.58

Alex enjoys grocery shopping with her parents. Last week, her family went to the supermarket in the mall. They needed food for Thanksgiving. They planned to cook a lot of food. Her mother wanted to buy some eggs, vegetables, beef, and fish. However, there was a problem at the supermarket. Her parents could not park their car. There were many cars in the parking lot. They waited in line for a long time. After they parked the car, they went into the mall. The mall also had too many people. Alex quickly put vegetables and beef into the cart. Her mother put fish into the cart. Then they paid for the food. Alex came home and looked at the food. Oh no! They did not buy eggs! She told her parents about the eggs. So her father walked to a small store. He bought ten eggs. He said, "Next time write a list. Then we will not forget the eggs."

1. grocery
2. Thanksgiving
3. vegetables
4. parking lot
5. waited
6. quickly

Writing Practice　　　　p.59

1. grocery shopping
2. Thanksgiving
3. vegetable
4. parking lot
5. wait in line
6. quickly

Summary

Alex's family went to the supermarket. They needed some eggs, vegetables, beef, and fish. There were many cars in the parking lot. And they forgot the eggs!

Alex의 가족은 슈퍼마켓에 갔다. 그들은 달걀, 야채, 소고기, 생선이 필요했다. 주차장에는 차가 많았다. 그리고 그들은 달걀(사는 것)을 잊어버렸다!

Word Puzzle　　　　p.60

Across	Down
2. quickly	1. grocery shopping
6. wait in line	3. vegetable
	4. parking lot
	5. Thanksgiving

Unit 7 | A Horror Movie

Part A. Sentence Completion

1 (C)   2 (B)

Part B. Situational Writing

3 (D)   4 (A)

Part C. Practical Reading and Retelling

5 (B)   6 (D)

Part D. General Reading and Retelling

7 (B)   8 (C)   9 (A)   10 (A)

Listening Practice

1 horror   2 scariest
3 scared   4 lights
5 platform   6 screamed

Writing Practice

1 horror movie   2 scary
3 scared   4 the lights go out
5 station platform
6 scream
Summary horror, scariest, subway, woman

Word Puzzle

Across
5 horror movie   6 scary
Down
1 station platform
2 scream   3 scared
4 the lights go out

☀ Pre-reading Questions

What kind of movies do you like?

Can you watch horror movies?

당신은 어떤 종류의 영화를 좋아하나요?

공포 영화를 볼 수 있나요?

📖 Reading Passage

A Horror Movie

Takaya and I are best friends. We both like horror movies. We go to the movies every week in summer. We love many kinds of movies, but one movie is the scariest. It is a horror movie called "Martinez in Japan". It is about a boy named Grant Martinez. He studies in Japan. One day he was on the subway with his best friend, Yuri. He was going home from school. Suddenly, the subway stopped. People were very scared. Grant and Yuri were scared, too. The lights went out. People ran to the doors, but the doors stayed closed. No one could open them. Then someone said, "Look! There is a woman!" Everyone looked. There was a woman in a white dress. She was not in the subway car. She was standing on the station platform. People screamed, "Help!" Grant tried to break the door, but nothing happened! Do you want to know how the movie ended? Then you should watch the movie!

공포 영화

Takaya와 나는 단짝이다. 우리 둘 다 공포 영화를 좋아한다. 우리는 여름에 매주 영화를 보러 간다. 우리는 많은 종류의 영화를 좋아하는데, 한 영화가 가장 무섭다. 그것은 "일본의 Martinez"라고 불리는 공포 영화이다. 그것은 Grant Martinez라는 이름을 가진 소년에 관한 것이다. 그는 일본에서 공부한다. 어느 날 그는 그의 단짝인 Yuri와 지하철을 타고 있었다. 그는 학교에서 집으로 가고 있었다. 갑자기, 지하철이 멈췄다. 사람들은 매우 겁을 먹었다. Grant와 Yuri도 겁을 먹었다. 불이 꺼졌다. 사람들은 문으로 달려갔지만, 문은 닫혀 있었다. 아무도 열 수 없었다. 그러자 누군가가 말했다, "봐요! 여자가 있어요!" 모두가 바라봤다. 흰 드레스를 입은 여자가 있었다. 그녀는 지하철 칸에 있지 않았다. 그녀는 역 승강장 위에 서 있었다. 사람들이 소리쳤다, "도와줘요!" Grant는 문을 부수려고 했지만, 아무 일도 일어나지 않았다! 영화가 어떻게 끝났는지 알고 싶은가? 그렇다면 영화를 봐야 한다!

어휘 what kind of ~ 어떤 (종류의) | horror 호러, 공포 | glad 기쁜 | lucky 운이 좋은 | scared 겁먹은 | kind 종류, 유형 | subway 지하철 | suddenly 갑자기 | go out (불이) 꺼지다; 외출하다 | station 역 | platform 승강장 | scream 소리치다 | break 부수다 | happen (사건·사고가) 일어나다, 발생하다 | according to ~에 따르면 | advertisement 광고 | bring 가져오다 | under ~ 아래 | limit 제한 | save the day 곤경을 면하다

1. Jamal read a book <u>called</u> "Happy Life".
   (A) call
   (B) calls
   (C) called
   (D) calling

해석 Jamal은 "행복한 삶"이라고 <u>불리는</u> 책을 읽었다.
   (A) 부르다
   (B) 부르다
   (C) 불리는
   (D) 부르기

풀이 '~라고 불리는 책'을 뜻하는 수동형 (C)가 정답이다. 'a book (that is) called Happy Life.'에서와 같이 'book'과 'called' 사이에 '관계대명사 + be 동사'가 생략된 형태라고 이해할 수도 있다.

관련 문장 It is a horror movie called "Martinez in Japan".

2. Lily told <u>me</u> how the TV show ended.
   (A) he
   (B) me
   (C) she
   (D) they

해석 Lily는 <u>나에게</u> TV 프로그램이 어떻게 끝났는지 말해줬다.
   (A) 그
   (B) 나에게
   (C) 그녀
   (D) 그들

풀이 'tell A B'라는 4형식 구조를 사용한 문장이다. 빈칸에는 동사 'tell'의 간접 목적어가 들어가야 하므로 목적격이 필요하다. 따라서 (B)가 정답이다.

관련 문장 Do you want to know how the movie ended?

3. The boy was <u>scared</u> in the dark room.
   (A) glad
   (B) lucky
   (C) happy
   (D) scared

해석 소년은 어두운 방에서 <u>겁에 질렸다</u>.
   (A) 기쁜
   (B) 운이 좋은
   (C) 행복한
   (D) 겁먹은

풀이 소년이 어두운 방에서 이불을 꽁꽁 싸매고 겁먹은 모습이다. 따라서 (D)가 정답이다.

관련 문장 People were very scared. Grant and Yuri were scared, too.

4. My uncle is the man <u>in</u> the blue suit.
   (A) in
   (B) on
   (C) at
   (D) to

해석 우리 삼촌은 파란색 정장을 <u>입은</u> 남자이다.
   (A) ~에
   (B) ~(위)에
   (C) ~에
   (D) ~로

풀이 남자가 파란색 정장을 입고 있는 모습이다. 'dress', 'suit' 등 의류를 뜻하는 명사 앞에서 전치사 'in'을 사용하여 '~을 입은'이라는 뜻을 나타내므로 (A)가 정답이다.

관련 문장 There was a woman in a white dress.

[5-6]

해석

영화의 밤

제목: Monster Cats

나이 제한: 10세 이상

시간 / 날짜: 2020년 4월 17일 오후 7시

티켓 가격: 성인 $8, 학생 $6

* 무료 음료와 간식

5. What is true according to the advertisement?
   (A) You must bring snacks.
   (B) The movie starts at 7 PM.
   (C) Children under 6 can get in.
   (D) The movie title is 'Master Cats.'

해석 광고에 따르면 옳은 설명은 무엇인가?
   (A) 간식을 가져와야만 한다.
   (B) 영화는 오후 7시에 시작한다.
   (C) 6세 미만의 어린이가 들어올 수 있다.
   (D) 영화 제목은 'Master Cats'이다.

풀이 '7 PM April 17th, 2020'에서 영화가 오후 7시에 시작한다는 것을 알 수 있으므로 (B)가 정답이다. (A)는 음료와 간식이 무료라고 했으므로 오답이다. (C)는 나이 제한이 10세 이상이므로 오답이다. (D)는 영화 제목이 'Monster Cats'이므로 오답이다.

6. How much are tickets for 2 adults and 1 student?
   (A) $12
   (B) $14
   (C) $20
   (D) $22

해석 성인 2명과 학생 1명의 티켓 가격은 얼마인가?

   (A) $12
   (B) $14
   (C) $20
   (D) $22

풀이 성인은 1명당 8달러, 학생은 1명당 6달러이므로 전체 티켓 가격은 22달러(8달러 × 2 + 6달러 × 1)이다. 따라서 (D)가 정답이다.

[7-10]

Takaya and I are best friends. We both like horror movies. We go to the movies every week in summer. We love many kinds of movies, but one movie is the scariest. It is a horror movie called "Martinez in Japan". It is about a boy named Grant Martinez. He studies in Japan. One day he was on the subway with his best friend, Yuri. He was going home from school. Suddenly, the subway stopped. People were very scared. Grant and Yuri were scared, too. The lights went out. People ran to the doors, but the doors stayed closed. No one could open them. Then someone said, "Look! There is a woman!" Everyone looked. There was a woman in a white dress. She was not in the subway car. She was standing on the station platform. People screamed, "Help!" Grant tried to break the door, but nothing happened! Do you want to know how the movie ended? Then you should watch the movie!

해석

Takaya와 나는 단짝이다. 우리 둘 다 공포 영화를 좋아한다. 우리는 여름에 매주 영화를 보러 간다. 우리는 많은 종류의 영화를 좋아하는데, 한 영화가 가장 무섭다. 그것은 "일본의 Martinez"라고 불리는 공포 영화이다. 그것은 Grant Martinez라는 이름을 가진 소년에 관한 것이다. 그는 일본에서 공부한다. 어느 날 그는 그의 단짝인 Yuri와 지하철을 타고 있었다. 그는 학교에서 집으로 가고 있었다. 갑자기, 지하철이 멈췄다. 사람들은 매우 겁을 먹었다. Grant와 Yuri도 겁을 먹었다. 불이 꺼졌다. 사람들은 문으로 달려갔지만, 문은 닫혀 있었다. 아무도 열 수 없었다. 그러자 누군가가 말했다, "봐요! 여자가 있어요!" 모두가 바라봤다. 흰 드레스를 입은 여자가 있었다. 그녀는 지하철 칸에 있지 않았다. 그녀는 역 승강장 위에 서 있었다. 사람들이 소리쳤다, "도와줘요!" Grant는 문을 부수려고 했지만, 아무 일도 일어나지 않았다! 영화가 어떻게 끝났는지 알고 싶은가? 그렇다면 영화를 봐야 한다!

7. What is the best title for the passage?
   (A) Grant Is Scared
   (B) A Very Scary Movie
   (C) Takaya Lives in Japan
   (D) A Schoolboy Saves the Day

해석 지문에 가장 알맞은 제목은 무엇인가?

   (A) Grant가 겁먹다
   (B) 아주 무서운 영화
   (C) Takaya는 일본에 산다
   (D) 남학생이 곤경을 면하다

유형 전체 내용 파악

풀이 두 사람에게 가장 무서운 영화인 'Martinez in Japan'의 줄거리를 소개하고, 독자들에게 결말을 알고 싶다면 영화를 직접 보라고 하며 글을 마치고 있다. 따라서 이 글의 중심 소재는 'Martinez in Japan'이라는 공포 영화이므로 (B)가 정답이다.

8. Who is the writer's best friend?
   (A) Yuri
   (B) Grant
   (C) Takaya
   (D) Martinez

해석 글쓴이의 단짝은 누구인가?

   (A) Yuri
   (B) Grant
   (C) Takaya
   (D) Martinez

유형 세부 내용 파악

풀이 'Takaya and I are best friends.'에서 글쓴이의 단짝이 Takaya 라는 것을 알 수 있으므로 (C)가 정답이다. 나머지 선택지는 글쓴이가 소개하는 영화 속 등장인물들의 이름이므로 오답이다.

9. What is NOT true about Grant?
   (A) He is Yuri's brother.
   (B) He is studying in Japan.
   (C) He tried to break the door.
   (D) He took the subway with Yuri.

해석 Grant에 관해 옳지 않은 설명은 무엇인가?

   (A) Yuri의 남동생이다.
   (B) 일본에서 공부하고 있다.
   (C) 문을 부수려고 했다.
   (D) Yuri와 함께 지하철을 탔다.

유형 세부 내용 파악

풀이 'One day he was on the subway with his best friend, Yuri.'에서 Grant는 Yuri의 남동생이 아니라 친구임을 알 수 있으므로 (A)가 정답이다. (B)는 'He studies in Japan.', (C)는 'Grant tried to break the door', (D)는 'One day he was on the subway with his best friend, Yuri.'에서 확인할 수 있는 내용이므로 오답이다.

10. Why is Grant on the subway?

 (A) He is going home.
 (B) He is going to work.
 (C) He is going to school.
 (D) He is going to a hospital.

해석 Grant는 왜 지하철에 있는가?

 (A) 집에 가고 있다.
 (B) 일터에 가고 있다.
 (C) 학교에 가고 있다.
 (D) 병원에 가고 있다.

유형 세부 내용 파악

풀이 'One day he was on the subway with his best friend, Yuri. He was going home from school.'에서 Grant가 집에 가려고 지하철을 탔음을 알 수 있으므로 (A)가 정답이다.

🎧 Listening Practice   ▶ B1-7   p.66

Takaya and I are best friends. We both like <u>horror</u> movies. We go to the movies every week in summer. We love many kinds of movies, but one movie is the <u>scariest</u>. It is a horror movie called "Martinez in Japan". It is about a boy named Grant Martinez. He studies in Japan. One day he was on the subway with his best friend, Yuri. He was going home from school. Suddenly, the subway stopped. People were very <u>scared</u>. Grant and Yuri were scared, too. The <u>lights</u> went out. People ran to the doors, but the doors stayed closed. No one could open them. Then someone said, "Look! There is a woman!" Everyone looked. There was a woman in a white dress. She was not in the subway car. She was standing on the station <u>platform</u>. People <u>screamed</u>, "Help!" Grant tried to break the door, but nothing happened! Do you want to know how the movie ended? Then you should watch the movie!

1. horror
2. scariest
3. scared
4. lights
5. platform
6. screamed

✏️ Writing Practice   p.67

1. horror movie
2. scary
3. scared
4. the lights go out
5. station platform
6. scream

📄 Summary

Takaya and I like <u>horror</u> movies. "Martinez in Japan" is the <u>scariest</u> movie. In the movie, people are on a <u>subway</u>. The subway stops. But one <u>woman</u> is still on the platform.

Takaya와 나는 <u>공포</u> 영화를 좋아한다. "일본의 Martinez"는 <u>가장 무서운</u> 영화이다. 영화에서, 사람들은 <u>지하철</u>에 있다. 지하철이 멈춘다. 하지만 한 <u>여자</u>가 여전히 승강장 위에 있다.

🧩 Word Puzzle   p.68

Across	Down
5. horror movie	1. station platform
6. scary	2. scream
	3. scared
	4. the lights go out

Unit 8 | The Best Library in the City   p.69

Pre-reading Questions   p.69

Is there a library in your neighborhood?

What can you do there?

당신의 동네에 도서관이 있나요?

거기서 무엇을 할 수 있나요?

Reading Passage   p.70

The Best Library in the City

Elmwood Library is the best library in my city. It is big. It has three floors. It is open from 7:00 AM to 11:00 PM. More than 2000 people can read and study there. Only members can use the library. Everyone in my family is a member. My family goes to Elmwood Library every week. There are many books on the first floor. You can borrow up to 10 books at a time. You must bring them back in two weeks. There are 100 desks on the third floor. Students study there every day. On the second floor, library members can try different programs. Last month, the programs were "Summer Lunch," "Singalong Cinema," "Storytime with Dad," and "Book Quiz." Forty people can go to each event. I went to "Singalong Cinema" with my dad and sister. There were 25 kids and 15 adults. We sang "Candy Store," a song from a musical. We practiced four times. Next Saturday, we will sing in front of the whole city! I am very happy. But my sister is shy, so she is very worried. I want to cheer her up.

도시에서 최고의 도서관

Elmwood 도서관은 우리 도시에서 가장 최고의 도서관이다. 그것은 크다. 층이 세 개 있다. 오전 7시에서 오후 11시까지 연다. 2000명이 넘는 사람들이 거기서 읽고 공부할 수 있다. 회원들만 도서관을 이용할 수 있다. 우리 가족 모두가 회원이다. 우리 가족은 매주 Elmwood 도서관에 간다. 1층에는 많은 책이 있다. 한 번에 10권까지 빌릴 수 있다. 2주 안에 그것들을 다시 가져와야만 한다. 3층에는 100개의 책상이 있다. 학생들은 매일 거기서 공부한다. 2층에는, 도서관 회원들이 여러 프로그램을 해볼 수 있다. 지난달, 프로그램들은 "여름 점심 식사," "노래를 따라 부르는 영화," "아빠와의 이야기 시간," 그리고 "책 퀴즈"였다. 한 번에 마흔 명이 각 행사에 갈 수 있다. 나는 아빠와 여동생과 함께 "노래를 따라 부르는 영화"에 갔다. 25명의 아이들과 15명의 어른들이 있었다. 우리는 뮤지컬 노래인 "사탕 가게"를 불렀다. 우리는 네 번 연습했다. 다음 주 토요일, 우리는 도시 전체 앞에서 노래 부를 것이다! 나는 무척 행복하다. 하지만 내 여동생은 수줍고, 그래서 그녀는 매우 걱정한다. 나는 그녀를 격려하고 싶다.

어휘 library 도서관 | neighborhood 근처, 이웃 | what kind of ~ 어떤 (종류의) | bring 가져오다 | above ~ 위에 | behind ~ 뒤에 | in front of ~ 앞에 | cheer up ~을 격려하다 | floor 층; 바닥 | from A to B A에서 B까지 | more than ~ 이상 | member 회원 | borrow 빌리다 | up to ~까지 | at a time 한 번에 | different 여러 가지의, 각각 다른, (각양)각색의 | musical 뮤지컬 | practice 연습하다 | whole 전체 | shy 수줍은 | worry 걱정하다 | yard 마당 | singalong 함께 노래를 (따라) 부르는 (모임) | auditorium 강당 | group 그룹, 무리 | according to ~에 따르면 | at the same time 한꺼번에, 동시에

1. At the park, <u>everyone</u> is happy.

   (A) two cats
   (B) everyone
   (C) my parents
   (D) Lily and James

해석　공원에서, <u>모두가</u> 행복하다.

   (A) 두 마리 고양이
   (B) 모두
   (C) 나의 부모님
   (D) Lily와 James

풀이　빈칸 뒤에 be 동사 'is'가 있으므로 이와 어울리는 3인칭 단수 주어 (B)가 정답이다.

새겨 두기　'everyone, everybody, everything'과 같이 every가 들어간 대명사들은 의미상 복수이지만, 문법적으로 3인칭 단수 취급한다는 점에 주목한다.

관련 문장　Everyone in my family is a member.

2. You can use my crayons. Just bring <u>them</u> back tomorrow.

   (A) it
   (B) they
   (C) their
   (D) them

해석　너는 내 크레용을 쓸 수 있어. 단지 <u>그것들을</u> 내일 다시 가져와줘.

   (A) 그것
   (B) 그것들
   (C) 그것들의
   (D) 그것들을

풀이　앞 문장의 복수 명사 'my crayons'를 지칭하면서 목적어 역할을 해야 하므로 3인칭 복수 대명사의 목적격인 (D)가 정답이다.

새겨 두기　'bring <u>them</u> back'에서와 같이 구동사의 목적어가 'them', 'this' 등과 같은 대명사일 때 목적어가 동사('bring')와 부사 ('back') 사이에 위치한다는 것에 주목한다.

관련 문장　You must bring them back in two weeks.

3. The dog is <u>in front of</u> its house.

   (A) in
   (B) above
   (C) behind
   (D) in front of

해석　그 개는 자기 집 <u>앞에</u> 있다.

   (A) ~ 안에
   (B) ~ 위에
   (C) ~ 뒤에
   (D) ~ 앞에

풀이　개가 집 앞에 있으므로 (D)가 정답이다.

관련 문장　Next Saturday, we will sing in front of the whole city!

4. I'm sorry Ella is sad. Let's <u>cheer her up</u>.

   (A) start a fight
   (B) wake her up
   (C) cheer her up
   (D) find her shoes

해석　Ella가 슬퍼서 유감이야. <u>그녀를 격려해</u> 주자.

   (A) 싸움을 시작하다
   (B) 그녀를 깨우다
   (C) 그녀를 격려하다
   (D) 그녀의 신발을 찾다

풀이　슬퍼하고 있는 여자에게 격려해 주자고 하는 것이 가장 자연스러우므로 (C)가 정답이다.

관련 문장　But my sister is shy, so she is very worried. I want to cheer her up.

[5-6]

Schedule for the first week of June				
	Summer Lunch	**Singalong Cinema**	**Storytime with Dad**	**Book Quiz**
Date	June 3rd & 5th	June 2nd	June 6th	June 2nd & 4th
Time	1 PM	3 PM	3 PM	4 PM
Place	Front Yard	Benford Hall	Benford Hall	McGuire Auditorium
The number of open spots	6	2	8	12

해석

6월 첫째 주 일정				
	여름 점심 식사	노래를 따라 부르는 영화	아빠와 이야기 시간	책 퀴즈
날짜	6월 3일 & 5일	6월 2일	6월 6일	6월 2일 & 4일
시간	오후 1시	오후 3시	오후 3시	오후 4시
장소	앞마당	Benford 홀	Benford 홀	McGuire 강당
개방 좌석 수	6	2	8	12

5. Which program starts at 3 PM on June 6th?

   (A) *Summer Lunch*
   (B) *Singalong Cinema*
   (C) *Storytime with Dad*
   (D) *Book Quiz*

해석　어떤 프로그램이 6월 6일 오후 3시에 시작하는가?

   (A) 여름 점심 식사
   (B) 노래를 따라 부르는 영화
   (C) *아빠와의 이야기 시간*
   (D) 책 퀴즈

풀이　6월 6일 오후 3시에 시작하는 프로그램은 '*Storytime with Dad*' 이므로 (C)가 정답이다.

6. Which program can a group of 10 people go to?

(A) *Summer Lunch*
(B) *Singalong Cinema*
(C) *Storytime with Dad*
(D) *Book Quiz*

해석 어떤 프로그램이 10명의 그룹이 갈 수 있는가?

(A) *여름 점심 식사*
(B) *노래를 따라 부르는 영화*
(C) *아빠와의 이야기 시간*
(D) *책 퀴즈*

풀이 개방된 좌석 수가 10명 이상인 프로그램은 '*Book Quiz*' 뿐이므로 (D)가 정답이다.

[7-10]

Elmwood Library is the best library in my city. It is big. It has three floors. It is open from 7:00 AM to 11:00 PM. More than 2000 people can read and study there. Only members can use the library. Everyone in my family is a member. My family goes to Elmwood Library every week. There are many books on the first floor. You can borrow up to 10 books at a time. You must bring them back in two weeks. There are 100 desks on the third floor. Students study there every day. On the second floor, library members can try different programs. Last month, the programs were "Summer Lunch," "Singalong Cinema," "Storytime with Dad," and "Book Quiz." Forty people can go to each event. I went to "Singalong Cinema" with my dad and sister. There were 25 kids and 15 adults. We sang "Candy Store," a song from a musical. We practiced four times. Next Saturday, we will sing in front of the whole city! I am very happy. But my sister is shy, so she is very worried. I want to cheer her up.

해석

Elmwood 도서관은 우리 도시에서 가장 최고의 도서관이다. 그것은 크다. 층이 세 개 있다. 오전 7시에서 오후 11시까지 연다. 2000명이 넘는 사람들이 거기서 읽고 공부할 수 있다. 회원들만 도서관을 이용할 수 있다. 우리 가족 모두가 회원이다. 우리 가족은 매주 Elmwood 도서관에 간다. 1층에는 많은 책이 있다. 한 번에 10권까지 빌릴 수 있다. 2주 안에 그것들을 다시 가져와야만 한다. 3층에는 100개의 책상이 있다. 학생들은 매일 거기서 공부한다. 2층에는, 도서관 회원들이 여러 프로그램을 해볼 수 있다. 지난달, 프로그램들은 "여름 점심 식사," "노래를 따라 부르는 영화," "아빠와의 이야기 시간," 그리고 "책 퀴즈"였다. 한 번에 마흔 명이 각 행사에 갈 수 있다. 나는 아빠와 여동생과 함께 "노래를 따라 부르는 영화"에 갔다. 25명의 아이들과 15명의 어른들이 있었다. 우리는 뮤지컬 노래인 "사탕 가게"를 불렀다. 우리는 네 번 연습했다. 다음 주 토요일, 우리는 도시 전체 앞에서 노래 부를 것이다! 나는 무척 행복하다. 하지만 내 여동생은 수줍고, 그래서 그녀는 매우 걱정한다. 나는 그녀를 격려하고 싶다.

---

7. What is the main idea of the passage?

(A) Elmwood Library is great.
(B) Only members can use the library.
(C) People don't like library programs.
(D) Adults can sing in front of the whole city.

해석 지문의 요지는 무엇인가?

(A) Elmwood 도서관은 훌륭하다.
(B) 회원만 도서관을 이용할 수 있다.
(C) 사람들은 도서관 프로그램을 좋아하지 않는다.
(D) 성인은 도시 전체 앞에서 노래할 수 있다.

유형 전체 내용 파악

풀이 첫 문장 'Elmwood Library is the best library in my city.' 에서부터 Elmwood 도서관이 훌륭하다는 글의 중심 내용이 드러나고 있다. 이어서 도서관과 도서관 프로그램에 관해 설명한 뒤, 이와 관련한 글쓴이의 경험을 서술하고 있는 글이므로 (A)가 정답이다.

8. How many desks are on the third floor?

(A) 25
(B) 40
(C) 100
(D) 2000

해석 3층에 책상이 몇 개 있는가?

(A) 25
(B) 40
(C) 100
(D) 2000

유형 세부 내용 파악

풀이 'There are 100 desks on the third floor.'에서 3층에 책상이 100개 있다는 것을 알 수 있으므로 (C)가 정답이다.

9. According to the passage, what is NOT true about the library?

(A) People can sing there.
(B) Desks are on the third floor.
(C) There are many programs at the library.
(D) Members can borrow 12 books at a time.

해석 지문에 따르면, 도서관에 관해 옳지 않은 설명은 무엇인가?

(A) 사람들이 거기서 노래할 수 있다.
(B) 책상들은 3층에 있다.
(C) 도서관에는 많은 프로그램이 있다.
(D) 회원들은 한 번에 책을 12권 빌릴 수 있다.

유형 세부 내용 파악 & 추론하기

풀이 'You can borrow up to 10 books at a time.'에서 한 번에 빌릴 수 있는 책의 권수가 최대 10권이라는 것을 알 수 있으므로 (D)가 정답이다. (A)는 도서관에서 'Singalong Cinema'라는 프로그램이 있고, 글쓴이도 거기서 노래를 했다고 언급했으므로 맞는 설명이 되어 오답이다. (B)는 'There are 100 desks on the third floor.'에서, (C)는 'On the second floor, library members can try different programs [...]'에서 확인할 수 있는 내용이므로 오답이다.

10. Why is the writer's sister worried?

(A) She has to study on the third floor.
(B) She will go to programs at the library.
(C) She will sing in front of the whole city.
(D) She has to borrow 15 books at the same time.

해석 글쓴이의 여동생이 걱정하는 이유는 무엇인가?

(A) 그녀는 3층에서 공부해야 한다.
(B) 그녀는 도서관의 프로그램에 갈 것이다.
(C) 그녀는 도시 전체 앞에서 노래할 것이다.
(D) 그녀는 한꺼번에 15권의 책을 빌려야 한다.

유형 세부 내용 파악

풀이 'Next Saturday, we will sing in front of the whole city! [...] But my sister is shy, so she is very worried.'를 통해 수줍음이 많은 글쓴이의 여동생이 도시 전체 앞에서 노래해야 해서 걱정하고 있다는 것을 알 수 있으므로 (C)가 정답이다.

🎧 Listening Practice   ▶ B1-8   p.74

Elmwood Library is the best library in my city. It is big. It has three <u>floors</u>. It is open from 7:00 AM to 11:00 PM. More than 2000 people can read and study there. Only <u>members</u> can use the library. Everyone in my family is a member. My family goes to Elmwood Library every week. There are many books on the first floor. You can <u>borrow</u> up to 10 books <u>at a time</u>. You must bring them back in two weeks. There are 100 desks on the third floor. Students study there every day. On the second floor, library members can try different programs. Last month, the programs were "Summer Lunch," "Singalong Cinema," "Storytime with Dad," and "Book Quiz." Forty people can go to each event. I went to "Singalong Cinema" with my dad and sister. There were 25 kids and 15 adults. We sang "Candy Store," a song from a musical. We practiced four times. Next Saturday, we will sing in front of the whole city! I am very happy. But my sister is <u>shy</u>, so she is very worried. I want to <u>cheer</u> her up.

1. floors
2. members
3. borrow
4. at a time
5. shy
6. cheer

✏️ Writing Practice   p.75

1. floor
2. member
3. borrow
4. at a time
5. shy
6. cheer, up

📄 Summary

Elmwood <u>Library</u> is the best library in my city. My family goes there <u>every week</u>. There are books and study <u>desks</u>. There are special <u>programs</u>. I am in one program. I will sing.

Elmwood 도서관은 우리 도시에서 가장 최고의 도서관이다. 우리 가족은 매주 거기에 간다. 책들과 공부 책상들이 있다. 특별한 프로그램들이 있다. 나는 한 프로그램에 참여한다. 나는 노래를 부를 것이다.

🧩 Word Puzzle   p.76

Across	Down
1. at a time	2. member
4. borrow	3. floor
6. cheer up	5. shy

Chapter Review p.77

At My Uncle's Bakery

Every day before school, I stop by my uncle's bakery. He wakes up very early, so he can open it before 7 o'clock. Many students and business people come in to eat breakfast. The people stand in line and choose from the many types of bread. From seven to ten, customers can also buy coffee. After they pay at the counter, they eat very quickly. Sometimes I help make the sandwiches. I wrap them and take them to the front of the store. The most popular sandwich has bacon, lettuce, and tomato. The least popular is tuna, but I like it. My uncle's store always smells like delicious bread, because he bakes all day long. When I have to leave, my uncle always gives me a fresh chocolate chip cookie. I eat the warm and soft cookie as I walk to school.

우리 삼촌의 빵집에서

매일 학교에 가기 전에, 나는 삼촌의 빵집에 들른다. 그는 매우 일찍 일어나서, 7시 이전에 가게를 열 수 있다. 많은 학생과 회사원이 아침 식사를 하러 온다. 사람들은 줄을 서고 다양한 종류의 빵 중에서 고른다. 7시부터 10시까지, 손님들은 또한 커피를 살 수 있다. 계산대에서 돈을 지불한 후에, 그들은 매우 빠르게 먹는다. 때때로 나는 샌드위치를 만드는 것을 돕는다. 그것들을 포장하고 가게 앞에 가져간다. 가장 인기 있는 샌드위치에는 베이컨, 양상추, 그리고 토마토가 있다. 가장 인기 없는 것은 참치이지만, 나는 그것이 좋다. 삼촌의 가게는 종일 굽기 때문에, 항상 맛있는 빵 냄새가 난다. 내가 (가게를) 떠나야 할 때, 삼촌은 항상 나에게 갓 구운 (만든) 초콜릿 칩 쿠키를 준다. 나는 학교에 걸어가면서 따뜻하고 부드러운 그 쿠키를 먹는다.

Chapter 3. Stadium in My Town

☀ Pre-reading Questions p.79

Do you like watching baseball?

Do you have a favorite team?

야구 보는 것을 좋아하나요?

특히 좋아하는 팀이 있나요?

📖 Reading Passage p.80

At the Baseball Game

Maria's grandfather loves baseball. He likes a team called the Norton Lions. Yesterday Maria and her grandfather went to a baseball stadium. The Norton Lions and Upland Foxes were playing against each other. Maria and her grandfather wore orange t-shirts to the game. That's because orange is the Norton Lions team color. In this game, Maria really wanted to catch a home run ball. Before the game started, Maria's grandfather bought her some chicken. They ate it during the game. Suddenly, a home run ball flew near their seats. Maria was excited, and she dropped her chicken. Maria tried to catch the ball, but she was too slow. A big man caught the ball, and Maria was sad. Her grandfather said, "Let's try to catch another ball!" Sadly, there were no more home runs. The game ended after four hours. Then, her grandfather told her to open his bag. She opened it, and there was a ball. He told her, "Take it to the player over there!" The player signed the ball. Maria felt great.

야구 경기에서

Maria의 할아버지는 야구를 매우 좋아한다. 그는 Norton Lions 라고 불리는 팀을 좋아한다. 어제 Maria와 그녀의 할아버지는 야구 경기장에 갔다. Norton Lions와 Upland Foxes가 서로 대결했다. Maria와 그녀의 할아버지는 경기에 주황색 티셔츠를 입고 갔다. 이는 주황색이 Norton Lions의 팀 색깔이기 때문이다. 이번 경기에서, Maria는 홈런공을 정말로 잡고 싶었다. 경기가 시작하기 전에, Maria의 할아버지는 그녀에게 치킨을 사주었다. 그들은 경기 하는 동안 그것을 먹었다. 갑자기, 홈런공이 그들의 자리 가까이에 날아왔다. Maria는 흥분했고, 그녀는 치킨을 떨어뜨렸다. Maria 는 공을 잡으려고 했지만, 그녀는 너무 느렸다. 덩치가 큰 남자가 공을 잡았고, Maria는 슬펐다. 그녀의 할아버지가 말했다, "다른 공을 잡도록 하자꾸나!" 슬프게도, 더는 홈런이 없었다. 경기는 네 시간 후에 끝났다. 그러자, 그녀의 할아버지가 그녀에게 그의 가방을 열라고 말했다. 그녀는 그것을 열었고, 공이 하나 있었다. 그가 그녀에게 말했다, "저쪽에 있는 선수에게 그걸 가져가렴!" 그 선수는 볼에 사인해 주었다. Maria는 기분이 좋았다.

어휘 baseball 야구 | try to ~하려 노력하다 | so 그래서; 그렇게 (대단히), 너무 | climb 오르다 | serve 제공하다 | drop 떨어뜨리다 | throw 던지다 | catch 잡다 | called ~라(고) 불리는 | yesterday 어제 | stadium 경기장 | play against ~와 시합하다 | against ~에 반대하여 | each other 서로 | game 경기, 게임 | wear 입다 | home run 홈런 | before ~ 전에 | during ~ 동안 | suddenly 갑자기 | fly 날다 | near ~ 가까이에 | sadly 슬프게도 | no more 더는 ~이(가) 없다 | take A to B A를 B로 가져가다 | sign 사인하다, 서명하다; 신호 | pitcher 투수 | left fielder 좌익수 | both 둘 다

⏱ Comprehension Questions p.81

1. I tried to get tickets, <u>but</u> there were no more tickets.

(A) so
(B) for
(C) but
(D) and

해석 나는 표를 구하려고 했다, <u>하지만</u> 더는 표가 없었다.

(A) 그래서
(B) ~니까
(C) 그러나
(D) 그리고

풀이 표를 구하려는 것과 표가 없는 것은 서로 반대되는 내용이다. 서로 반대되는 두 문장을 이을 때 '하지만'을 뜻하는 접속사 'but'을 사용할 수 있으므로 (C)가 정답이다.

관련 문장 Maria tried to catch the ball, but she was too slow.

2. Let's try to <u>climb</u> that tree!

(A) climb
(B) climbs
(C) climbed
(D) climbing

해석 저 나무를 <u>올라가</u> 보자!

(A) 오르다
(B) 오르다
(C) 올랐다
(D) 오르는 것

풀이 'try'는 'try + to 부정사' 형태로 쓰여 '~을 하려고 노력하다'라는 뜻을 나타낸다. to 부정사는 'to + 동사원형'이므로 (A)가 정답이다.

관련 문장 Let's try to catch another ball!

3. Tina <u>dropped</u> her food.

(A) ate
(B) served
(C) cooked
(D) dropped

해석 Tina가 음식을 <u>떨어뜨렸다</u>.

(A) 먹었다
(B) 제공했다
(C) 요리했다
(D) 떨어뜨렸다

풀이 음식을 떨어뜨리고 있는 모습이므로 (D)가 정답이다.

관련 문장 Maria was excited, and she dropped her chicken.

4. Thomas is <u>catching a ball</u>.

(A) throwing a ball
(B) catching a ball
(C) watching baseball
(D) buying baseball tickets

해석 Thomas가 <u>공을 잡고</u> 있다.

(A) 공을 던지는
(B) 공을 잡는
(C) 야구를 보는
(D) 야구 티켓을 사는

풀이 야구 글러브로 공을 받고 있는 모습이므로 (B)가 정답이다.

관련 문장 A big man caught the ball, [...]

[5-6]

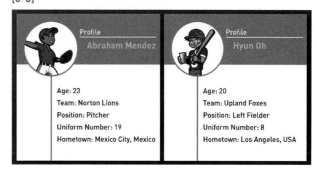

해석

프로필	프로필
Abraham Mendez	Hyun Oh
나이: 23	나이: 20
팀: Norton Lions	팀: Upland Foxes
포지션: 투수	포지션: 좌익수
유니폼 번호: 19	유니폼 번호: 8
고향: 멕시코, 멕시코시티	고향: 미국, 로스앤젤레스

5. What is true about Hyun Oh?

(A) He is a pitcher.
(B) He is 23 years old.
(C) He is from Los Angeles.
(D) His uniform number is 19.

해석 Hyun Oh에 관해 옳은 설명은 무엇인가?

(A) 투수이다.
(B) 23살이다.
(C) 로스앤젤레스 출신이다.
(D) 유니폼 번호는 19번이다.

풀이 Hyun Oh의 프로필에서 고향이 'Los Angeles, USA'라고 나와 있으므로 (C)가 정답이다. 나머지 선택지는 Abraham Mendez에 해당하는 설명이므로 오답이다.

6. Which player plays for the Lions?

    (A) both
    (B) none
    (C) Hyun Oh
    (D) Abraham Mendez

해석 어느 선수가 Lions 팀에서 뛰는가?

    (A) 둘 다
    (B) 아무도 (아니다)
    (C) Hyun Oh
    (D) Abraham Mendez

풀이 Norton Lions에 소속된 선수는 Abraham Mendez이므로 (D)가 정답이다.

[7-10]

Maria's grandfather loves baseball. He likes a team called the Norton Lions. Yesterday Maria and her grandfather went to a baseball stadium. The Norton Lions and Upland Foxes were playing against each other. Maria and her grandfather wore orange t-shirts to the game. That's because orange is the Norton Lions team color. In this game, Maria really wanted to catch a home run ball. Before the game started, Maria's grandfather bought her some chicken. They ate it during the game. Suddenly, a home run ball flew near their seats. Maria was excited, and she dropped her chicken. Maria tried to catch the ball, but she was too slow. A big man caught the ball, and Maria was sad. Her grandfather said, "Let's try to catch another ball!" Sadly, there were no more home runs. The game ended after four hours. Then, her grandfather told her to open his bag. She opened it, and there was a ball. He told her, "Take it to the player over there!" The player signed the ball. Maria felt great.

해석

Maria의 할아버지는 야구를 매우 좋아한다. 그는 Norton Lions라고 불리는 팀을 좋아한다. 어제 Maria와 그녀의 할아버지는 야구 경기장에 갔다. Norton Lions와 Upland Foxes가 서로 대결했다. Maria와 그녀의 할아버지는 경기에 주황색 티셔츠를 입고 갔다. 이는 주황색이 Norton Lions의 팀 색깔이기 때문이다. 이번 경기에서, Maria는 홈런공을 정말로 잡고 싶었다. 경기가 시작하기 전에, Maria의 할아버지는 그녀에게 치킨을 사주었다. 그들은 경기 하는 동안 그것을 먹었다. 갑자기, 홈런공이 그들의 자리 가까이에 날아왔다. Maria는 흥분했고, 그녀는 치킨을 떨어뜨렸다. Maria는 공을 잡으려고 했지만, 그녀는 너무 느렸다. 덩치가 큰 남자가 공을 잡았고, Maria는 슬펐다. 그녀의 할아버지가 말했다, "다른 공을 잡도록 하자꾸나!" 슬프게도, 더는 홈런이 없었다. 경기는 네 시간 후에 끝났다. 그러자, 그녀의 할아버지가 그녀에게 그의 가방을 열라고 말했다. 그녀는 그것을 열었고, 공이 하나 있었다. 그가 그녀에게 말했다, "저쪽에 있는 선수에게 그걸 가져가렴!" 그 선수는 볼에 사인해 주었다. Maria는 기분이 좋았다.

7. What is the best title of the passage?

    (A) A Nice Baseball Player
    (B) Maria's Day at the Stadium
    (C) A Big Man Steals Maria's Ball
    (D) Grandfather Loves the Upland Foxes

해석 지문에 가장 알맞은 제목은 무엇인가?

    (A) 훌륭한 야구선수
    (B) 경기장에서 Maria의 하루
    (C) 덩치 큰 남자가 Maria의 공을 훔치다
    (D) 할아버지는 Upland Foxes를 좋아한다

유형 전체 내용 파악

풀이 Maria와 할아버지가 야구장에서 야구 경기를 본 일화를 다루고 있는 글이므로 (B)가 정답이다.

8. How long was the game?

    (A) 1 hour
    (B) 2 hours
    (C) 3 hours
    (D) 4 hours

해석 경기는 얼마나 했는가?

    (A) 1시간
    (B) 2시간
    (C) 3시간
    (D) 4시간

유형 세부 내용 파악

풀이 'The game ended after four hours.'에서 경기 시간이 네 시간이었다는 것을 알 수 있으므로 (D)가 정답이다.

9. Why did Maria wear an orange t-shirt?

    (A) It is the only t-shirt she had.
    (B) It is the color of the Norton Lions.
    (C) It is the color of the Upland Foxes.
    (D) It is her grandfather's favorite color.

해석 Maria는 왜 주황색 티셔츠를 입었는가?

    (A) 그녀가 가진 유일한 티셔츠였다.
    (B) Norton Lions의 색깔이다.
    (C) Upland Foxes의 색깔이다.
    (D) 그녀의 할아버지가 가장 좋아하는 색이다.

유형 세부 내용 파악

풀이 'Maria and her grandfather wore orange t-shirts to the game. That's because orange is Norton Lions team color.'에서 Norton Lions의 팀 색깔이 주황색이기 때문에 Maria와 할아버지가 주황색 티셔츠를 입었음을 알 수 있으므로 (B)가 정답이다.

10. What did Maria do when the ball flew near her?

    (A) ate more chicken

    (B) dropped her chicken

    (C) caught the home run ball

    (D) opened her grandfather's bag

해석 공이 근처에 날아왔을 때 Maria는 무엇을 했는가?

    (A) 치킨을 더 먹었다

    (B) 치킨을 떨어뜨렸다

    (C) 홈런공을 잡았다

    (D) 할아버지 가방을 열었다

유형 세부 내용 파악

풀이 'Suddenly, a home run ball flew near their seats. Maria was excited, and she dropped her chicken.'에서 공이 Maria 근처로 날라왔을 때, Maria가 흥분한 나머지 치킨을 떨어뜨렸다는 것을 알 수 있으므로 (B)가 정답이다. (C)는 Maria 가 아니라 덩치 큰 남자('A big man')가 홈런공을 잡았으므로 오답이다. (D)는 경기가 끝난 후에 한 행동이므로 오답이다.

🎧 Listening Practice   ▶ B1-9   p.84

Maria's grandfather loves baseball. He likes a team called the Norton Lions. Yesterday Maria and her grandfather went to a baseball <u>stadium</u>. The Norton Lions and Upland Foxes were playing against each other. Maria and her grandfather wore orange t-shirts to the game. That's because orange is the Norton Lions team color. In this game, Maria really wanted to catch a <u>home run</u> ball. Before the game started, Maria's grandfather bought her some chicken. They ate it during the game. Suddenly, a home run ball flew near their <u>seats</u>. Maria was <u>excited</u>, and she <u>dropped</u> her chicken. Maria tried to catch the ball, but she was too slow. A big man caught the ball, and Maria was sad. Her grandfather said, "Let's try to catch another ball!" Sadly, there were no more home runs. The game ended after four hours. Then, her grandfather told her to open his bag. She opened it, and there was a ball. He told her, "Take it to the player over there!" The player <u>signed</u> the ball. Maria felt great.

1. stadium

2. home run

3. seats

4. excited

5. dropped

6. signed

✏️ Writing Practice   p.85

1. baseball stadium

2. home run

3. drop

4. seat

5. excited

6. sign

📄 Summary

Maria and her grandfather went to a baseball <u>stadium</u>. They wore <u>orange</u> t-shirts. They ate <u>chicken</u>. Maria did not catch a home run ball. But a player <u>signed</u> her ball.

Maria와 그녀의 할아버지가 야구 <u>경기장</u>에 갔다. 그들은 <u>주황색</u> 티셔츠를 입었다. 그들은 <u>치킨</u>을 먹었다. Maria는 홈런공을 잡지 못 했다. 하지만 한 선수가 그녀의 공에 <u>사인해</u> 주었다.

🧩 Word Puzzle   p.86

Across	Down
3. sign	**1.** home run
4. seat	**2.** baseball stadium
5. excited	
6. drop	

Unit 10 | A Favorite Sports Star   p.87

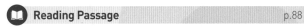

💡 Pre-reading Questions   p.87

Do you know any famous sports stars?

Which sports do they play?

유명한 스포츠 스타를 아나요?

그들은 어떤 스포츠를 하나요?

📖 Reading Passage   p.88

A Favorite Sports Star

Minho wants to be a writer in the future. He wants to write books about sports stars. His favorite sports star is Alba Montalo. Alba Montalo was born in 1988. She started skating when she was seven. After three years, she was the best skater in her town. At 17, she was a Junior national champion in figure skating. When she was 19, she won the gold medal at the Senior National Games. Four years after that, she won the gold medal at the International Games. Minho loves Alba Montalo for two reasons. First, she is a great skater. She jumps and dances very well. Minho also likes Alba because she has a kind heart. She gives money to sick people. She helps younger skaters by teaching them new moves. She also plants trees in the summer. She even helps dogs on the streets. She tries to make everyone happy. Minho says Alba Montalo is inspiring. So he is working hard to become a writer. He plans to write books about people like Alba Montalo.

가장 좋아하는 스포츠 스타

Minho는 미래에 작가가 되고 싶다. 그는 스포츠 스타들에 관한 책을 쓰고 싶다. 그가 특히 좋아하는 스포츠 스타는 Alba Montalo 이다. Alba Montalo는 1988년에 태어났다. 그녀는 일곱 살이었을 때 스케이트 타는 것을 시작했다. 3년 후, 그녀는 동네에서 최고의 스케이트 선수였다. 17살에, 그녀는 피겨스케이팅에서 주니어 전국 챔피언이었다. 그녀가 19살이었을 때, 시니어 전국 대회에서 금메달을 땄다. 그 이후로 4년 후, 그녀는 국제 대회에서 금메달을 땄다. Minho는 두 가지 이유로 Alba Montalo를 좋아한다. 첫째로, 그녀는 훌륭한 스케이트 선수이다. 그녀는 매우 점프를 잘하고 춤을 잘 춘다. Minho는 또한 그녀가 친절한 마음씨를 지니고 있기 때문에 Alba를 좋아한다. 그녀는 아픈 이들에게 돈을 기부한다. 그녀는 어린 스케이트 선수들에게 새 동작을 가르쳐주며 도와준다. 그녀는 또한 여름에 나무들을 심기도 한다. 심지어 길거리에 있는 개들을 돕는다. 그녀는 모든 사람이 행복해지도록 노력한다. Minho는 Alba Montalo가 영감을 준다고 말한다. 그래서 그는 작가가 되기 위해 열심히 노력하고 있다. 그는 Alba Montalo와 같은 사람들에 관한 책을 쓸 계획이다.

어휘 any 어느, 어떤 | famous 유명한 | be born 태어나다 | train 훈련하다 | teach 가르치다 | hard 열심히 | national 전국적인; 국가의 | loser 패배자 | writer 작가 | skater 스케이트 선수 | champion 챔피언, 우승자 | future 미래 | reason 이유 | heart 마음씨; 심장 | sick 아픈 | plant 심다 | even 심지어 | inspire 영감을 주다 | championship 선수권 대회 | mean 못된 | biography 전기, 일대기 | achievement 성과 | event 행사 | total 총, 전체의 | score 점수; 점수를 받다 | low 낮은 | smart 똑똑한 | dislike 싫어하다 | prefer 선호하다

⏱ **Comprehension Questions**   p.89

1. Jinsu <u>was born</u> in 1997.

   (A) born
   (B) is born
   (C) was born
   (D) were born

해석 Jinsu는 1997년에 <u>태어났다</u>.

   (A) 태어난
   (B) 태어나다
   (C) 태어났다
   (D) 태어났다

풀이 수동형 표현 'be born'을 사용하여 '태어나다'라는 뜻을 나타낼
   수 있다. Jinsu가 태어난 일은 과거의 일이며, 주어가 3인칭
   단수이므로 (C)가 정답이다. (B)는 현재 시제를 쓰면 의미상
   어색하므로 오답이다. (D)의 경우, 'were'는 주어가 2인칭이거나
   복수일 때 사용하는 be 동사이므로 오답이다.

관련 문장 Alba Montalo was born in 1988.

2. Fatima trained her dogs. She taught <u>them</u> to dance.

   (A) it
   (B) his
   (C) our
   (D) them

해석 Fatima는 그녀의 개들을 훈련했다. 그녀는 <u>그들</u>에게 춤추는 것을
   가르쳤다.

   (A) 그것
   (B) 그의
   (C) 우리의
   (D) 그것들을

풀이 'teach A B'라는 4형식 문장 구조를 사용하여 'A에게 B를
   가르치다'라는 뜻을 나타낼 수 있다. 빈칸에는 동사 'teach'의
   간접 목적어가 들어가야 하며, 문맥상 앞 문장의 복수 명사 'her
   dogs'를 가리킬 수 있는 3인칭 복수 대명사 (D)가 정답이다.
   (A)는 'it'은 3인칭 단수이므로 오답이다.

관련 문장 She helps younger skaters by teaching them new
   moves.

3. Hyun is working hard to <u>write a book</u>.

   (A) ride a bike
   (B) sing a song
   (C) write a book
   (D) play the trumpet

해석 Hyun은 <u>책을 쓰려고</u> 열심히 노력한다.

   (A) 자전거 타기
   (B) 노래 부르기
   (C) 책 쓰기
   (D) 트럼펫 연주하기

풀이 공책에 무언가를 열심히 쓰고 있는 남자의 모습이므로 (C)가
   정답이다.

관련 문장 He wants to write books about sports stars. [...] So he
   is working hard to become a writer.

4. Marta became a national <u>champion</u>.

   (A) loser
   (B) writer
   (C) skater
   (D) champion

해석 Marta는 전국 <u>챔피언</u>이 되었다.

   (A) 패배자
   (B) 작가
   (C) 스케이트 선수
   (D) 챔피언, 우승자

풀이 트로피를 들고 좋아하는 운동 선수의 모습이다. 트로피를 들고
   있다는 것은 우승했다는 의미이므로 (D)가 정답이다.

관련 문장 At 17, she was a national champion in figure skating.

[5-6]

해석

www.albamontalo.com					
프로필	전기	성과	수상	갤러리	동영상
시즌 2007 - 2008					
날짜	행사				총점
1월 10일	2007 세계선수권 대회				180.90
2월 13일	2007 동계 올림픽 경기				214.23
12월 3일	2007 그랑프리 파이널				192.34
10월 19일	2008 그랑프리 스케이트 아프리카				215.08
11월 13일	2008 그랑프리 스케이트 남아프리카				194.17

5. What was the total score of Alba Montalo in the 2007
   Winter Olympic Games?

   (A) 180.90
   (B) 214.23
   (C) 192.34
   (D) 215.08

해석 2007년 동계 올림픽 경기에서 Alba Montalo의 총점은
   무엇이었는가?

   (A) 180.90
   (B) 214.23
   (C) 192.34
   (D) 215.08

풀이 '2007 Winter Olympic Games'에서 Alba Montalo의 총점은
   214.23점이므로 (B)가 정답이다.

6. In which event did Alba Montalo score the lowest?

 (A) 2007 Grand Prix Final
 (B) 2007 World Championships
 (C) 2008 Grand Prix Skate Africa
 (D) 2008 Grand Prix Skate South Africa

해석 어떤 행사에서 Alba Montalo가 점수를 가장 낮게 받았는가?

 (A) 2007 그랑프리 파이널
 (B) 2007 세계선수권 대회
 (C) 2008 그랑프리 스케이트 아프리카
 (D) 2008 그랑프리 스케이트 남아프리카

풀이 가장 낮은 점수를 받은 경기는 180.90점을 받은 '2007 World Championships'이므로 (B)가 정답이다.

[7-10]

Minho wants to be a writer in the future. He wants to write books about sports stars. His favorite sports star is Alba Montalo. Alba Montalo was born in 1988. She started skating when she was seven. After three years, she was the best skater in her town. At 17, she was a Junior national champion in figure skating. When she was 19, she won the gold medal at the Senior National Games. Four years after that, she won the gold medal at the International Games. Minho loves Alba Montalo for two reasons. First, she is a great skater. She jumps and dances very well. Minho also likes Alba because she has a <u>kind</u> heart. She gives money to sick people. She helps younger skaters by teaching them new moves. She also plants trees in the summer. She even helps dogs on the streets. She tries to make everyone happy. Minho says Alba Montalo is inspiring. So he is working hard to become a writer. He plans to write books about people like Alba Montalo.

해석

Minho는 미래에 작가가 되고 싶다. 그는 스포츠 스타들에 관한 책을 쓰고 싶다. 그가 특히 좋아하는 스포츠 스타는 Alba Montalo이다. Alba Montalo는 1988년에 태어났다. 그녀는 일곱 살이었을 때 스케이트 타는 것을 시작했다. 3년 후, 그녀는 동네에서 최고의 스케이트 선수였다. 17살에, 그녀는 피겨스케이팅에서 주니어 전국 챔피언이었다. 그녀가 19 살이었을 때, 시니어 전국 대회에서 금메달을 땄다. 그 이후로 4년 후, 그녀는 국제 대회에서 금메달을 땄다. Minho는 두 가지 이유로 Alba Montalo를 좋아한다. 첫째로, 그녀는 훌륭한 스케이트 선수이다. 그녀는 매우 점프를 잘하고 춤을 잘 춘다. Minho는 또한 그녀가 친절한 마음씨를 지니고 있기 때문에 Alba를 좋아한다. 그녀는 아픈 이들에게 돈을 기부한다. 그녀는 어린 스케이트 선수들에게 새 동작을 가르쳐주며 도와준다. 그녀는 또한 여름에 나무들을 심기도 한다. 심지어 길거리에 있는 개들을 돕는다. 그녀는 모든 사람이 행복해지도록 노력한다. Minho는 Alba Montalo가 영감을 준다고 말한다. 그래서 그는 작가가 되기 위해 열심히 노력하고 있다. 그는 Alba Montalo와 같은 사람들에 관한 책을 쓸 계획이다.

7. How old was Alba Montalo when she won at the Senior National Games?

 (A) 17
 (B) 19
 (C) 21
 (D) 23

해석 시니어 전국 대회에서 우승했을 때 Alba Montalo는 몇 살이었는가?

 (A) 17
 (B) 19
 (C) 21
 (D) 23

유형 세부 내용 파악

풀이 'When she was 19, she won the gold medal at the Senior National Games.'를 통해 시니어 전국 대회에서 우승 당시 Alba Montalo가 19살이었다는 것을 알 수 있으므로 (B)가 정답이다. (A)는 Alba Montalo가 주니어 전국 챔피언이 되었을 때의 나이이므로 오답이다.

새겨 두기 'Junior'는 보통 초중학 학년 연령을, 'Senior'는 중고등 학년 연령을 가리킨다.

8. What is Minho's dream?

 (A) to become a writer
 (B) to become a dancer
 (C) to become a figure skater
 (D) to become a medal winner

해석 Minho의 꿈은 무엇인가?

 (A) 작가 되기
 (B) 무용수 되기
 (C) 피겨스케이트 선수 되기
 (D) 메달리스트 되기

유형 세부 내용 파악

풀이 첫 부분 'Minho wants to be a writer [...] write books about sports stars.'과 마지막 부분 'So he is working hard to become a writer. [...] write books about people like Alba Montalo.'에서 Minho가 작가가 되고 싶어 한다는 것을 알 수 있으므로 (A)가 정답이다.

9. What is the best word for the blank?

(A) cold

(B) kind

(C) mean

(D) smart

해석 빈칸에 들어갈 가장 알맞은 단어는 무엇인가?

(A) 냉정한

(B) 친절한

(C) 못된

(D) 똑똑한

유형 추론하기

풀이 빈칸 뒷부분 'She gives money to sick people. [...] She tries to make everyone happy.'에서 아픈 사람들에게 재정적 지원을 해주고, 어린 스케이트 선수들에게 동작을 가르쳐준다는 등 Alba Montalo가 하는 친절하고 선한 행동을 나열하고 있다. 따라서 (B)가 정답이다.

10. What is probably true about Alba Montalo?

(A) She dislikes jumping.

(B) She prefers cats to dogs.

(C) She enjoys helping people.

(D) She won a skating medal in 1988.

해석 Alba Montalo에 관해 아마도 옳은 설명인 것은 무엇인가?

(A) 점프하는 것을 싫어한다.

(B) 개보다 고양이를 선호한다.

(C) 사람들 돕는 것을 즐긴다.

(D) 1988년에 스케이트 메달을 땄다.

유형 세부 내용 파악 & 추론하기

풀이 'She gives money to sick people. She helps younger skaters [...]'에서 Alba Montalo가 하는 선행으로 보아 그녀가 다른 사람 돕는 것을 좋아한다고 짐작할 수 있으므로 (C)가 정답이다. (D)는 1988년은 Alba Montalo가 메달을 딴 해가 아니라 태어난 해이므로 오답이다.

🎧 **Listening Practice** ▶ B1-10 p.92

Minho wants to be a writer in the future. He wants to write books about sports stars. His favorite sports star is Alba Montalo. Alba Montalo was born in 1988. She started skating when she was seven. After three years, she was the best skater in her town. At 17, she was a Junior <u>national</u> <u>champion</u> in figure skating. When she was 19, she won the gold medal at the Senior National Games. Four years after that, she won the gold medal at the International Games. Minho loves Alba Montalo for two <u>reasons</u>. First, she is a great skater. She jumps and dances very well. Minho also likes Alba because she has a kind heart. She gives money to sick people. She helps younger skaters by teaching them new <u>moves</u>. She also plants trees in the summer. She even helps dogs on the streets. She tries to make everyone happy. Minho says Alba Montalo is <u>inspiring</u>. So he is working <u>hard</u> to become a writer. He plans to write books about people like Alba Montalo.

1. national

2. champion

3. reasons

4. moves

5. inspiring

6. hard

✏️ **Writing Practice** p.93

1. national

2. champion

3. reason

4. move

5. inspiring

6. hard

📄 **Summary**

Minho's favorite <u>sports</u> star is Alba Montalo. There are two <u>reasons</u>. First, she is a great <u>skater</u>. Second, she is <u>kind</u>.

Minho가 가장 좋아하는 <u>스포츠</u> 스타는 Alba Montalo이다. 두 가지 <u>이유</u>가 있다. 먼저, 그녀는 훌륭한 <u>스케이트 선수</u>이다. 두 번째로, 그녀는 <u>친절하다</u>.

✳ Word Puzzle   p.94

Across

3. inspiring
6. move

Down

1. champion
2. hard
4. national
5. reason

Unit 11 | A Magic Show   p.95

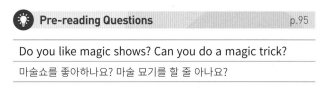

☀ Pre-reading Questions   p.95

Do you like magic shows? Can you do a magic trick?

마술쇼를 좋아하나요? 마술 묘기를 할 줄 아나요?

📖 Reading Passage   p.96

A Magic Show

Yuran Lee is a famous magician. He uses cards, rabbits, and birds in his show. Every year he has a magic show at a stadium. In my town there is a big arena. It is called Palmer Arena. More than 20,000 people can go into the stadium. That's much bigger than my school! My sister loves Yuran Lee. She goes to Palmer Arena to see Yuran Lee every year. This year, the concert is on June 8th. My sister is very excited. Her friends Adam and Caleb are also going. Adam and Caleb love watching magic shows, too. My dad will drive them all to the stadium. He and my sister will first pick up Adam on Q Street. Then, they will go to Caleb's house on Almis Street. The stadium is on Bole Street. After the show, they will go to Panes. Panes is a restaurant. They sell chicken strips. I love chicken strips, so my dad is taking me, too. I am so excited about the show!

마술쇼

Yuran Lee는 유명한 마술사이다. 그는 카드, 토끼, 그리고 새들을 그의 쇼에서 사용한다. 매년 그는 경기장에서 마술쇼를 한다. 우리 도시에는 큰 경기장이 있다. 그것은 Palmer 경기장이라고 불린다. 20,000명이 넘는 사람들이 그 경기장에 들어갈 수 있다. 그것은 우리 학교보다 훨씬 큰 것이다! 내 여동생은 Yuran Lee를 매우 좋아한다. 그녀는 Yuran Lee를 보려고 매년 Palmer 경기장으로 간다. 올해, 콘서트는 6월 8일에 있다. 내 여동생은 매우 신나있다. 그녀의 친구들인 Adam과 Caleb도 간다. Adam과 Caleb도 마술쇼 보는 것을 매우 좋아한다. 우리 아빠가 그들 모두를 경기장까지 태워다 줄 것이다. 그와 내 여동생이 먼저 Adam을 Q 거리에서 태울 것이다. 그런 다음, 그들은 Almis 거리에 있는 Caleb의 집으로 갈 것이다. 경기장은 Bole 거리에 있다. 쇼가 끝나고, 그들은 Panes로 갈 것이다. Panes는 식당이다. 그곳에서는 치킨 스트립을 판다. 나는 치킨 스트립을 매우 좋아한다, 그래서 아빠가 나도 데려간다. 나는 쇼 때문에 매우 신난다!

어휘 magic trick 마술 묘기 | watermelon 수박 | so 그래서 | too 너무 | very 매우 | pick up ~를 (차에) 태우러가다, 태우다; 데리고 가다 | cycle 자전거 타다; 자전거 | away from ~에서 떠나서 | bored 지루해[따분해]하는 | worried 걱정하는 | magician 마술사 | stadium 경기장 | arena (원형) 경기장, 아레나 | more than ~보다 많은 | bigger than ~보다 큰 | concert 콘서트 | restaurant 식당 | ticket office 매표소 | at the door 입구에서 | performance 공연 | host 열다, 주최하다

⏱ Comprehension Questions
p.97

1. We have birthday cake every <u>year</u>.

   (A) year
   (B) years
   (C) to year
   (D) for year

해석 우리는 매년 생일 케이크를 먹는다.

   (A) 해
   (B) 해들
   (C) 어색한 표현
   (D) 어색한 표현

풀이 빈칸에는 한정사 'every'가 꾸미는 단수 명사가 들어가야 한다. 따라서 (A)가 정답이다.

새겨 두기 'every'가 들어간 명사구는 의미상 복수이지만, 문법적으로 3인칭 단수 취급한다는 점에 주목한다.

관련 문장 She goes to Palmer Arena to see Yuran Lee every year.

2. I love watermelon, <u>so</u> I have it every summer.

   (A) or
   (B) so
   (C) too
   (D) very

해석 나는 수박을 매우 좋아한다, <u>그래서</u> 나는 매 여름 그것을 먹는다.

   (A) 또는
   (B) 그래서
   (C) 너무
   (D) 매우

풀이 수박을 좋아하는 것이 매년 수박을 먹는 원인이 될 수 있다. 이처럼 빈칸 앞뒤 두 문장이 원인과 결과일 때 '그래서'를 뜻하는 접속사 'so'를 사용하여 연결할 수 있으므로 (B)가 정답이다.

관련 문장 I love chicken strips, so my dad is taking me, too.

3. Two moms are <u>picking up</u> their children.

   (A) picking up
   (B) cycling toward
   (C) sitting down with
   (D) driving away from

해석 엄마 두 명이 그들의 아이들을 <u>데려가고 있다</u>.

   (A) 데리고 가기
   (B) ~를 향해 자전거타기
   (C) ~와 함께 앉기
   (D) ~로부터 차타고 떠나기

풀이 어머니들이 아이들을 데려가고 있는 모습이므로 (A)가 정답이다.

관련 문장 He and my sister will first pick up Adam on Q Street.

4. Lina and Bill are <u>excited</u> to see the show.

   (A) bored
   (B) worried
   (C) excited
   (D) unhappy

해석 Lina와 Bill은 쇼를 보게 되어 <u>들떠 있다</u>.

   (A) 지루해하는
   (B) 걱정하는
   (C) 들뜬
   (D) 불행한

풀이 두 사람이 들떠 있는 모습이므로 (C)가 정답이다

관련 문장 My sister is very excited. [...] I am so excited about the show!

[5-6]

해석

콘서트 티켓

Lee의 8번째 마술쇼

날짜: 6월 8일

시간: 오후 2시

장소: Palmer (아레나) 경기장

티켓 가격: 매표소에서 (5월 20일 - 6월 7일): $15
          입구에서: $20

---

5. What is NOT true about the show?

   (A) It is at 2 PM.
   (B) It is on June 5th.
   (C) It is a magic show.
   (D) It is held at Palmer Arena.

해석 쇼에 관해 옳지 않은 설명은 무엇인가?

   (A) 오후 2시에 있다.
   (B) 6월 5일에 한다.
   (C) 마술쇼이다.
   (D) Palmer 경기장에서 열린다.

풀이 'Date June 8th'에서 쇼를 하는 날짜는 6월 5일이 아니라 6월 8일이라는 것을 알 수 있으므로 (B)가 정답이다. (A)는 'Time 2 PM'에서, (C)는 'Magic Show'에서, (D)는 'Place Palmer Arena'에서 확인할 수 있는 내용이므로 오답이다.

6. How can you get a ticket for 15 dollars?

    (A) Buy it online.
    (B) Buy it with Lee.
    (C) Buy it at the door.
    (D) Buy it before June 8th.

해석 어떻게 티켓을 15달러에 얻을 수 있는가?

    (A) 온라인으로 사라.
    (B) Lee와 함께 사라.
    (C) 입구에서 사라.
    (D) 6월 8일 전에 사라.

풀이 'At the ticket office (May 20th - June 7th): $15'를 통해 15 달러에 표를 구하려면 해당 기간에 표를 사야된다는 것을 알 수 있으므로 (D)가 정답이다. (C)는 입구에서 사면 20달러라고 했으므로 오답이다.

[7-10]

Yuran Lee is a famous magician. He uses cards, rabbits, and birds in his show. Every year he has a magic show at a stadium. In my town there is a big arena. It is called Palmer Arena. More than 20,000 people can go into the stadium. That's much bigger than my school! My sister loves Yuran Lee. She goes to Palmer Arena to see Yuran Lee every year. This year, the concert is on June 8th. My sister is very excited. Her friends Adam and Caleb are also going. Adam and Caleb love watching magic shows, too. My dad will drive them all to the stadium. He and my sister will first pick up Adam on Q Street. Then, they will go to Caleb's house on Almis Street. The stadium is on Bole Street. After the show, they will go to Panes. Panes is a restaurant. They sell chicken strips. I love chicken strips, so my dad is taking me, too. I am so excited about the show!

해석

Yuran Lee는 유명한 마술사이다. 그는 카드, 토끼, 그리고 새들을 그의 쇼에서 사용한다. 매년 그는 경기장에서 마술쇼를 한다. 우리 도시에는 큰 경기장이 있다. 그것은 Palmer 경기장이라고 불린다. 20,000명이 넘는 사람들이 그 경기장에 들어갈 수 있다. 그것은 우리 학교보다 훨씬 큰 것이다! 내 여동생은 Yuran Lee를 매우 좋아한다. 그녀는 Yuran Lee 를 보려고 매년 Palmer 경기장으로 간다. 올해, 콘서트는 6 월 8일에 있다. 내 여동생은 매우 신나있다. 그녀의 친구들인 Adam과 Caleb도 간다. Adam과 Caleb도 마술쇼 보는 것을 매우 좋아한다. 우리 아빠가 그들 모두를 경기장까지 태워다 줄 것이다. 그와 내 여동생이 먼저 Adam을 Q 거리에서 태울 것이다. 그런 다음, 그들은 Almis 거리에 있는 Caleb의 집으로 갈 것이다. 경기장은 Bole 거리에 있다. 쇼가 끝나고, 그들은 Panes로 갈 것이다. Panes는 식당이다. 그곳에서는 치킨 스트립을 판다. 나는 치킨 스트립을 매우 좋아한다, 그래서 아빠가 나도 데려간다. 나는 쇼 때문에 매우 신난다!

7. What is the passage mainly about?

    (A) a sister's magic performance
    (B) Yuran Lee's show at an arena
    (C) the delicious chicken at Panes
    (D) Palmer Arena's many concerts

해석 주로 무엇에 관한 지문인가?

    (A) 여동생의 마술 공연
    (B) 아레나 경기장에서 하는 Yuran Lee의 쇼
    (C) Panes의 맛있는 치킨
    (D) Palmer 경기장의 많은 콘서트

유형 전체 내용 파악

풀이 Yuran Lee라는 마술사가 Palmer 경기장에서 마술쇼를 열고, 글쓴이의 여동생과 친구들이 마술쇼를 보러 경기장에 어떻게 가는지를 중점적으로 다루고 있는 글이다. 따라서 (B)가 정답이다.

8. What is NOT true about the Palmer Arena?

    (A) It is on Q Street.
    (B) It hosts magic shows.
    (C) It is bigger than the writer's school.
    (D) More than 20,000 people can use it.

해석 Palmer 경기장에 관해 옳지 않은 설명은 무엇인가?

    (A) Q 거리에 있다.
    (B) 마술쇼를 연다.
    (C) 글쓴이의 학교보다 크다.
    (D) 20,000명이 넘는 사람이 이용할 수 있다.

유형 세부 내용 파악

풀이 'The stadium is on Bole Street.'에서 경기장은 Q 거리가 아니라 Bole 거리에 있다는 것을 알 수 있으므로 (A)가 정답이다. (B)는 'Every year he has a magic show at a stadium.'에서, (C)는 'That's much bigger than my school!'에서, (D)는 'More than 20,000 people can go into the stadium.'에서 확인할 수 있는 내용이므로 오답이다.

9. How will the writer's sister go to the stadium?

    (A) by car
    (B) on foot
    (C) by bus
    (D) by bike

해석 글쓴이의 여동생은 어떻게 경기장에 갈 것인가?

    (A) 차로
    (B) 걸어서
    (C) 버스로
    (D) 자전거로

유형 세부 내용 파악

풀이 'My sister is very excited. Her friends Adam and Caleb are also going. [...] My dad will drive them all to the stadium.' 을 통해 글쓴이의 여동생이 아버지의 차를 타고 경기장에 간다는 것을 알 수 있으므로 (A)가 정답이다.

10. Who is Caleb?

   (A) Adam's brother
   (B) the writer's dad
   (C) the sister's friend
   (D) a worker at Panes

해석 Caleb은 누구인가?

   (A) Adam의 남동생
   (B) 글쓴이의 아빠
   (C) 여동생의 친구
   (D) Panes에서 일하는 사람

유형 세부 내용 파악

풀이 'My sister is very excited. Her friends Adam and Caleb are also going.'에서 Caleb이 글쓴이 여동생의 친구라는 것을 알 수 있으므로 (C)가 정답이다.

🎧 Listening Practice   ▶ B1-11   p.100

Yuran Lee is a famous <u>magician</u>. He uses cards, rabbits, and birds in his show. Every year he has a <u>magic</u> show at a stadium. In my town there is a big <u>arena</u>. It is <u>called</u> Palmer Arena. More than 20,000 people can go into the stadium. That's much bigger than my school! My sister loves Yuran Lee. She goes to Palmer Arena to see Yuran Lee every year. This year, the concert is on June 8th. My sister is very excited. Her friends Adam and Caleb are also going. Adam and Caleb love watching magic shows, too. My dad will drive them all to the stadium. He and my sister will first <u>pick up</u> Adam on Q Street. Then, they will go to Caleb's house on Almis Street. The stadium is on Bole Street. After the show, they will go to Panes. Panes is a restaurant. They sell chicken strips. I love chicken <u>strips</u>, so my dad is taking me, too. I am so excited about the show!

1. magician
2. magic
3. arena
4. called
5. pick up
6. strips

✏️ Writing Practice   p.101

1. magician
2. arena
3. be called
4. magic show
5. pick up
6. chicken strips

📄 Summary

Yuran Lee is a famous <u>magician</u>. My sister and her <u>friends</u> are going to his <u>concert</u>. After the show, they will go to a <u>restaurant</u> called Panes. I will go, too.

Yuran Lee는 유명한 <u>마술사</u>이다. 나의 여동생과 그녀의 <u>친구들</u>은 그의 <u>콘서트</u>에 간다. 쇼가 끝나고, 그들은 Panes라고 불리는 <u>식당</u>에 갈 것이다. 나도 갈 것이다.

🧩 Word Puzzle   p.102

Across

1. magician
3. magic show
4. arena
5. pick up

Down

2. chicken strips
6. called

Pre-reading Questions | p.103

What kind of music do you like? Why do you like it?
어떤 종류의 음악을 좋아하나요? 왜 그것을 좋아하나요?

 Reading Passage | p.104

Quiet Hip Hop Songs

I had a fight with my best friend last week. Her name is Dori. She is a big fan of Billy Donley. Billy is a singer. He usually sings soft, slow songs. He plays guitar while he sings. I don't like slow songs. I also don't like the guitar. I love hip-hop because it's cool! I am a fan of Domar. He is a famous singer and rapper. Dori doesn't like Domar because she doesn't like hip-hop. That is why we fought. Dori said Domar's songs were dumb. I said Billy Donley's songs were bad. Dori and I did not talk for two days. Then, yesterday Dori told me about John Foy's new music. I listened to his songs. I was surprised. He sang hip-hop, but it was slow! Normally, I don't like slow songs, but I liked these ones. Dori told me she liked his songs, too. I bought John Foy's album. Now we are both fans of John Foy!

조용한 힙합 노래들

나는 지난주에 내 단짝과 싸웠다. 그녀의 이름은 Dori이다. 그녀는 Billy Donley의 열렬한 팬이다. Billy는 가수다. 그는 보통 부드럽고, 느린 노래를 부른다. 그는 노래하면서 기타를 연주한다. 나는 느린 노래를 좋아하지 않는다. 나는 또한 기타도 좋아하지 않는다. 나는 힙합이 좋은데 그것은 멋지기 때문이다! 나는 Domar의 팬이다. 그는 유명한 가수이자 래퍼이다. Dori는 힙합을 좋아하지 않기 때문에 Domar를 좋아하지 않는다. 그것이 우리가 싸웠던 이유이다. Dori는 Domar의 노래들이 멍청하다고 말했다. 나는 Billy Donley의 노래들이 형편없다고 말했다. Dori와 나는 이틀 동안 말하지 않았다. 그리고 나서, 어제 Dori가 나에게 John Foy의 새 음악에 관해 말했다. 나는 그의 노래들을 들었다. 나는 놀랐다. 그는 힙합을 노래했는데, 그것은 느렸다! 보통, 나는 느린 노래를 좋아하지 않지만, 이 노래들은 좋았다. Dori는 자기도 그의 노래들을 좋아한다고 나에게 말했다. 나는 John Foy의 앨범을 샀다. 이제 우리는 둘 다 John Foy의 팬이다!

어휘 what kind of 어떤 (종류의) | concert 콘서트 | listen 듣다 | fan 팬; 부채, 선풍기 | band 밴드(악단) | album 앨범 | fight 싸움; 싸우다 | singer 가수 | soft 부드러운 | slow 느린 | while ~하는 동안 | cool 멋진; 시원한 | rapper 래퍼 | dumb 멍청한 | for ~ 동안 | then 그러자 | yesterday 어제 | about ~에 관해 | surprised 놀란 | normally 보통 | least 가장 적은 | become ~이 되다 | famous 유명한 | lose 잃어버리다

⏱ Comprehension Questions   p.105

1. Yuji <u>sang</u> a great song at the concert yesterday.

    (A) sing

    (B) sang

    (C) sung

    (D) sings

해석 Yuji는 어제 콘서트에서 대단한 <u>노래를 불렀다</u>.

    (A) 노래하다

    (B) 노래했다

    (C) sing의 과거분사

    (D) 노래하다

풀이 과거 시점을 나타내는 'yesterday'(어제)가 있으므로 과거형 동사가 들어가야 한다. 따라서 (B)가 정답이다.

관련 문장 He sang hip-hop, but it was slow!

2. My sister likes to <u>listen to</u> hip-hop music.

    (A) listen

    (B) listen to

    (C) listen at

    (D) listen by

해석 내 여동생은 힙합 음악 <u>듣는 것</u>을 좋아한다.

    (A) 듣다

    (B) ~을 듣다

    (C) 듣다 + 전치사 at

    (D) 듣다 + 전치사 by

풀이 '~을 듣다'는 전치사 'to'를 사용하여 'listen to'라고 표현하므로 (B)가 정답이다.

관련 문장 I listened to his songs.

3. My best friend and I <u>had a fight</u>.

    (A) had a fight

    (B) used a fan

    (C) played the guitar

    (D) danced all morning

해석 내 단짝 친구와 나는 <u>다퉜다</u>.

    (A) 다퉜다

    (B) 부채를 사용했다

    (C) 기타를 연주했다

    (D) 아침 내내 춤췄다

풀이 두 사람이 성내며 싸우고 있는 모습이므로 (A)가 정답이다.

관련 문장 I had a fight with my best friend last week.

4. It's Joe's concert today. She has a lot of <u>fans</u>.

    (A) fans

    (B) bands

    (C) guitars

    (D) albums

해석 오늘은 Joe의 콘서트이다. 그녀는 팬들이 많다.

    (A) 팬들

    (B) 밴드들

    (C) 기타들

    (D) 앨범들

풀이 가수의 음악을 즐기고 응원하는 팬들의 모습이므로 (A)가 정답이다.

관련 문장 She is a big fan of Billy Donley. [...] Now we both are fans of John Foy!

[5-6]

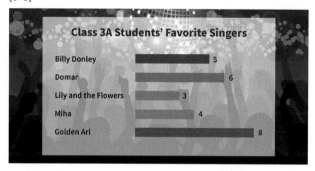

해석

<u>3A반 학생들이 가장 좋아하는 가수들</u>

Billy Donley: 5

Domar: 6

Lily와 꽃들: 3

Miha: 4

Golden Ari: 8

5. Which singer is the students' least favorite?

    (A) Billy Donley

    (B) Lily and the Flowers

    (C) Miha

    (D) Golden Ari

해석 다음 중 어떤 가수를 학생들이 가장 적게 좋아하는가?

    (A) Billy Donley

    (B) Lily와 꽃들

    (C) Miha

    (D) Golden Ari

풀이 'Lily and the Flowers'을 좋아하는 학생이 3명으로 가장 적으므로 (B)가 정답이다.

6. How many students like Miha?

    (A) 3
    (B) 4
    (C) 6
    (D) 8

해석 몇 명의 학생이 Miha를 좋아하는가?

    (A) 3
    (B) 4
    (C) 6
    (D) 8

풀이 'Miha'를 좋아하는 학생이 4명이라고 나와 있으므로 (B)가 정답이다.

[7-10]

I had a fight with my best friend last week. Her name is Dori. She is a big fan of Billy Donley. Billy is a singer. He usually sings soft, slow songs. He plays guitar while he sings. I don't like slow songs. I also don't like the guitar. I love hip-hop because it's cool! I am a fan of Domar. He is a famous singer and rapper. Dori doesn't like Domar because she doesn't like hip-hop. That is why we fought. Dori said Domar's songs were dumb. I said Billy Donley's songs were bad. Dori and I did not talk for two days. Then, yesterday Dori told me about John Foy's new music. I listened to his songs. I was surprised. He sang hip-hop, but it was slow! Normally, I don't like slow songs, but I liked these ones. Dori told me she liked his songs, too. I bought John Foy's album. Now we are both fans of John Foy!

해석

나는 지난주에 내 단짝과 싸웠다. 그녀의 이름은 Dori이다. 그녀는 Billy Donley의 열렬한 팬이다. Billy는 가수다. 그는 보통 부드럽고, 느린 노래를 부른다. 그는 노래하면서 기타를 연주한다. 나는 느린 노래를 좋아하지 않는다. 나는 또한 기타도 좋아하지 않는다. 나는 힙합이 좋은데 그것은 멋지기 때문이다! 나는 Domar의 팬이다. 그는 유명한 가수이자 래퍼이다. Dori는 힙합을 좋아하지 않기 때문에 Domar를 좋아하지 않는다. 그것이 우리가 싸웠던 이유이다. Dori는 Domar의 노래들이 멍청하다고 말했다. 나는 Billy Donley의 노래들이 형편없다고 말했다. Dori와 나는 이틀 동안 말하지 않았다. 그리고 나서, 어제 Dori가 나에게 John Foy의 새 음악에 관해 말했다. 나는 그의 노래들을 들었다. 나는 놀랐다. 그는 힙합을 노래했는데, 그것은 느렸다! 보통, 나는 느린 노래를 좋아하지 않지만, 이 노래들은 좋았다. Dori는 자기도 그의 노래들을 좋아한다고 나에게 말했다. 나는 John Foy의 앨범을 샀다. 이제 우리는 둘 다 John Foy의 팬이다!

7. Which is the best title for the passage?

    (A) Music Is Great
    (B) Good Friends Don't Fight
    (C) I Want to Become Famous
    (D) Finding Music We Both Like

해석 지문에 가장 알맞은 제목은 무엇인가?

    (A) 음악은 위대하다
    (B) 좋은 친구들은 싸우지 않는다
    (C) 나는 유명해지고 싶다
    (D) 우리 둘다 좋아하는 음악 발견하기

유형 전체 내용 파악

풀이 글쓴이와 글쓴이의 친구 Dori가 음악 취향 차이로 다툰 후, John Foy라는 가수의 음악을 두 사람이 모두 좋아하게 되면서 다시 소통하게 되는 일화를 그리고 있다. 따라서 (D)가 정답이다.

8. Why did the writer fight with her friend?

    (A) Her friend doesn't like sports.
    (B) The writer lost her music player.
    (C) They like different types of music.
    (D) Her friend loves hip-hop very much.

해석 글쓴이는 왜 친구와 싸웠는가?

    (A) 그녀의 친구가 스포츠를 좋아하지 않는다.
    (B) 글쓴이가 그녀의 음악 플레이어를 잃어버렸다.
    (C) 그들은 다른 종류의 음악을 좋아한다.
    (D) 그녀의 친구가 힙합을 엄청 좋아한다.

유형 세부 내용 파악

풀이 글의 전반적인 내용을 통해 두 사람이 음악 취향 차이로 각자 좋아하는 음악과 가수를 서로 깎아내리면서 다투게 되었다는 것을 알 수 있으므로 (C)가 정답이다. (D)는 글쓴이가 힙합을 좋아한다고 했으므로 오답이다.

9. Who does Dori like very much?

    (A) Domar
    (B) Dori Foy
    (C) Billy Donley
    (D) John Donley

해석 Dori가 매우 좋아하는 사람은 누구인가?

    (A) Domar
    (B) Dori Foy
    (C) Billy Donley
    (D) John Donley

유형 세부 내용 파악

풀이 'She is a big fan of Billy Donley.'에서 Dori가 Billy Donley의 열렬한 팬이라고 했으므로 (C)가 정답이다. (A)는 Dori가 Domar를 좋아하지 않는다고 했으므로 오답이다. (B)와 (D)는 Dori가 좋아하는 또다른 가수의 이름은 'John Foy'이므로 오답이다.

10. What is NOT true about John Foy's songs?

   (A) They are old.
   (B) They are slow.
   (C) Dori likes them.
   (D) They are hip-hop music.

해석 John Foy의 노래에 관해 옳지 않은 설명은 무엇인가?

   (A) 오래됐다.
   (B) 느리다.
   (C) Dori가 좋아한다.
   (D) 힙합 음악이다.

유형 세부 내용 파악

풀이 'John Foy's new music'에서 John Foy의 노래가 오래된 곡이 아니라 신곡이라는 것을 알 수 있으므로 (A)가 정답이다. (B)와 (D)는 'He sang hip-hop, but it was slow!'에서, (C)는 'Dori told me she liked his songs, too.'에서 확인할 수 있는 내용이므로 오답이다.

🎧 **Listening Practice**   ▶ B1-12 p.108

I had a <u>fight</u> with my best friend last week. Her name is Dori. She is a big <u>fan</u> of Billy Donley. Billy is a singer. He <u>usually</u> sings soft, slow songs. He plays guitar while he sings. I don't like slow songs. I also don't like the guitar. I love hip-hop because it's cool! I am a fan of Domar. He is a famous singer and rapper. Dori doesn't like Domar because she doesn't like hip-hop. That is why we fought. Dori said Domar's songs were <u>dumb</u>. I said Billy Donley's songs were bad. Dori and I did not talk for two days. Then, yesterday Dori told me about John Foy's new music. I listened to his songs. I was surprised. He sang hip-hop, but it was slow! <u>Normally</u>, I don't like slow songs, but I liked these ones. Dori told me she liked his songs, too. I bought John Foy's <u>album</u>. Now we are both fans of John Foy!

1. fight
2. fan
3. usually
4. dumb
5. Normally
6. album

✏️ **Writing Practice**   p.109

1. have a fight with
2. be a big fan of
3. <u>usually</u>
4. dumb
5. <u>normally</u>
6. album

📄 Summary

My friend Dori and I had a <u>fight</u>. She likes slow songs. I like <u>cool</u> hip-hop. Then Dori told me about John Foy. He sings <u>slow</u> hip-hop. Both Dori and I are <u>fans</u> of John Foy!

내 친구 Dori와 나는 <u>싸웠다</u>. 그녀는 느린 노래를 좋아한다. 나는 <u>멋진</u> 힙합을 좋아한다. 그런 후 Dori가 나에게 John Foy에 관해 말했다. 그는 <u>느린</u> 힙합을 노래한다. Dori와 나는 둘 다 John Foy의 <u>팬</u>이다!

🧩 **Word Puzzle**   p.110

Across	Down
4. usually	1. normally
6. be a big fan of	2. album
	3. have a fight with
	5. dumb

The Best Jumper

One autumn day, Ms. Rabbit and Mr. Pig had a sports competition. They had one question: Who was the best jumper? They went near the stadium in their town. Behind the stadium there was some dirt. The dirt had a big hole. Ms. Rabbit said, "This is perfect. Let's see who is the best. Let's jump over the hole." Mr. Pig said, "I am sure I will be the winner. Just wait and see!" Ms. Rabbit and Mr. Pig lined up about one meter from the hole. Ms. Rabbit jumped first. She went quite far, but she fell into the hole. Then Mr. Pig jumped. He also fell into the hole but was a little bit behind Ms. Rabbit. Ms. Bear was watching the whole sports competition. Ms. Rabbit and Mr. Pig asked her, "Who do you think is the best?" Ms. Bear said to them, "Who is the best? I don't know. You are both in a hole."

최고로 잘 뛰는 자

어느 가을날, 토끼 씨와 돼지 씨가 스포츠 경기를 했다. 그들에게 한 가지 질문이 있었다: 누가 최고로 잘 뛰는 자인가? 그들은 마을에 있는 경기장 근처로 갔다. 경기장 뒤에는 흙이 있었다. 흙에는 커다란 구멍이 있었다. 토끼 씨가 말했다, "여기가 완벽하겠군. 누가 최고인지 보자. 구멍 위로 뛰어넘자." 돼지 씨가 말했다, "나는 내가 승자가 될 거라고 확신해. 잠자코 두고 보라고!" 토끼 씨와 돼지 씨는 구멍에서 1m 정도 떨어진 곳에 줄을 섰다. 토끼 씨가 먼저 뛰었다. 그녀는 제법 멀리 갔지만, 구멍 속으로 떨어졌다. 그런 다음 돼지 씨가 뛰었다. 그도 또한 구멍 속으로 떨어졌지만 토끼 씨 보다 약간 뒤에 있었다. 곰 씨는 스포츠 경기를 쭉 지켜보고 있었다. 토끼 씨와 돼지 씨가 그녀에게 물었다, "누가 최고라고 생각해요?" 곰 씨가 그들에게 말했다, "누가 최고냐고요? 모르겠네요. 당신들 모두 구멍에 있는 걸요."

MEMO

MEMO

TOSEL® Reading
Basic Book 2

Basic Book 2

ANSWERS

CHAPTER 1 | Healthy Life — p.10

UNIT 1 · B2-1 · p.11
- ⏱ 1 (A) 2 (C) 3 (B) 4 (D) 5 (D) 6 (D) 7 (D) 8 (C) 9 (A) 10 (C)
- 🎧 1 tips 2 listener 3 in person 4 in real life 5 fight 6 keep
- ✏ 1 tip 2 good listener 3 in person 4 in real life 5 have a fight 6 keep
- 📄 long, listener, in person, I'm sorry
- 🧩 → 2 keep 5 in person 6 tip ↓ 1 have a fight 3 in real life 4 good listener

UNIT 2 · B2-2 · p.19
- ⏱ 1 (C) 2 (B) 3 (A) 4 (C) 5 (D) 6 (A) 7 (B) 8 (D) 9 (A) 10 (C)
- 🎧 1 energy 2 barked 3 noticed 4 pet 5 lonely 6 wonderful
- ✏ 1 notice 2 lonely 3 have a lot of energy 4 bark 5 pet 6 wonderful
- 📄 dog, not, take care of, park
- 🧩 → 3 notice 5 bark 6 lonely ↓ 1 wonderful 2 pet 4 have a lot of energy

UNIT 3 · B2-3 · p.27
- ⏱ 1 (C) 2 (A) 3 (B) 4 (C) 5 (C) 6 (B) 7 (A) 8 (C) 9 (B) 10 (D)
- 🎧 1 tissues 2 allergy 3 water 4 pollen 5 runny nose 6 go away
- ✏ 1 tissue 2 allergy 3 your eyes water 4 pollen 5 runny nose 6 go away
- 📄 grass, summer, tissues, windows
- 🧩 → 5 runny nose 6 allergy ↓ 1 pollen 2 go away 3 your eyes water 4 tissue

UNIT 4 · B2-4 · p.35
- ⏱ 1 (A) 2 (A) 3 (A) 4 (D) 5 (D) 6 (B) 7 (D) 8 (C) 9 (B) 10 (C)
- 🎧 1 look down at 2 in trouble 3 spine 4 advice 5 experts 6 stretch
- ✏ 1 look down at 2 in trouble 3 spine 4 advice 5 expert 6 stretch
- 📄 down, spine, up, stretch
- 🧩 → 1 in trouble 3 advice 6 expert ↓ 2 look down at 4 stretch 5 spine

CHAPTER 2 | Food Trend — p.44

UNIT 5 · B2-5 · p.45
- ⏱ 1 (D) 2 (B) 3 (A) 4 (D) 5 (D) 6 (C) 7 (C) 8 (D) 9 (D) 10 (C)
- 🎧 1 invention 2 Hawaiian 3 inventor 4 tasted 5 slices 6 can
- ✏ 1 invention 2 Hawaiian 3 inventor 4 taste 5 can 6 slice
- 📄 inventor, pineapple, sweet, like
- 🧩 → 2 slice 3 inventor 4 can 5 Hawaiian ↓ 1 taste 3 invention

UNIT 6 · B2-6 · p.53
- ⏱ 1 (B) 2 (B) 3 (A) 4 (C) 5 (D) 6 (C) 7 (B) 8 (C) 9 (C) 10 (D)
- 🎧 1 meals 2 snack 3 healthy 4 calories 5 fast food 6 tacos
- ✏ 1 meal 2 calorie 3 snack 4 taco 5 fast food 6 healthy
- 📄 meal, not, food, healthy
- 🧩 → 4 snack 5 meal 6 taco ↓ 1 fast food 2 healthy 3 calorie

UNIT 7 · B2-7 · p.61
- ⏱ 1 (B) 2 (C) 3 (D) 4 (B) 5 (B) 6 (D) 7 (D) 8 (C) 9 (B) 10 (C)
- 🎧 1 local 2 fresh 3 truck 4 dirt 5 seeds 6 At that point
- ✏ 1 local 2 fresh 3 dirt 4 truck 5 at that point 6 seed
- 📄 local, said, grow, tomatoes
- 🧩 → 1 fresh 4 dirt 5 truck 6 local ↓ 2 seed 3 at that point

UNIT 8 · B2-8 · p.69
- ⏱ 1 (C) 2 (C) 3 (D) 4 (C) 5 (A) 6 (D) 7 (C) 8 (D) 9 (D) 10 (A)
- 🎧 1 avocado 2 ripe 3 hard 4 overripe 5 in half 6 scoop
- ✏ 1 avocado 2 ripe 3 hard 4 overripe 5 in half 6 scoop out
- 📄 color, half, seed, Scoop
- 🧩 → 2 scoop out 4 hard 5 cut in half 6 ripe ↓ 1 avocado 3 overripe

CHAPTER 3 | Arts and Craft — p.78

UNIT 9 · B2-9 · p.79
- ⏱ 1 (A) 2 (C) 3 (D) 4 (B) 5 (A) 6 (B) 7 (D) 8 (A) 9 (A) 10 (C)
- 🎧 1 open until 2 entry 3 artwork 4 section 5 information 6 website
- ✏ 1 open until 2 entry 3 artwork 4 section 5 for more information about 6 website
- 📄 welcomes, entry, free, tour
- 🧩 → 3 website 5 open until 6 entry ↓ 1 artwork 2 section 4 for more information about

UNIT 10 · B2-10 · p.87
- ⏱ 1 (C) 2 (C) 3 (A) 4 (C) 5 (C) 6 (D) 7 (C) 8 (B) 9 (C) 10 (B)
- 🎧 1 fold 2 gift 3 string 4 decorate 5 colorful 6 pattern
- ✏ 1 fold 2 gift 3 colorful 4 string 5 decorate 6 pattern
- 📄 folding, boxes, piece, patterns
- 🧩 → 2 gift 5 decorate ↓ 1 pattern 3 fold 4 string 6 colorful

UNIT 11 · B2-11 · p.95
- ⏱ 1 (A) 2 (A) 3 (A) 4 (B) 5 (C) 6 (D) 7 (C) 8 (A) 9 (C) 10 (D)
- 🎧 1 cartoon 2 company 3 began 4 fans of 5 neck pain 6 a day
- ✏ 1 cartoon 2 begin 3 company 4 become fans of 5 neck pain 6 ten hours a day
- 📄 cartoon, Korea, artists, famous
- 🧩 → 3 ten hours a day 5 neck pain ↓ 1 become fans of 2 cartoon 4 begin 6 company

UNIT 12 · B2-12 · p.103
- ⏱ 1 (B) 2 (B) 3 (A) 4 (C) 5 (C) 6 (D) 7 (B) 8 (C) 9 (D) 10 (C)
- 🎧 1 recycled 2 looks like 3 dangerous 4 lid 5 glued 6 piece of art
- ✏ 1 recycle 2 lid 3 dangerous 4 look like 5 glue 6 piece of art
- 📄 trash, recycled, pigs, art
- 🧩 → 1 lid 4 recycle 6 glue ↓ 2 dangerous 3 piece of art 5 look like

Chapter 1. Healthy Life

Pre-reading Questions   p.11

Do you keep friends for a long time?

How long can people be friends?

당신은 오랫동안 친구 사이를 유지하나요?

사람들이 얼마나 오랫동안 친구일 수 있나요?

Reading Passage   p.12

How to Keep Friends

We meet new friends all the time. But how can we keep friends for a long time? These three tips can help. First, you can be a good listener. Ask your friend, "How was your day?" Then just listen to the answer! Second, see your friend in person. Online friends are great. But it is also important to see your friends in real life sometimes. You need to do things together. For example, you can go to a park, to a movie, or to a museum. You can play a sport together. Or you can watch videos in your friend's room. Just be together in real life. Third, say "I'm sorry." and "It's okay." Did you have a fight? Say "I'm sorry." Did your friend say "I'm sorry." to you? Maybe you can say, "It's okay." Of course, sometimes friends do not stay friends forever. But these tips can help you keep a friend for a long time.

친구 사이 유지하는 법

우리는 언제나 새로운 친구들을 만난다. 하지만 우리는 어떻게 오랫동안 친구 사이를 유지할 수 있을까? 이 세 가지 조언이 도움이 될 수 있다. 첫째, 여러분은 잘 들어주는 사람이 될 수 있다. 친구에게 "오늘 어땠니?"라고 물어보라. 그런 후에 그저 대답을 들어라! 둘째, 친구를 직접 만나라. 온라인 친구들은 훌륭하다. 하지만 가끔은 실제로 친구를 보는 것 또한 중요하다. 함께 무언가를 해야 할 필요가 있다. 예를 들어, 공원에, 영화를 보러, 또는 박물관에 갈 수 있다. 함께 운동을 할 수 있다. 아니면 친구 방에서 비디오를 볼 수 있다. 그저 실제로 같이만 있어라. 셋째, "미안해"와 "괜찮아"라고 말해라. 다투었는가? "미안해"라고 말해라. 친구가 당신에게 "미안해"라고 하였는가? 아마도 당신은 "괜찮아"라고 말할 수 있다. 물론, 가끔은 친구들이 영원히 친구로 머물지 않는다. 하지만 이 조언들은 당신이 오랫동안 친구 사이를 유지하도록 도울 수 있다.

어휘 keep 유지하다 | for a long time 오랫동안 | how long 얼마나 오래 | weather 날씨 | vase 꽃병 | cold 추운, 차가운 | sorry 미안한; 후회스러운, 안타까운 | tired 피곤한; ~에 싫증난 | zoo 동물원 | museum 박물관 | all the time 언제나 | tip 조언 | listener 듣는 사람 | answer 대답 | in person 직접, 몸소 | online 온라인 | important 중요한 | in real life 실제로 | sometimes 가끔 | for example 예를 들어 | maybe 아마도 | of course 물론 | stay 머무르다 | forever 영원히 | meal 식사 | important 중요한 | gift 선물 | photo 사진 | lie 거짓말

1. Let's go <u>to</u> the park. The weather is great!

    (A) to
    (B) at
    (C) on
    (D) next

해석 공원<u>에</u> 가자. 날씨가 정말 좋아!

    (A) ~로
    (B) ~에
    (C) ~(위)에
    (D) 다음

풀이 '~에 가다'라는 의미를 나타낼 때 전치사 'to'(~로)를 사용하여 'go to ~'라 표현하므로 (A)가 정답이다.

관련 문장 For example, you can go to a park, to a movie, or to a museum.

2. Did you <u>have</u> a fight?

    (A) has
    (B) had
    (C) have
    (D) having

해석 너희 싸웠니?

    (A) 가지다
    (B) 가졌다
    (C) 가지다
    (D) 가지는 것

풀이 일반동사가 들어간 의문문은 '조동사 + 주어 + 동사 ~?'의 형태로 나타낸다. 이때 의문문에서 동사는 원형을 사용하므로 (C)가 정답이다.

관련 문장 Did you have a fight?

3. Jisu is <u>sorry</u> about the vase.

    (A) cold
    (B) sorry
    (C) tired
    (D) happy

해석 Jisu는 꽃병에 관해 <u>안타깝다</u>.

    (A) 냉정한
    (B) 안타까운
    (C) 피곤한
    (D) 행복한

풀이 꽃병이 깨진 것을 보고 안타깝게 울고 있는 아이의 모습이므로 (B)가 정답이다.

관련 문장 Say "I'm sorry."

4. Chad and his friends went to a <u>museum</u> together.

    (A) zoo
    (B) park
    (C) movie
    (D) museum

해석 Chad와 그의 친구들은 함께 <u>박물관</u>에 갔다.

    (A) 동물원
    (B) 공원
    (C) 영화
    (D) 박물관

풀이 박물관에 전시된 조각 및 작품을 감상하고 있는 모습이므로 (D)가 정답이다.

관련 문장 For example, you can go to a park, to a movie, or to a museum.

[5-6]

해석

Minju의 일정				
월요일	화요일	수요일	목요일	금요일
Sejin이와 점심 먹기	캠프에서 새 친구 만나기	가족 저녁 식사	Chan이랑 영화 보러 가기	혼자 집 청소하기

5. When will Minju NOT meet anyone?

    (A) Monday
    (B) Tuesday
    (C) Wednesday
    (D) Friday

해석 Minju가 아무도 만나지 않을 때는 언제인가?

    (A) 월요일
    (B) 화요일
    (C) 수요일
    (D) 금요일

풀이 금요일에 혼자서 집 청소를 한다고 했으므로 (D)가 정답이다. (A), (B), (C)는 차례대로 'with Sejin', 'Meet new friends', 'Family'에서 Minju가 누군가와 만나는 날이라는 것을 알 수 있으므로 오답이다.

6. What is Minju doing on Wednesday?

(A) going to a theater
(B) doing chores in the house
(C) having lunch with her friend
(D) eating a meal with her family

해석 수요일에 Minju는 무엇을 하는가?

(A) 극장에 가기
(B) 집에서 집안일 하기
(C) 친구와 점심 먹기
(D) 가족과 식사하기

풀이 수요일에 가족 저녁 식사('Family Dinner')를 한다고 나와
있으므로 (D)가 정답이다. (A)는 목요일에, (B)는 금요일에,
(C)는 월요일에 하는 일이므로 오답이다.

[7-10]

We meet new friends all the time. But how can we keep
friends for a long time? These three tips can help. First,
you can be a good listener. Ask your friend, "How was
your day?" Then just listen to the answer! Second, see
your friend in person. Online friends are great. But it is
also important to see your friends in real life sometimes.
You need to do things together. For example, you can
go to a park, to a movie, or to a museum. You can play a
sport together. Or you can watch videos in your friend's
room. Just be together in real life. Third, say "I'm sorry."
and "It's okay." Did you have a fight? Say "I'm sorry."
Did your friend say "I'm sorry." to you? Maybe you can
say, "It's okay." Of course, sometimes friends do not
stay friends forever. But these tips can help you keep a
friend for a long time.

해석

우리는 언제나 새로운 친구들을 만난다. 하지만 우리는
어떻게 오랫동안 친구 사이를 유지할 수 있을까? 이 세 가지
조언이 도움이 될 수 있다. 첫째, 여러분은 잘 들어주는 사람이
될 수 있다. 친구에게 "오늘 어땠니?"라고 물어보라. 그런
후에 그저 대답을 들어라! 둘째, 친구를 직접 만나라. 온라인
친구들은 훌륭하다. 하지만 가끔은 실제로 친구를 보는 것
또한 중요하다. 함께 무언가를 해야 할 필요가 있다. 예를 들어,
공원에, 영화를 보러, 또는 박물관에 갈 수 있다. 함께 운동을
할 수 있다. 아니면 친구 방에서 비디오를 볼 수 있다. 그저
실제로 같이만 있어라. 셋째, "미안해"와 "괜찮아"라고 말해라.
다투었는가? "미안해"라고 말해라. 친구가 당신에게 "미안해"
라고 하였는가? 아마도 당신은 "괜찮아"라고 말할 수 있다.
물론, 가끔은 친구들이 영원히 친구로 머물지 않는다. 하지만
이 조언들은 당신이 오랫동안 친구 사이를 유지하도록 도울
수 있다.

7. What is the main idea of the passage?

(A) Friends are not as important as family.
(B) Friends do not stay friends for a long time.
(C) One good friend is better than many friends.
(D) There are ways to keep friends for a long time.

해석 지문의 요지는 무엇인가?

(A) 친구는 가족만큼 중요하지 않다.
(B) 친구는 오랫동안 친구로 남지 않는다.
(C) 좋은 친구 한 명이 여러 친구보다 낫다.
(D) 오랫동안 친구 사이를 유지할 방법이 있다.

유형 전체 내용 파악

풀이 'But how can we keep friends for a long time?'에서 친구
관계를 오래 유지하는 법이라는 중심 소재를 드러낸 뒤, 'These
three tips can help.'라며 그 방법을 총 세 가지 언급하고 있는
글이다. 따라서 (D)가 정답이다.

8. Which is NOT a tip in the passage?

(A) Do things together.
(B) Listen to your friend.
(C) Make gifts for your friend.
(D) Visit your friend in person.

해석 다음 중 지문에 있지 않은 조언은 무엇인가?

(A) 함께 무언가를 같이 하라.
(B) 친구의 말을 귀담아들어라.
(C) 친구를 위해 선물을 만들어라.
(D) 직접 친구를 방문하라.

유형 세부 내용 파악

풀이 본문에서 제시된 세 가지 조언 중 친구를 위해 선물을 만들라는
조언은 언급되지 않았으므로 (C)가 정답이다. (A), (D)는 두 번째
조언에서, (B)는 첫 번째 조언에서 확인할 수 있는 내용이므로
오답이다.

9. What does the passage say about online friends?

(A) They can be good.
(B) They are usually bad.
(C) They have nice photos.
(D) They sometimes tell lies.

해석 온라인 친구에 관해 지문에서 말하는 것은 무엇인가?

(A) 좋을 수 있다.
(B) 보통 나쁘다.
(C) 멋진 사진들을 갖고 있다.
(D) 가끔 거짓말을 한다.

유형 세부 내용 파악

풀이 'Online friends are great.'에서 온라인 친구들이 훌륭하다고
했으므로 (A)가 정답이다. (B)는 온라인 친구들도 좋지만 친구를
직접 만나라고 조언하고 있으며, 이것이 온라인 친구들이
나쁘다는 의미는 아니므로 오답이다.

10. According to the passage, when could you say "It's okay."?

    (A) before a big contest
    (B) after a video you like
    (C) when your friend says, "I'm sorry."
    (D) when your dog breaks something

해석 지문에 따르면, "괜찮아"라고 언제 말할 수 있겠는가?

    (A) 큰 대회 전에
    (B) 좋아하는 비디오를 보고 난 후
    (C) 친구가 "미안해."라고 말할 때
    (D) 개가 무언가를 부쉈을 때

유형 세부 내용 파악

풀이 'Did your friend say "I'm sorry." to you? Maybe you can say, "It's okay."'를 통해 친구가 사과를 하면 괜찮다고 말할 수 있다고 했으므로 (C)가 정답이다.

🎧 Listening Practice   ▶ B2-1   p.16

We meet new friends all the time. But how can we keep friends for a long time? These three <u>tips</u> can help. First, you can be a good <u>listener</u>. Ask your friend, "How was your day?" Then just listen to the answer! Second, see your friend <u>in person</u>. Online friends are great. But it is also important to see your friends <u>in real life</u> sometimes. You need to do things together. For example, you can go to a park, to a movie, or to a museum. You can play a sport together. Or you can watch videos in your friend's room. Just be together in real life. Third, say "I'm sorry" and "It's okay." Did you have a <u>fight</u>? Say "I'm sorry." Did your friend say "I'm sorry" to you? Maybe you can say, "It's okay." Of course, sometimes friends do not stay friends forever. But these tips can help you <u>keep</u> a friend for a long time.

1. tips
2. listener
3. in person
4. in real life
5. fight
6. keep

✏️ Writing Practice   p.17

1. tip
2. good listener
3. in person
4. in real life
5. have a fight
6. keep

📄 Summary

There are three tips to keep your friends for a <u>long</u> time. First, be a good <u>listener</u>. Second, see your friend <u>in person</u> sometimes. Lastly, say "<u>I'm sorry</u>" and "It's okay" after a fight.

친구 사이를 <u>오랫</u>동안 유지할 수 있는 세 가지 조언이 있다. 첫째, 잘 <u>들어주는 사람</u>이 되어라. 둘째, 가끔은 친구를 <u>직접</u> 만나라. 마지막으로, 싸우고 나서 "<u>미안해</u>"와 "괜찮아"라고 해라.

⊞ Word Puzzle   p.18

Across	Down
2. keep	1. have a fight
5. in person	3. in real life
6. tip	4. good listener

💡 Pre-reading Questions   p.19

Do you have a pet? If not, do you want one?

반려동물이 있나요? 그렇지 않다면, 반려동물을 원하나요?

📖 Reading Passage   p.20

Is Having a Dog Good for You?

One Monday morning, Abi's neighbor Mason went to Abi's house. He said, "This is my dog, Thunder. I am going away for one week. Can you take care of Thunder?" Abi looked at Thunder. She did not usually like dogs. But she said, "Sure." After dinner, Abi walked Thunder in the park. He had a lot of energy and tried to smell every tree. He sometimes barked happily at other dogs. Runners in the park noticed Thunder and smiled at him. Children wanted to pet Thunder. That week, Abi walked Thunder every morning and evening. She talked to lots of people in the park. She was never lonely with Thunder. On Saturday, Mason returned from his trip. He went to get Thunder. Abi watched Thunder walk away. She felt sad. She said to Mason, "Thank you for bringing Thunder to me. Life with him was wonderful!"

개를 키우는 것이 여러분에게 좋나요?

어느 월요일 아침, Abi의 이웃인 Mason이 Abi의 집에 왔다. 그가 말했다, "여기는 나의 개, Thunder야. 난 일주일 동안 집을 비울 거야. Thunder를 돌봐줄 수 있니?" Abi는 Thunder를 바라보았다. 그녀는 보통 개를 좋아하지 않았다. 하지만 그녀는 말했다, "물론." 저녁 식사 후에, Abi는 공원에서 Thunder를 산책시켰다. 그는 에너지가 많았고 모든 나무의 냄새를 맡으려고 했다. 그는 가끔 다른 개들을 향해 행복하게 짖었다. 공원에서 달리던 사람들은 Thunder를 보고 그에게 미소를 지었다. 아이들이 Thunder를 쓰다듬고 싶어 했다. 그 주에, Abi는 매일 아침과 저녁에 Thunder를 산책시켰다. 그녀는 공원에서 많은 사람과 대화했다. 그녀는 Thunder와 있을 때 전혀 외롭지 않았다. 토요일에, Mason이 여행에서 돌아왔다. 그는 Thunder를 데리러 왔다. Abi는 Thunder가 걸어 나가는 것을 보았다. 그녀는 슬펐다. 그녀는 Mason에게 말했다, "나에게 Thunder를 데려와 줘서 고마워. 그와의 생활은 아주 좋았어!"

어휘   pet 반려동물; 쓰다듬다 | a glass of 한 잔의 | body 몸 | take care of ~을 돌보다 | wash 씻다 | carry 옮기다 | here 여기에 | lonely 외로운 | famous 유명한 | vacation 방학 | all day 온종일 | go to bed 잠자리에 들다 | notice 인지하다, 알아차리다 | tired 피곤한 | neighbor 이웃 | go away 떠나다 | a lot of 많은 | energy 에너지 | smell 냄새를 맡다 | bark 짖다 | anymore 더는, 더이상 | with ~와 함께 | return 돌아오다 | trip 여행 | bring 데려오다 | wonderful 멋진 | step 걸음 | less than ~보다 적은; ~보다 적게 | more than ~보다 많은; ~보다 많이 | pass 통과하다 | reach 도달하다 | stranger 낯선 사람 | lost 길을 잃은 | scared 무서워하는 | owner 주인 | let ~하게 하다, 허락하다 | own 소유하다 | thank 고마워하다, 감사를 표하다

Comprehension Questions   p.21

1. A <u>glass of</u> water in the morning is good for your body.

(A) glass
(B) glasses
(C) glass of
(D) glasses of

해석 아침에 물 <u>한 잔</u>은 몸에 좋다.

(A) (유리)잔
(B) (유리)잔들
(C) ~의 (유리)잔
(D) ~의 (유리)잔들

풀이 빈칸에는 셀 수 없는 명사 'water'를 꾸며줄 수 있는 수식어구가 들어가야 한다. 'water'와 같은 액체는 셀 수 없는 명사이므로 'glass'나 'cup' 등의 단위와 전치사 'of'를 함께 사용하여 'a glass of water', 'two cups of water'와 같이 셀 수 있다. 해당 문장에는 '하나'를 뜻하는 부정관사 'A'가 이미 나와 있으므로 단수 명사를 사용한 (C)가 정답이다. (D)는 'glasses of'가 복수 형태이기 때문에 'two glasses of water', 'many glasses of water'와 같이 수식어가 복수일 때 사용해야 하므로 오답이다.

2. <u>Can</u> you take care of my dog?

(A) Is
(B) Can
(C) Was
(D) Does

해석 내 개를 <u>돌봐줄 수 있니</u>?

(A) ~이다
(B) ~할 수 있다
(C) ~였다
(D) ~하다

풀이 일반동사가 들어간 의문문은 '조동사 + 주어 + 동사 원형 ~?'의 구조로 나타낸다. 해당 문장에서 빈칸은 조동사 자리이므로 (B)가 정답이다. (D)의 경우, 2인칭 주어 'you'는 'Does'가 아니라 'Do'와 함께 쓰여야 적합하므로 오답이다.

관련 문장 Can you take care of Thunder?

3. Samantha is <u>petting</u> the dog.

(A) petting
(B) walking
(C) washing
(D) carrying

해석 Samantha는 개를 <u>쓰다듬고</u> 있다.

(A) 쓰다듬는
(B) 산책시키는
(C) 씻기는
(D) 옮기는

풀이 여자가 개를 쓰다듬고 있으므로 (A)가 정답이다.

관련 문장 Children wanted to pet Thunder.

4. David's friends are not here. David feels <u>lonely</u> today.

(A) angry
(B) happy
(C) lonely
(D) famous

해석 David의 친구들이 여기에 없다. David은 오늘 <u>외롭다</u>.

(A) 화난
(B) 행복한
(C) 외로운
(D) 유명한

풀이 친구가 없어 외로워하고 있는 남자의 모습이므로 (C)가 정답이다.

관련 문장 She was never lonely with Thunder.

[5-6]

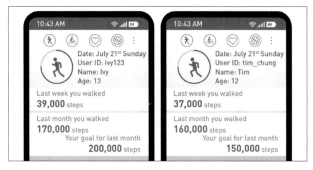

해석

날짜: 7월 21일 일요일	날짜: 7월 21일 일요일
사용자 ID: ivy123	사용자 ID: tim_chung
이름: Ivy	이름: Tim
나이: 13	나이: 12
지난 주 걸음 수	지난 주 걸음 수
39,000걸음	37,000걸음
지난 달 걸음 수	지난 달 걸음 수
170,000걸음	160,000걸음
지난 달 목표	지난 달 목표
200,000걸음	150,000걸음

5. What is true about last week?

(A) Ivy walked less than Tim.
(B) Tim walked 40,000 steps.
(C) Tim walked more than Ivy.
(D) Ivy took more than 37,000 steps.

해석 지난주에 관해 옳은 설명은 무엇인가?

(A) Ivy는 Tim보다 덜 걸었다.
(B) Tim은 40,000걸음을 걸었다.
(C) Tim은 Ivy보다 더 걸었다.
(D) Ivy는 37,000걸음보다 더 걸었다.

풀이 지난주 Ivy는 39,000걸음을 걸었다고 했으므로 (D)가 정답이다. (A)와 (C)는 지난주에 Ivy가 Tim보다 더 많이 걸었으므로 오답이다. (B)는 Tim이 지난주에 37,000걸음만 걸었으므로 오답이다.

6. What is true about last month?

  (A) **Tim passed his goal.**
  (B) Ivy reached her goal.
  (C) Tim walked more than Ivy.
  (D) Ivy walked 200,000 steps.

해석 지난달에 관해 옳은 설명은 무엇인가?

  (A) **Tim은 목표를 통과했다.**
  (B) Ivy는 목표에 도달했다.
  (C) Tim은 Ivy보다 더 걸었다.
  (D) Ivy는 200,000걸음을 걸었다.

풀이 Tim의 지난달 목표치가 150,000걸음이었고, 지난달에 이보다 많은 160,000걸음을 걸었으므로 (A)가 정답이다. (B)와 (D)는 Ivy가 지난달에 목표치 200,000걸음을 걷지 못했으므로 오답이다. (C)는 지난달에 Ivy가 Tim보다 더 많이 걸었으므로 오답이다.

[7-10]

One Monday morning, Abi's neighbor Mason went to Abi's house. He said, "This is my dog, Thunder. I am going away for one week. Can you take care of Thunder?" Abi looked at Thunder. She did not usually like dogs. But she said, "Sure." After dinner, Abi walked Thunder in the park. He had a lot of energy and tried to smell every tree. He sometimes barked happily at other dogs. Runners in the park noticed Thunder and smiled at him. Children wanted to pet Thunder. That week, Abi walked Thunder every morning and evening. She talked to lots of people in the park. She was never lonely with Thunder. On Saturday, Mason returned from his trip. He went to get Thunder. Abi watched Thunder walk away. She felt sad. She said to Mason, "Thank you for bringing Thunder to me. Life with him was wonderful!"

해석

어느 월요일 아침, Abi의 이웃인 Mason이 Abi의 집에 왔다. 그가 말했다, "여기는 나의 개, Thunder야. 난 일주일 동안 집을 비울 거야. Thunder를 돌봐줄 수 있니?" Abi는 Thunder를 바라보았다. 그녀는 보통 개를 좋아하지 않았다. 하지만 그녀는 말했다, "물론." 저녁 식사 후에, Abi는 공원에서 Thunder를 산책시켰다. 그는 에너지가 많았고 모든 나무의 냄새를 맡으려고 했다. 그는 가끔 다른 개들을 향해 행복하게 짖었다. 공원에서 달리던 사람들은 Thunder를 보고 그에게 미소를 지었다. 아이들이 Thunder를 쓰다듬고 싶어 했다. 그 주에, Abi는 매일 아침과 저녁에 Thunder를 산책시켰다. 그녀는 공원에서 많은 사람과 대화했다. 그녀는 Thunder와 있을 때 전혀 외롭지 않았다. 토요일에, Mason이 여행에서 돌아왔다. 그는 Thunder를 데리러 왔다. Abi는 Thunder가 걸어 나가는 것을 보았다. 그녀는 슬펐다. 그녀는 Mason에게 말했다, "나에게 Thunder를 데려와 줘서 고마워. 그와의 생활은 아주 좋았어!"

---

7. What is the best title for the passage?

  (A) Help Stray Dogs
  (B) **Dogs Bring Back Joy**
  (C) Strangers are Dangerous
  (D) Sleepy Runners at a Park

해석 지문에 가장 알맞은 제목은 무엇인가?

  (A) 떠돌이 개들을 돕다
  (B) **개들은 기쁨을 되찾아준다**
  (C) 낯선 사람은 위험하다
  (D) 공원에서 졸려 하며 달리는 사람들

유형 전체 내용 파악

풀이 Abi가 친구가 맡기고 간 강아지 Thunder와 함께 지내면서 외롭지 않은 즐거운 한 주를 보낸 일화를 다룬 글이다. 마지막 문장 'Thank you for bringing Thunder to me. Life with him was wonderful!'에서도 Abi가 Thunder 덕분에 즐거웠다고 말하며 중심 내용을 함축하고 있다. 따라서 (B)가 정답이다. (A)는 Thunder가 떠돌이 개가 아니므로 오답이다.

8. What is most likely true about Thunder?

  (A) He is lost in the park.
  (B) He is scared of strangers.
  (C) He doesn't like his owner.
  (D) **He loves to walk in the park.**

해석 Thunder에 관해 옳은 설명으로 가장 적절한 것은 무엇인가?

  (A) 공원에서 길을 잃었다.
  (B) 낯선 사람을 무서워한다.
  (C) 주인을 좋아하지 않는다.
  (D) **공원에서 산책하는 것을 아주 좋아한다.**

유형 세부 내용 파악 & 추론하기

풀이 'After dinner, Abi walked Thunder in the park. He had a lot of energy and tried to smell every tree. He sometimes barked happily at other dogs.'에서 Thunder가 공원에서 산책할 때 활기가 넘치고 행복해한다는 것을 알 수 있다. 따라서 (D)가 정답이다.

9. When did Abi first take Thunder to the park?

  (A) **Monday evening**
  (B) Tuesday morning
  (C) Wednesday evening
  (D) Saturday morning

해석 언제 Abi가 처음으로 Thunder를 공원으로 데려갔는가?

  (A) **월요일 저녁**
  (B) 화요일 아침
  (C) 수요일 저녁
  (D) 토요일 아침

유형 세부 내용 파악 & 추론하기

풀이 'On Monday morning, [...] After dinner, Abi walked Thunder in the park.'를 통해 Abi가 공원에서 Thunder를 처음 산책시킨 때는 월요일 저녁이라는 것을 알 수 있으므로 (A)가 정답이다.

10. Why does Abi thank Mason?

    (A) He let her own his dog.

    (B) He returned with a gift.

    (C) His pet made her happy.

    (D) He played games with her.

해석 Abi가 Mason에게 고마워하는 이유는 무엇인가?

    (A) 그녀가 그의 개를 소유하도록 했다.

    (B) 선물과 함께 돌아왔다.

    (C) 그의 반려동물이 그녀를 행복하게 했다.

    (D) 그녀와 함께 게임을 했다.

유형 세부 내용 파악

풀이 마지막 문장 'She said to Mason, "Thank you for bringing Thunder to me. Life with him was wonderful!"'에서 Abi가 Mason에게 자신을 행복하게 해준 Thunder를 데려와 줘서 고맙다고 했으므로 (C)가 정답이다.

🎧 **Listening Practice**　　▶ B2-2　　p.24

One Monday morning, Abi's neighbor Mason went to Abi's house. He said, "This is my dog, Thunder. I am going away for one week. Can you take care of Thunder?" Abi looked at Thunder. She did not usually like dogs. But she said, "Sure." After dinner, Abi walked Thunder in the park. He had a lot of <u>energy</u> and tried to smell every tree. He sometimes <u>barked</u> happily at other dogs. Runners in the park <u>noticed</u> Thunder and smiled at him. Children wanted to <u>pet</u> Thunder. That week, Abi walked Thunder every morning and evening. She talked to lots of people in the park. She was never <u>lonely</u> with Thunder. On Saturday, Mason returned from his trip. He went to get Thunder. Abi watched Thunder walk away. She felt sad. She said to Mason, "Thank you for bringing Thunder to me. Life with him was <u>wonderful</u>!"

1. energy

2. barked

3. noticed

4. pet

5. lonely

6. wonderful

 ✏️ **Writing Practice**　　p.25

1. notice

2. lonely

3. have a lot of energy

4. bark

5. pet

6. wonderful

📄 **Summary**

Abi's neighbor needed help with his <u>dog</u>, Thunder. Abi did <u>not</u> like dogs. But she said, "I can <u>take care of</u> the dog for a week." Abi walked Thunder in the <u>park</u>. Abi had fun with Thunder.

Abi의 이웃은 그의 <u>개</u> Thunder와 관련해 도움이 필요했다. Abi는 개를 좋아하지 <u>않</u>았다. 하지만 그녀는 "<u>일주일 동안</u> 그 개를 <u>돌볼 수 있어</u>."라고 말했다. Abi는 <u>공원</u>에서 Thunder를 산책시켰다. Abi는 Thunder와 재밌는 시간을 보냈다.

🔡 **Word Puzzle**　　p.26

Across	Down
3. notice	**1.** wonderful
5. bark	**2.** pet
6. lonely	**4.** have a lot of energy

Pre-reading Questions　　　　p.27

Do you have any allergies? If so, which ones?

알레르기가 있나요? 그렇다면, 어떤 알레르기인가요?

Reading Passage　　　　p.28

What Is Hay Fever?

Luke always carries a pack of tissues in spring and summer. That's because he has hay fever. Hay fever is an allergy. It is called hay fever, but Luke does not have a fever. He has other problems. He gets a runny nose. His eyes water. And he gets headaches. Why does Luke have hay fever every spring and summer? Hay fever comes from grass and trees. The grass and trees have pollen. Pollen is a kind of powder from plants. Luke's body thinks pollen is bad. That's why Luke has these problems. So he does not like playing outside in spring. When he goes out, he wears sunglasses. When he is inside, he closes the windows. He cleans his room often, too. Doing those things helps with the hay fever. But still, Luke gets hay fever every year. When he has bad headaches and a runny nose, he goes to see the doctor. The doctor gives him medicine. The headaches go away for a while. But after a few weeks, they always come back. Hay fever makes Luke sad.

건초열이 무엇인가요?

Luke는 봄과 여름에 항상 휴지 한 묶음을 가지고 다닌다. 이는 그가 건초열이 있기 때문이다. 건초열은 알레르기의 일종이다. 그것은 건초열이라고 불리지만, Luke는 열이 없다. 그는 다른 문제들이 있다. 그는 콧물이 흐른다. 그의 눈에서는 눈물이 흐른다. 그리고 두통이 있다. 왜 봄과 여름마다 Luke는 건초열을 앓는 걸까? 건초열은 잔디와 나무에서 온다. 잔디와 나무에는 꽃가루가 있다. 꽃가루는 식물에서 나오는 가루의 일종이다. Luke의 몸은 꽃가루가 나쁘다고 생각한다. 그래서 Luke에게 이런 문제점들이 있는 것이다. 그래서 그는 봄에 밖에서 노는 것을 좋아하지 않는다. 외출할 때, 그는 선글라스를 쓴다. 실내에 있을 때는, 그는 창문들을 닫는다. 그는 자기 방을 자주 청소하기도 한다. 이렇게 하는 것은 건초열에 도움이 된다. 그러나 여전히, Luke는 매년 건초열을 앓는다. 두통이 심하고 콧물이 흐를 때, 그는 의사에게 간다. 의사는 그에게 약을 준다. 두통이 잠깐 가신다. 하지만 몇 주 후에, 그것들은 언제나 돌아온다. 건초열은 Luke를 슬프게 한다.

어휘 allergy 알레르기 | if so 만약 그렇다면 | cold 감기; 추운 | each of 각자의 | exercise 운동 | cough 기침 | headache 두통 | runny nose 콧물 | stomachache 복통 | pull 당기다 | carry 가지고 다니다, 휴대하다 | pack 묶음 | tissue 휴지 | hay fever 건초열 | one's eyes water 눈물이 흐르다 | come from ~에서 오다 | grass 풀 | pollen 꽃가루 | kind 종류 | powder 가루 | sunglasses 선글라스 | still 여전히, 아직 | medicine 약 | for a while 잠깐 | breathe 숨 쉬다 | discount 할인 | each 각각 | during ~ 동안 | different 여러 가지의, 다양한 | stay away from ~을 멀리하다 | get rid of ~을 없애다 | cure 치료하다 | perfectly 완벽히 | take a nap 낮잠을 자다 | block 막다, 차단하다

⏱ Comprehension Questions   p.29

1. Jorge gets a cold <u>every</u> winter.

(A) most
(B) many
(C) every
(D) each of

해석   Jorge는 겨울<u>마다</u> 감기에 걸린다.

(A) 대부분
(B) 많은
(C) 모든
(D) 각자의

풀이   빈칸에는 단수 명사 'winter를 꾸밀 수 있는 수식어가 들어가야 하므로 (C)가 정답이다.

새겨 두기   'I go skiing every winter', 'Last week we went to the market.', 'Come that way.'에서와 같이 시간, 방법 등을 나타내는 명사구는 문장에서 부사의 역할을 할 수 있다.

관련 문장   Why does Luke have hay fever every spring and summer?

2. Exercise will help me <u>stay</u> healthy.

(A) stay
(B) stays
(C) is stay
(D) will stay

해석   운동은 내가 건강을 <u>유지하는</u> 데 도움을 줄 것이다.

(A) 머무르다
(B) 머무르다
(C) 어색한 표현
(D) 머무를 것이다

풀이   5형식 구조 'help + A + (to) 동사원형'의 구조로 'A가 ~하는 것을 돕다'라는 뜻을 나타내고 있는 문장이다. 따라서 빈칸에는 (to) 동사원형이 들어가야 하므로 (A)가 정답이다.

관련 문장   Doing those things helps with the hay fever.

3. Lia has a bad <u>headache</u>.

(A) cough
(B) headache
(C) runny nose
(D) stomachache

해석   Lia는 심한 <u>두통</u>이 있다.

(A) 기침
(B) 두통
(C) 콧물 흐르는 코
(D) 복통

풀이   머리가 지끈거려서 아파하고 있는 소녀의 모습이므로 (B)가 정답이다.

관련 문장   And he gets headaches.

4. The man is <u>opening the window</u>.

(A) pulling the door
(B) closing the door
(C) opening the window
(D) cleaning the window

해석   남자는 <u>창문을 열고 있다</u>.

(A) 문을 당기는
(B) 문을 닫는
(C) 창문을 여는
(D) 창문을 청소하는

풀이   창문을 활짝 열고 있는 모습이므로 (C)가 정답이다.

관련 문장   When he is inside, he closes the windows.

[5-6]

해석

스페이서 판매 중!

스페이서는 무엇인가요?
사람들이 숨 쉬는 것을 도와줍니다!
노란색, 빨간색, 그리고 파란색에서 선택하세요.

Tri Mai 박사에 의해 제작
가격: 10달러

특별 행사
스페이서당 2달러 할인 받으세요!

5. What is true about the spacers?

(A) There is a green one.
(B) They help people eat.
(C) Dr. Tri Mai made them.
(D) They each cost 12 dollars.

해석   스페이서에 관해 옳은 설명은 무엇인가?

(A) 초록색이 있다.
(B) 사람들이 먹는 것을 도와준다.
(C) Tri Mai 박사가 만들었다.
(D) 개당 12달러이다.

풀이   'Made by Dr. Tri Mai'에서 Tri Mai 박사가 제작했다는 것을 알 수 있으므로 (C)가 정답이다. (A)는 'Choose from yellow, red, and blue'에서 초록색은 언급되지 않았으므로 오답이다. (B)는 'It helps people breathe!'에서 먹는 게 아니라 숨 쉬는 것을 도와주는 기구라고 했으므로 오답이다. (D)는 'Price: $10'에서 가격이 10달러라고 했으므로 오답이다.

6. How much are two spacers during the special event?

    (A) 14 dollars

    (B) 16 dollars

    (C) 18 dollars

    (D) 20 dollars

해석 특별 행사 중에 스페이서 두 개는 얼마인가?

    (A) 14달러

    (B) 16달러

    (C) 18달러

    (D) 20달러

풀이 스페이서 한 개의 원래 가격은 10달러이고, 특별 행사 중에는 2달러를 할인하므로 할인가는 8달러이다. 따라서 특별 행사 중 스페이서 두 개의 가격은 16달러(8달러 × 2)이므로 (B)가 정답이다.

[7-10]

Luke always carries a pack of tissues in spring and summer. That's because he has hay fever. Hay fever is an allergy. It is called hay fever, but Luke does not have a fever. He has other problems. He gets a runny nose. His eyes water. And he gets headaches. Why does Luke have hay fever every spring and summer? Hay fever comes from grass and trees. The grass and trees have pollen. Pollen is a kind of powder from plants. Luke's body thinks pollen is bad. That's why Luke has these problems. So he does not like playing outside in spring. When he goes out, he wears sunglasses. When he is inside, he closes the windows. He cleans his room often, too. Doing those things helps with the hay fever. But still, Luke gets hay fever every year. When he has bad headaches and a runny nose, he goes to see the doctor. The doctor gives him medicine. The headaches go away for a while. But after a few weeks, they always come back. Hay fever makes Luke sad.

해석

Luke는 봄과 여름에 항상 휴지 한 묶음을 가지고 다닌다. 이는 그가 건초열이 있기 때문이다. 건초열은 알레르기의 일종이다. 그것은 건초열이라고 불리지만, Luke는 열이 없다. 그는 다른 문제들이 있다. 그는 콧물이 흐른다. 그의 눈에서는 눈물이 흐른다. 그리고 두통이 있다. 왜 봄과 여름마다 Luke는 건초열을 앓는 걸까? 건초열은 잔디와 나무에서 온다. 잔디와 나무에는 꽃가루가 있다. 꽃가루는 식물에서 나오는 가루의 일종이다. Luke의 몸은 꽃가루가 나쁘다고 생각한다. 그래서 Luke에게 이런 문제점들이 있는 것이다. 그래서 그는 봄에 밖에서 노는 것을 좋아하지 않는다. 외출할 때, 그는 선글라스를 쓴다. 실내에 있을 때는, 그는 창문들을 닫는다. 그는 자기 방을 자주 청소하기도 한다. 이렇게 하는 것은 건초열에 도움이 된다. 그러나 여전히, Luke는 매년 건초열을 앓는다. 두통이 심하고 콧물이 흐를 때, 그는 의사에게 간다. 의사는 그에게 약을 준다. 두통이 잠깐 가신다. 하지만 몇 주 후에, 그것들은 언제나 돌아온다. 건초열은 Luke를 슬프게 한다.

7. What is the best title for the passage?

    (A) Luke's Bad Hay Fever

    (B) Pollen from Different Plants

    (C) Luke's Sunglasses for Hay Fever

    (D) Doctors Stay Away from Hay Fever

해석 지문에 가장 알맞은 제목은 무엇인가?

    (A) Luke의 심한 건초열

    (B) 여러 식물에서 오는 꽃가루

    (D) 건초열을 위한 Luke의 선글라스

    (D) 의사들이 건초열을 멀리하다

유형 전체 내용 파악

풀이 'That's because he has hay fever.'에서 Luke가 매년 앓는 건초열이라는 중심 소재가 드러나고 있다. Luke가 앓는 건초열의 증상과 원인, Luke가 건초열을 완화하려고 하는 행동 등을 다루고 있으므로 (A)가 정답이다.

8. What is most likely NOT true about hay fever?

    (A) It is from pollen.

    (B) It comes from grass.

    (C) It means having a fever.

    (D) It is common in spring.

해석 건초열에 관해 가장 옳지 않은 설명은 무엇인가?

    (A) 꽃가루에서 온다.

    (B) 잔디에서 온다.

    (C) 열이 난다는 것을 뜻한다.

    (D) 봄에 흔하다.

유형 세부 내용 파악 & 추론하기

풀이 'It is called hay fever, but Luke does not have a fever.'를 통해 비록 'hay fever'(건초열)라고 불려도 건초열의 증상에는 열이 없다는 것을 알 수 있으므로 (C)가 정답이다. (A)와 (B)는 'Hay fever comes from grass and trees. The grass and trees have pollen. [...] Luke's body thinks pollen is bad.'에서, (D)는 'Luke always carries a pack of tissues in spring and summer.', 'Why does Luke have hay fever every spring and summer?' 등에서 확인할 수 있는 내용이므로 오답이다.

9. What does Luke's doctor do?

    (A) get rid of pollen

    (B) give Luke medicine

    (C) cure hay fever perfectly

    (D) clean the hospital every day

해석 Luke의 의사는 무엇을 하는가?

    (A) 꽃가루 없애기

    (B) Luke에게 약 주기

    (C) 건초열 완치하기

    (D) 매일 병원 청소하기

유형 세부 내용 파악

풀이 'The doctor gives him medicine.'에서 의사가 Luke에게 약을 준다고 했으므로 (B)가 정답이다. (C)는 바로 다음 문장 'The headaches go away for a while. But after a few weeks, they always come back.'에서 의사가 건초열을 완치시키는 건 아님을 알 수 있으므로 오답이다.

10. Why does Luke probably close the windows?

    (A) to take a nap
    (B) to block sunlight
    (C) to wear his sunglasses inside
    (D) to keep pollen out of his room

해석 Luke가 창문을 닫는 이유로 적절한 것은 무엇인가?

    (A) 낮잠 자려고
    (B) 햇빛을 가리려고
    (C) 실내에서 선글라스를 끼려고
    (D) 꽃가루가 방에 들어오지 못하게 하려고

유형 세부 내용 파악 & 추론하기

풀이 '[...] Luke's body thinks pollen is bad. That's why Luke has these problems. [...] When he is inside, he closes the windows. [...]'를 통해 Luke가 꽃가루 때문에 걸리는 건초열로 고생하며, 꽃가루가 실내에 들어오지 못하게 하려고 실내에서 창문을 닫는다는 사실을 추론할 수 있으므로 (D)가 정답이다.

🎧 **Listening Practice**   ▶ B2-3   p.32

Luke always carries a pack of <u>tissues</u> in spring and summer. That's because he has hay fever. Hay fever is an <u>allergy</u>. It is called hay fever, but Luke does not have a fever. He has other problems. He gets a runny nose. His eyes <u>water</u>. And he gets headaches. Why does Luke have hay fever every spring and summer? Hay fever comes from grass and trees. The grass and trees have <u>pollen</u>. Pollen is a kind of powder from plants. Luke's body thinks pollen is bad. That's why Luke has these problems. So he does not like playing outside in spring. When he goes out, he wears sunglasses. When he is inside, he closes the windows. He cleans his room often, too. Doing those things helps with the hay fever. But still, Luke gets hay fever every year. When he has bad headaches and a <u>runny nose</u>, he goes to see the doctor. The doctor gives him medicine. The headaches <u>go away</u> for a while. But after a few weeks, they always come back. Hay fever makes Luke sad.

1. tissues

2. allergy

3. water

4. pollen

5. runny nose

6. go away

✏️ **Writing Practice**   p.33

1. tissue

2. allergy

3. your eyes water

4. pollen

5. runny nose

6. go away

📄 **Summary**

Luke has hay fever. Hay fever comes from <u>grass</u> and trees. In the spring and <u>summer</u>, Luke always carries <u>tissues</u>. He closes the <u>windows</u> and stays inside. Hay fever makes Luke sad.

Luke는 건초열을 앓는다. 건초열은 <u>잔디</u>와 나무로부터 온다. 봄과 <u>여름</u>에, Luke는 항상 <u>휴지</u>를 가지고 다닌다. 그는 <u>창문</u>을 닫고 실내에 머무른다. 건초열은 Luke를 슬프게 만든다.

🧩 **Word Puzzle**   p.34

Across	Down
5. runny nose	**1.** pollen
6. allergy	**2.** go away
	3. your eyes water
	4. tissue

Pre-reading Questions p.35

Do you use a smartphone?

If so, do you look down or up at it?

스마트폰을 사용하나요?

그렇다면, 스마트폰을 내려다 보나요 올려다 보나요?

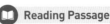

Reading Passage p.36

Smartphone Posture

Do you use your smartphone a lot? Do you look down at your phone? Does your neck hurt? Did you say "yes" to all the questions? Then you are in trouble! That's because your head can hurt your spine. What is your spine? It is the bones in your back. Hurting your spine is not a good idea. It will cause neck and back problems. Sadly, many students use their phone four hours a day. They hurt their spine for four hours every day. How can we stop this? Here is some advice from experts. First, do not look down at your phone. Hold it up! Your arms will hurt, but this is great exercise! Second, lie on the floor. Then, hold up the phone. But be careful! Don't drop your phone! You might hurt your nose. Third, use your voice. Speak your messages and emails. Then you do not have to look down. Finally, stretch after you use your phone. This can help your spine. Follow the advice of experts. Remember: you only get one spine.

스마트폰 자세

당신은 스마트폰을 많이 사용하는가? 휴대 전화를 내려다보는가? 목이 아픈가? 모든 질문에 "그렇다"라고 대답했는가? 그렇다면 당신은 큰일이다! 당신의 머리가 척추를 다치게 할 수 있기 때문이다. 척추란 무엇인가? 그것은 등에 있는 뼈들이다. 척추를 다치게 하는 것은 좋은 생각이 아니다. 그것은 목과 등에 문제를 일으킬 것이다. 슬프게도, 많은 학생이 하루에 네 시간씩 휴대 전화를 사용한다. 그들은 매일 네 시간 동안 척추를 다치게 하는 것이다. 우리는 어떻게 이를 멈출 수 있는가? 여기 전문가들의 조언이 몇 가지 있다. 첫째, 휴대 전화를 내려 보지 말아라. 위로 들어라! 팔이 아플 것이다, 하지만 이는 훌륭한 운동이다! 둘째, 바닥에 누워라. 그다음, 휴대 전화를 들어 올려라. 하지만 조심하라! 휴대 전화를 떨어뜨리지 마라! 당신의 코가 다칠 수도 있다. 셋째, 목소리를 사용하라. 당신의 메시지와 이메일을 말로 하라. 그러면 당신은 내려다볼 필요가 없다. 마지막으로, 휴대 전화를 사용한 후에 스트레칭하라. 이는 당신의 척추를 도울 수 있다. 전문가들의 조언을 따르라. 명심하라: 당신에게 척추는 하나밖에 없다.

어휘 smartphone 스마트폰 | posture 자세 | if so 만약 그렇다면 | look down 내려다보다 | look up 올려다보다 | advice 조언 | enough 충분한 | may ~할 수 있다 | lie 누워 있다, 눕다; 거짓말하다 | hurt 다치게 하다 | lung 폐 | wrist 손목 | heart 심장 | spine 척추 | a lot 많이 | neck 목 | in trouble 큰일에 빠진, 곤경에 처한 | bone 뼈 | cause 일으키다 | back 등 | problem 문제 | sadly 슬프게도 | expert 전문가 | hold 잡고있다 | floor 바닥; 층 | careful 조심하는 | drop 떨어뜨리다 | voice 목소리 | speak 말하다 | stretch 스트레칭하다 | average 평균 | spend on ~에 사용하다 | better 더 좋은 | loud (소리가) 큰, 시끄러운 | dangerous 위험한 | fall 떨어지다

1. Here <u>is</u> some advice.

(A) **is**
(B) do
(C) be
(D) does

해석 여기 몇 가지 조언이 <u>있다</u>.

(A) ~이다
(B) ~하다
(C) ~이다
(D) ~하다

풀이 '여기에 ~가 있다'를 뜻하는 'here is/are ~' 형태의 구문이다. 'advice'는 셀 수 없는 명사로 단수 취급하므로 이와 어울리는 be 동사 (A)가 정답이다.

관련 문장 Here is some advice from experts.

2. Not enough sleep might <u>make</u> you sick.

(A) **make**
(B) made
(C) will make
(D) have make

해석 충분하지 않은 수면은 당신을 병들게 할 수 있다.

(A) 만들다
(B) 만들었다
(C) 만들 것이다
(D) 어색한 표현

풀이 'might, may, can' 등과 같이 가능·추측·의무 등을 나타내는 조동사 뒤에는 동사 원형이 들어가야 하므로 (A)가 정답이다. (C)는 조동사 'might'와 'will'을 함께 사용할 수 없으므로 오답이다.

관련 문장 You might hurt your nose.

3. He is <u>lying</u> on the sofa.

(A) **lying**
(B) sitting
(C) eating
(D) standing

해석 그는 소파 위에 <u>누워있다</u>.

(A) 누워있는
(B) 앉아있는
(C) 먹는
(D) 서 있는

풀이 소파에 누워있는 모습이므로 (A)가 정답이다.

관련 문장 Second, lie on the floor.

4. Don't hurt your <u>spine</u>!

(A) lung
(B) wrist
(C) heart
(D) **spine**

해석 <u>척추</u>를 다치지 마세요!

(A) 폐
(B) 손목
(C) 심장
(D) 척추

풀이 척추 부분이 아파하고 있는 모습이므로 (D)가 정답이다.

관련 문장 That's because your head can hurt your spine. [...] What is your spine? It is the bones in your back.

[5-6]

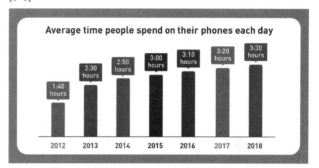

해석

사람들이 매일 스마트폰에 사용하는 평균 시간						
1시간 40분	2시간 30분	2시간 50분	3시간	3시간 10분	3시간 20분	3시간 30분
2012	2013	2014	2015	2016	2017	2018

5. On average, when did people use their phones the most?

(A) in 2012
(B) in 2014
(C) in 2015
(D) **in 2018**

해석 평균적으로, 사람들이 스마트폰을 가장 많이 사용했던 때는 언제인가?

(A) 2012년에
(B) 2014년에
(C) 2015년에
(D) 2018년에

풀이 평균 스마트폰 사용 시간이 해마다 꾸준히 증가하여 2018년에 3시간 30분으로 막대가 가장 높으므로 (D)가 정답이다.

6. On average, how many hours did people use their phones in 2014?

    (A) 2 hours and 30 minutes
    (B) 2 hours and 50 minutes
    (C) 3 hours and 10 minutes
    (D) 3 hours and 20 minutes

해석 평균적으로, 2014년에 사람들이 스마트폰을 몇 시간 사용했는가?

    (A) 2시간 30분
    (B) 2시간 50분
    (C) 3시간 10분
    (D) 3시간 20분

풀이 2014년에 사람들이 평균 2시간 50분 동안 스마트폰을 사용했다고 표시되어 있으므로 (B)가 정답이다.

[7-10]

Do you use your smartphone a lot? Do you look down at your phone? Does your neck hurt? Did you say "yes" to all the questions? Then you are in trouble! That's because your head can hurt your spine. What is your spine? It is the bones in your back. Hurting your spine is not a good idea. It will cause neck and back problems. Sadly, many students use their phone four hours a day. They hurt their spine for four hours every day. How can we stop this? Here is some advice from experts. First, do not look down at your phone. Hold it up! Your arms will hurt, but this is great exercise! Second, lie on the floor. Then, hold up the phone. But be careful! Don't drop your phone! <u>You might hurt your nose.</u> Third, use your voice. Speak your messages and emails. Then you do not have to look down. Finally, stretch after you use your phone. This can help your spine. Follow the advice of experts. Remember: you only get one spine.

해석

당신은 스마트폰을 많이 사용하는가? 휴대 전화를 내려다보는가? 목이 아픈가? 모든 질문에 "그렇다"라고 대답했는가? 그렇다면 당신은 큰일이다! 당신의 머리가 척추를 다치게 할 수 있기 때문이다. 척추란 무엇인가? 그것은 등에 있는 뼈들이다. 척추를 다치게 하는 것은 좋은 생각이 아니다. 그것은 목과 등에 문제를 일으킬 것이다. 슬프게도, 많은 학생이 하루에 네 시간씩 휴대 전화를 사용한다. 그들은 매일 네 시간 동안 척추를 다치게 하는 것이다. 우리는 어떻게 이를 멈출 수 있는가? 여기 전문가들의 조언이 몇 가지 있다. 첫째, 휴대 전화를 내려 보지 말아라. 위로 들어라! 팔이 아플 것이다, 하지만 이는 훌륭한 운동이다! 둘째, 바닥에 누워라. 그다음, 휴대 전화를 들어 올려라. 하지만 조심하라! 휴대 전화를 떨어뜨리지 마라! 당신의 코가 다칠 수도 있다. 셋째, 목소리를 사용하라. 당신의 메시지와 이메일을 말로 하라. 그러면 당신은 내려다볼 필요가 없다. 마지막으로, 휴대 전화를 사용한 후에 스트레칭하라. 이는 당신의 척추를 도울 수 있다. 전문가들의 조언을 따르라. 명심하라: 당신에게 척추는 하나밖에 없다.

---

7. What is the best title for the passage?

    (A) How to Buy a Better Phone
    (B) Your Eyes Hurt from Using Phones
    (C) Don't Drop Your Phone in the Street
    (D) Stop Hurting Your Spine with Phones

해석 지문에 가장 알맞은 제목은 무엇인가?

    (A) 더 좋은 휴대 전화 사는 방법
    (B) 휴대 전화 사용으로 눈을 다친다
    (C) 길거리에서 휴대 전화를 떨어뜨리지 말라
    (D) 휴대 전화로 인한 척추 손상을 멈춰라

유형 전체 내용 파악

풀이 전반부에 스마트폰 사용자들이 스마트폰 사용으로 인해 척추가 손상된다는 문제 상황을 서술하고, 후반부에 스마트폰 사용으로 인한 척추 손상을 방지할 방법 네 가지를 소개하고 있는 글이다. 따라서 (D)가 정답이다.

---

8. According to the passage, why do smartphone users get neck problems?

    (A) Their eyes look up.
    (B) Their phone is too big.
    (C) Their head hurts their spine.
    (D) Their phone makes loud sounds.

해석 지문에 따르면, 왜 스마트폰 사용자들에게 목 문제가 생기는가?

    (A) 눈이 위쪽을 본다.
    (B) 휴대 전화가 너무 크다.
    (C) 머리가 척추를 다치게 한다.
    (D) 휴대 전화가 큰 소리를 낸다.

유형 세부 내용 파악

풀이 'Do you use your smartphone a lot? [...] That's because your head can hurt your spine. [...] It will cause neck and back problems.'에서 스마트폰 사용자들이 휴대 전화를 내려다보게 되면서 척추가 다치게 되고, 척추가 다치면 목에도 문제가 생긴다고 설명하고 있다. 따라서 (C)가 정답이다.

---

9. Which is a tip in the passage?

    (A) wearing glasses
    (B) lying on the floor
    (C) sitting in a low chair
    (D) buying a smaller phone

해석 다음 중 지문에 있는 조언은 무엇인가?

    (A) 안경 쓰기
    (B) 바닥에 눕기
    (C) 낮은 의자에 앉기
    (D) 더 작은 휴대 전화 사기

유형 세부 내용 파악

풀이 'Second, lie on the floor.'에서 바닥에 누우라고 했으므로 (B)가 정답이다.

10. Why does the passage say, "You might hurt your nose"?

(A) Walking can be dangerous.
(B) You might fall off your bike.
(C) You might drop your phone.
(D) Playing baseball can be dangerous.

해석 지문에서 "당신의 코가 다칠 수도 있다."라고 말한 이유는 무엇인가?

(A) 걷기는 위험할 수 있다.
(B) 자전거에서 떨어질 수 있다.
(C) 휴대 전화를 떨어뜨릴 수 있다.
(D) 야구 경기하는 것은 위험할 수 있다.

유형 추론하기

풀이 바로 이전 부분인 'Second, lie on the floor. [...] Don't drop your phone!'에서 누워서 휴대 전화를 사용하다가 실수로 떨어뜨려 코를 다칠 수도 있다는 의미로 사용되었음을 알 수 있으므로 (C)가 정답이다.

🎧 Listening Practice ▶ B2-4   p.40

Do you use your smartphone a lot? Do you <u>look down at</u> your phone? Does your neck hurt? Did you say "yes" to all the questions? Then you are <u>in trouble</u>! That's because your head can hurt your <u>spine</u>. What is your spine? It is the bones in your back. Hurting your spine is not a good idea. It will cause neck and back problems. Sadly, many students use their phone four hours a day. They hurt their spine for four hours every day. How can we stop this? Here is some <u>advice</u> from <u>experts</u>. First, do not look down at your phone. Hold it up! Your arms will hurt, but this is great exercise! Second, lie on the floor. Then, hold up the phone. But be careful! Don't drop your phone! You might hurt your nose. Third, use your voice. Speak your messages and emails. Then you do not have to look down. Finally, <u>stretch</u> after you use your phone. This can help your spine. Follow the advice of experts. Remember: you only get one spine.

1. look down at
2. in trouble
3. spine
4. advice
5. experts
6. stretch

✏️ Writing Practice   p.41

1. look down at
2. in trouble
3. spine
4. advice
5. expert
6. stretch

📄 Summary

Do not look <u>down</u> at your phone. It can hurt your <u>spine</u>. Instead, hold <u>up</u> the phone. Also, lie down. You can use your voice, too. Finally, <u>stretch</u> after you use your phone!

휴대 전화를 <u>내려다</u>보지 말아라. 그것은 당신의 <u>척추</u>를 다치게 할 수 있다. 대신에 휴대 전화를 <u>위로</u> 들어라. 또한, 누워라. 목소리를 사용할 수도 있다. 마지막으로, 휴대 전화를 사용한 후 <u>스트레칭하라</u>!

🔢 Word Puzzle   p.42

Across	Down
1. in trouble	2. look down at
3. advice	4. stretch
6. expert	5. spine

The Greedy Fox

A fox had a long winter and was very hungry. He looked around for some food. Finally, he found a tree with a hole in it. Inside the hole, there was food! It was a family's picnic. There were three sandwiches, a bowl of rice, some soup, an apple, an orange, two cookies, two brownies, some cake, some juice, and some cola. The fox climbed inside the hole. He started to eat the food. The fox ate the first sandwich. It was a meat sandwich, and it was delicious. Then he ate the peanut butter sandwich. At that point, the fox was full. But the food was so delicious. He kept eating anyway. He ate the rice, the soup, the fruit, and the dessert. He drank the juice and the cola. Soon, his stomach was huge. The fox wanted to go home to take a nap. He started to leave the hole. But when he tried, he soon learned he was stuck. He remembered a lesson from his parents: When you are full, stop eating.

욕심 많은 여우

여우 한 마리가 긴 겨울을 보냈고 몹시 배가 고팠다. 그는 음식을 찾아 주위를 둘러보았다. 마침내, 그는 안에 구멍이 뚫린 나무를 발견했다. 구멍 안에는, 음식이 있었다! 그것은 한 가족의 소풍 도시락이었다. 샌드위치 세 개, 밥 한 그릇, 수프, 사과 한 개, 오렌지 한 개, 쿠키 두 개, 브라우니 두 개, 케이크, 주스, 그리고 콜라가 있었다. 여우는 구멍 안으로 올라갔다. 그는 음식을 먹기 시작했다. 여우는 첫 번째 샌드위치를 먹었다. 그것은 고기 샌드위치였고, 맛있었다. 그다음 그는 땅콩버터 샌드위치를 먹었다. 그 시점에서, 여우는 배가 불렀다. 하지만 음식이 너무 맛있었다. 그는 어찌 됐건 계속 먹었다. 그는 밥, 수프, 과일, 그리고 후식을 먹었다. 그는 주스와 콜라를 마셨다. 이내, 그의 위가 거대해졌다. 여우는 낮잠을 자러 집으로 가고 싶었다. 그는 구멍에서 나가려고 했다. 하지만, 그가 시도했을 때, 그는 곧 그가 꼼짝없이 갇혔다는 것을 알았다. 그는 부모님으로부터 배운 교훈을 기억했다: 배가 부르면, 그만 먹어라.

Chapter 2. Food Trend

 Pre-reading Questions　　　　　　　p.45

What is your favorite kind of pizza?

당신이 가장 좋아하는 종류의 피자는 무엇인가요?

Reading Passage　　　　　　　　　　p.46

Hawaiian Pizza

What is the most famous Hawaiian invention? Some people might say it is Hawaiian pizza. However, Hawaiian pizza is not from Hawaii. The inventor of Hawaiian pizza was not Hawaiian. He was not Italian, either. So where did it come from? In 1962, Sam Panopoulos made the first Hawaiian pizza in Ontario, Canada. His Hawaiian pizza had ham, cheese, and pineapple. People say he was first to put pineapple on a pizza. Panopoulos and his brothers tasted the pizza. The pizza was sweet and salty at the same time! The pineapple was very juicy. Why did he call it Hawaiian pizza? The secret is on a can of pineapple slices. The brand name on the can was Hawaii, so he named it Hawaiian pizza. Today, people call pizza with pineapple Hawaiian. Usually, the pineapple is from a can. Some people love it, but some people don't. Actually, some people hate it. A famous cook called Gordon Ramsay is one of them. He said pineapple should never be on a pizza.

하와이안 피자

가장 유명한 하와이 발명품은 무엇인가? 어떤 사람들은 그것이 하와이안 피자라고 말할지도 모른다. 하지만, 하와이안 피자는 하와이에서 온 것이 아니다. 하와이안 피자의 발명자는 하와이 사람이 아니었다. 그는 이탈리아인도 아니었다. 그렇다면 그것은 어디에서 온 것일까? 1962년, Sam Panopoulos는 캐나다 온타리오에서 최초의 하와이안 피자를 만들었다. 그의 하와이안 피자에는 햄, 치즈, 그리고 파인애플이 있었다. 사람들은 그가 가장 처음으로 피자 위에 파인애플을 올렸다고 말한다. Panopoulos와 그의 형제들은 그 피자를 맛보았다. 피자는 달콤하면서 동시에 짭짤했다! 파인애플은 즙이 몹시 많았다. 왜 그는 그것을 하와이안 피자라고 불렀을까? 그 비밀은 파인애플 조각 캔 위에 있다. 캔 위의 브랜드 이름이 하와이였고, 그래서 그는 그것을 하와이안 피자라고 이름 지었다. 오늘날, 사람들은 파인애플이 있는 피자를 하와이안 피자라고 부른다. 보통, 파인애플은 캔에서 나온 것이다. 어떤 사람들은 그것을 좋아하지만, 어떤 사람들은 그렇지 않다. 사실, 어떤 사람들은 그것을 싫어한다. Gordon Ramsay라는 유명한 요리사가 그들 중 하나이다. 그는 파인애플이 피자 위에 있어서는 절대로 안 된다고 말했다.

어휘 favorite 특히 좋아하는 | kind 종류, 유형 | invent 발명하다 | automobile 자동차 | topping 토핑 | mushroom 버섯 | taste 맛보다; 맛 | mix 섞다 | order 주문하다 | deliver 배달하다 | insect 곤충 | famous 유명한 | invention 발명품 | inventor 발명자, 창안자 | either ~도 (그렇다) | come from ~에서 오다 | pineapple 파인애플 | put 올리다, 놓다 | salty 짭짤한 | at the same time 동시에 | juicy 즙이 많은 | secret 비밀 | slice 조각 | brand 브랜드, 상표 | name 이름을 지어주다, 명명하다 | usually 보통 | actually 사실 | adult 성인 | event 행사 | place 장소 | hate 싫어하다 | cook 요리사; 요리하다 | touch 만지다

1. Benz invented the world's <u>first</u> automobile.

   (A) a
   (B) an
   (C) one
   (D) first

해석 Benz는 세계 <u>최초의</u> 자동차를 발명했다.

   (A) 하나의
   (B) 하나의
   (C) 하나의
   (D) 첫 번째의

풀이 빈칸에는 정관사 'the'와도 어울리면서 뒤의 단수 명사 'automobile'을 꾸밀 수 있는 수식어가 와야 한다. 그런 수식어에는 'first, second, third, …' 등과 같이 순서를 나타내는 서수가 있으므로 (D)가 정답이다.

관련 문장 In 1962, Sam Panopoulos made the first Hawaiian pizza in Ontario, Canada.

2. My favorite pizza toppings are ham, tomatoes, <u>and</u> mushrooms.

   (A) so
   (B) and
   (C) and is
   (D) they are

해석 내가 가장 좋아하는 피자 토핑은 햄, 토마토, <u>그리고</u> 버섯이다.

   (A) 그래서
   (B) 그리고
   (C) 그리고 ~이다
   (D) 그것들은 ~이다

풀이 'A와 B와 C'와 같이 무언가를 나열할 때 접속사 'and'를 써서 'A, B, and C'라고 표현하므로 (B)가 정답이다.

새겨 두기 여기서 단어를 나열할 때 사용하는 접속사 'and'는 마지막 단어 앞에 위치한다는 점에 주목한다.

관련 문장 His Hawaiian pizza had ham, cheese, and pineapple.

3. The cook is <u>tasting</u> the soup.

   (A) tasting
   (B) mixing
   (C) ordering
   (D) delivering

해석 요리사는 수프를 <u>맛보고</u> 있다.

   (A) 맛보는
   (B) 섞는
   (C) 주문하는
   (D) 배달하는

풀이 요리사가 음식을 맛보고 있는 모습이므로 (A)가 정답이다.

관련 문장 Panopoulos and his brothers tasted the pizza.

4. Ken made a new <u>invention</u>. It can fly.

   (A) bird
   (B) ball
   (C) insect
   (D) invention

해석 Ken은 새 <u>발명품</u>을 만들었다. 그것은 날 수 있다.

   (A) 새
   (B) 공
   (C) 곤충
   (D) 발명품

풀이 새로운 발명품을 타고 하늘을 날고 있는 소년의 모습이므로 (D)가 정답이다.

관련 문장 What is the most famous Hawaiian invention?

[5-6]

Make Hawaiian pizza with your dad!

This is a cooking class for two people - one adult and one child.

- Place: Manuel's Pizza Shop
- Time / Date: 3 PM October 3rd
- Fee: $10 for two people

Only 30 people can make pizza at this event! Join now!

해석

아빠와 함께 하와이안 피자를 만드세요!

두 사람을 위한 요리 수업입니다 - 성인 한 명과 아이 한 명

- 장소: Manuel의 피자 가게
- 시간 / 날짜: 10월 3일 오후 3시
- 수강료: 두 사람당 10달러

이 행사에서 30명만 피자를 만들 수 있습니다!
지금 참여하세요!

5. Kareem wants to make pizza with his dad, with Luna, and with Luna's dad. How much will it cost in total?

   (A) 5 dollars
   (B) 10 dollars
   (C) 15 dollars
   (D) 20 dollars

해석 Kareem은 그의 아빠, Luna, 그리고 Luna의 아빠와 함께 피자를 만들고 싶다. 총 비용은 얼마인가?

   (A) 5달러
   (B) 10달러
   (C) 15달러
   (D) 20달러

풀이 아빠와 아이 두 사람이 함께하는 요리 수업이며, 'Fee: $10 for two people'에서 두 사람당 10달러라고 수강료가 나와 있다. 따라서 총 수강료는 Kareem과 Kareem 아빠의 수강료 10달러와 Luna와 Luna 아빠의 수강료 10달러를 합친 20달러이므로 (D)가 정답이다.

6. When is this event?

    (A) at 10 AM
    (B) at 2 PM
    (C) in October
    (D) on November 3rd

해석 이 행사는 언제하는가?

    (A) 오전 10시에
    (B) 오후 2시에
    (C) 10월에
    (D) 11월 3일에

풀이 'Time / Date: 3 PM October 3rd'에서 10월 3일 오후 3시에 행사를 한다고 나와 있으므로 (C)가 정답이다.

[7-10]

What is the most famous Hawaiian invention? Some people might say it is Hawaiian pizza. However, Hawaiian pizza is not from Hawaii. The inventor of Hawaiian pizza was not Hawaiian. He was not Italian, either. So where did it come from? In 1962, Sam Panopoulos made the first Hawaiian pizza in Ontario, Canada. His Hawaiian pizza had ham, cheese, and pineapple. People say he was first to put pineapple on a pizza. Panopoulos and his brothers tasted the pizza. The pizza was sweet and salty at the same time! The pineapple was very juicy. Why did he call it Hawaiian pizza? The secret is on a can of pineapple slices. The brand name on the can was Hawaii, so he named it Hawaiian pizza. Today, people call pizza with pineapple Hawaiian. Usually, the pineapple is from a can. Some people love it, but some people don't. Actually, some people <u>hate</u> it. A famous cook called Gordon Ramsay is one of them. He said pineapple should never be on a pizza.

해석

가장 유명한 하와이 발명품은 무엇인가? 어떤 사람들은 그것이 하와이안 피자라고 말할지도 모른다. 하지만, 하와이안 피자는 하와이에서 온 것이 아니다. 하와이안 피자의 발명자는 하와이 사람이 아니었다. 그는 이탈리아인도 아니었다. 그렇다면 그것은 어디에서 온 것일까? 1962년, Sam Panopoulos 는 캐나다 온타리오에서 최초의 하와이안 피자를 만들었다. 그의 하와이안 피자에는 햄, 치즈, 그리고 파인애플이 있었다. 사람들은 그가 가장 처음으로 피자 위에 파인애플을 올렸다고 말한다. Panopoulos와 그의 형제들은 그 피자를 맛보았다. 피자는 달콤하면서 동시에 짭짤했다! 파인애플은 즙이 몹시 많았다. 왜 그는 그것을 하와이안 피자라고 불렀을까? 그 비밀은 파인애플 조각 캔 위에 있다. 캔 위의 브랜드 이름이 하와이였고, 그래서 그는 그것을 하와이안 피자라고 이름 지었다. 오늘날, 사람들은 파인애플이 있는 피자를 하와이안 피자라고 부른다. 보통, 파인애플은 캔에서 나온 것이다. 어떤 사람들은 그것을 좋아하지만, 어떤 사람들은 그렇지 않다. 사실, 어떤 사람들은 그것을 <u>싫어한다</u>. Gordon Ramsay라는 유명한 요리사가 그들 중 하나이다. 그는 파인애플이 피자 위에 있어서는 절대로 안 된다고 말했다.

7. What is the main idea of the passage?

    (A) Italy is the best place for pizza.
    (B) Gordon Ramsay loves pineapples.
    (C) Hawaiian pizza is not from Hawaii.
    (D) Panopoulos makes the best pizza.

해석 지문의 요지는 무엇인가?

    (A) 이탈리아는 피자에 가장 좋은 곳이다.
    (B) Gordon Ramsay는 파인애플을 매우 좋아한다.
    (C) 하와이안 피자는 하와이에서 오지 않았다.
    (D) Panopoulos는 최고의 피자를 만든다.

유형 전체 내용 파악

풀이 도입부에서 하와이안 피자는 하와이에서 오지 않았다는 사실을 소개하며, 하와이안 피자의 발명자, 발명 장소, 명칭의 유래 등을 차례대로 서술하고 있는 글이다. 따라서 (C)가 정답이다.

8. According to the passage, where did Panopoulos make the first Hawaiian pizza?

    (A) in Italy
    (B) in Korea
    (C) in Hawaii
    (D) in Canada

해석 지문에 따르면, Panopoulos가 최초의 하와이안 피자를 만든 곳은 어디인가?

    (A) 이탈리아에서
    (B) 한국에서
    (C) 하와이에서
    (D) 캐나다에서

유형 세부 내용 파악

풀이 'In 1962, Sam Panopoulos made the first Hawaiian pizza in Ontario, Canada.'에서 Panopoulos가 캐나다에서 최초의 하와이안 피자를 만들었다는 것을 알 수 있으므로 (D)가 정답이다.

9. According to the passage, why did Panopoulos name the pizza "Hawaiian"?

    (A) He came from Hawaii.
    (B) The pizza looked like Hawaii.
    (C) Hawaii was his favorite place.
    (D) It was the name on a can of pineapple.

해석 지문에 따르면, Panopoulos가 피자를 "하와이안"이라고 명명한 이유는 무엇인가?

    (A) 그는 하와이에서 왔다.
    (B) 피자가 하와이처럼 보였다.
    (C) Hawaii는 그가 특히 좋아하는 곳이었다.
    (D) 파인애플 캔에 있는 이름이었다.

유형 세부 내용 파악

풀이 'The brand name on the can was Hawaii, so he named it Hawaiian pizza.'에서 피자를 만드는 데 쓴 파인애플 캔의 상표 이름이 'Hawaii'여서 피자의 이름을 'Hawaiian pizza'라고 지었음을 알 수 있으므로 (D)가 정답이다.

10. Which word is best for the blank?

    (A) eat
    (B) like
    (C) hate
    (D) touch

해석 빈칸에 들어갈 가장 알맞은 단어는 무엇인가?

    (A) 먹다
    (B) 좋아하다
    (C) 싫어하다
    (D) 만지다

유형 세부 내용 파악

풀이 바로 뒷 문장에서 파인애플이 피자에 있어서는 절대 안 된다고
주장하는 요리사 Gordon Ramsay를 예시로 언급하고 있다.
이는 어떤 사람들이 파인애플이 있는 피자를 싫어한다는 내용과
자연스럽게 이어지므로 (C)가 정답이다.

🎧 **Listening Practice**   ▶ B2-5   p.50

What is the most famous Hawaiian <u>invention</u>? Some
people might say it is <u>Hawaiian</u> pizza. However,
Hawaiian pizza is not from Hawaii. The <u>inventor</u> of
Hawaiian pizza was not Hawaiian. He was not Italian,
either. So where did it come from? In 1962, Sam
Panopoulos made the first Hawaiian pizza in Ontario,
Canada. His Hawaiian pizza had ham, cheese, and
pineapple. People say he was first to put pineapple on
a pizza. Panopoulos and his brothers <u>tasted</u> the pizza.
The pizza was sweet and salty at the same time! The
pineapple was very juicy. Why did he call it Hawaiian
pizza? The secret is on a can of pineapple <u>slices</u>. The
brand name on the can was Hawaii, so he named it
Hawaiian pizza. Today, people call pizza with pineapple
Hawaiian. Usually, the pineapple is from a <u>can</u>. Some
people love it, but some people don't. Actually, some
people hate it. A famous cook called Gordon Ramsay is
one of them. He said pineapple should never be on a
pizza.

1. invention
2. Hawaiian
3. inventor
4. tasted
5. slices
6. can

✏️ **Writing Practice**   p.51

1. invention
2. Hawaiian
3. inventor
4. taste
5. can
6. slice

📄 **Summary**

The <u>inventor</u> of Hawaiian pizza was a Canadian. He
thought <u>pineapple</u> on pizza was delicious. It had a <u>sweet</u>
and salty taste. But some people do not <u>like</u> Hawaiian
pizza.

하와이안 피자의 <u>발명자</u>는 캐나다인이었다. 그는 피자 위의
<u>파인애플</u>이 맛있다고 생각했다. 그것은 <u>달콤</u>하면서 짭짤했다. 하지만
어떤 사람들은 하와이안 피자를 <u>좋아하지</u> 않는다.

🧩 **Word Puzzle**   p.52

Across	Down
2. slice	1. taste
3. inventor	3. invention
4. can	
5. Hawaiian	

💡 Pre-reading Questions   p.53

How many meals do you eat each day?

Do you have snacks between meals?

매일 식사를 몇 끼 먹나요?

식사 사이에 간식을 먹나요?

📖 Reading Passage   p.54

Fourth Meal

Many people eat three meals a day: breakfast, lunch, and dinner. But in some countries, people eat more meals. Some people in Poland have a second breakfast. And many people in England have an afternoon snack. These meals are called a "fourth meal." Many people now enjoy fourth meals. But these meals are not always healthy. That's why some countries are worried about people's health. Richard Mattes is a professor at Purdue University. He studies people's meals. Mattes says one fourth meal is usually about 580 calories. But it should only be about 200 calories. Yogurt, fruit, almonds, vegetables, and milk are good choices. However, most people do not eat these healthy foods. They like to eat fast food as a fourth meal. They eat burgers, pizza, tacos, and fried chicken. It is easy to buy fast food. Many fast food restaurants are open 24 hours every day. Also, these foods are often delicious. However, a healthy fourth meal is a better idea.

네 번째 식사

많은 사람이 하루에 세 끼를 먹는다: 아침, 점심, 그리고 저녁으로. 그런데 어떤 나라들에서는, 사람들이 더 많은 식사를 한다. 폴란드의 일부 사람들은 두 번째 아침을 먹는다. 그리고 영국의 많은 사람은 오후에 간식을 먹는다. 이런 식사들은 "네 번째 식사"라고 불린다. 많은 사람이 이제 네 번째 식사를 즐긴다. 하지만 이런 식사들이 항상 건강에 좋지는 않다. 그것이 바로 몇몇 나라들이 사람들의 건강에 관해 걱정하는 이유이다. Richard Mattes는 Purdue 대학교의 교수이다. 그는 사람들의 식사를 연구한다. Mattes는 네 번째 식사가 보통 약 580칼로리 정도라고 말한다. 하지만 그것은 약 200칼로리 정도가 돼야 한다. 요거트, 과일, 아몬드, 채소, 그리고 우유가 좋은 선택지들이다. 하지만, 대부분 사람들은 이 건강식들을 먹지 않는다. 그들은 네 번째 식사로 패스트푸드 먹는 것을 좋아한다. 그들은 버거, 피자, 타코, 그리고 프라이드치킨을 먹는다. 패스트푸드는 구매하기 쉽다. 많은 패스트푸드 식당은 매일 24시간 열려 있다. 또한, 이런 음식들은 보통 맛있다. 하지만, 건강에 좋은 네 번째 식사가 더 좋은 생각이다.

어휘 meal 식사 | snack 간식 | between ~ 사이에 | calorie 칼로리, 열량 | mouse 쥐 | fast food 패스트푸드 | vegetable 채소 | prize 상 | country 나라 | more 많은 | afternoon 오후 | about ~에 관해 | professor 교수 | university 대학교 | study 연구하다, 공부하다; 연구 | yogurt 요거트 | almond 아몬드 | taco 타코 | choice 선택지, 선택 가능한 범위 | healthy 건강한; 건강에 좋은 | easy 쉬운 | win 얻다, 따다; 이기다 | prize 상 | right 바로; 옳은 | behind ~ 뒤에 | in front of ~ 앞에 | under ~ 아래 | next to ~ 옆에 | glad 기쁜 | first 첫 (번)째의; 1등의 | second 두 (번)째의; 2등의 | third 세 (번)째의; 3등의 | fourth 네 (번)째의; 4등의

1. <u>How</u> many calories are we eating with this meal?

   (A) Who
   (B) How
   (C) What
   (D) Where

해석 이 식사로 우리는 <u>얼마나</u> 많은 칼로리를 섭취하고 있는가?

   (A) 누가
   (B) 어떻게
   (C) 무엇
   (D) 어디

풀이 '_____ many calories'는 뒤에 나오는 절 'are we eating with this meal'의 목적어 역할을 하는 의문사구이다. 의문사 'how'는 'many'와 함께 '얼마나 많은'이라는 의미로 수량을 나타낼 때 쓰이므로 (B)가 정답이다.

관련 문장 Mattes says one fourth meal is usually about 580 calories. But it should only be about 200 calories.

2. A mouse <u>is usually</u> small.

   (A) usually
   (B) is usually
   (C) usually be
   (D) are usually

해석 쥐는 <u>보통</u> 작다.

   (A) 보통
   (B) 보통 ~이다
   (C) 보통 + be 동사 원형
   (D) 보통 ~이다

풀이 '보통, 대개'를 뜻하는 'usually'는 빈도부사로서, 보통 문장에서 'be 동사 + 빈도부사'와 같이 be 동사 뒤에 위치한다. 따라서 3인칭 단수 주어 'A mouse'와 어울리는 be 동사 'is'를 사용하고 'usually'의 위치도 적절한 (B)가 정답이다.

관련 문장 Mattes says one fourth meal is usually about 580 calories.

3. Wilbur likes to eat <u>fast food</u>.

   (A) fast food
   (B) vegetables
   (C) healthy food
   (D) tomato salads

해석 Wilbur는 <u>패스트푸드</u> 먹는 것을 좋아한다.

   (A) 패스트푸드
   (B) 채소
   (C) 건강식
   (D) 토마토 샐러드

풀이 치킨, 핫도그, 햄버거 등 간단한 조리과정을 거쳐 제공되는 음식인 패스트푸드를 먹고있는 모습이므로 (A)가 정답이다.

관련 문장 They like to eat fast food as a fourth meal.

4. Lily won the <u>third</u> prize.

   (A) first
   (B) second
   (C) third
   (D) fourth

해석 Lily는 <u>3등</u> 상을 탔다.

   (A) 1등(의)
   (B) 2등(의)
   (C) 3등(의)
   (D) 4등(의)

풀이 3등 자리에 서있으므로 (C)가 정답이다.

관련 문장 These meals are called a "fourth meal."

[5-6]

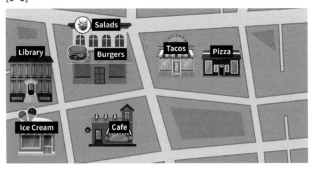

해석

		샐러드		
도서관	버거	타코	피자
아이스크림	카페		

5. Where is the pizza place?

   (A) right behind the cafe
   (B) in front of the library
   (C) under the ice cream shop
   (D) next to the taco restaurant

해석 피자 가게는 어디 있는가?

   (A) 카페 바로 뒤에
   (B) 도서관 앞에
   (C) 아이스크림 가게 밑에
   (D) 타코 식당 옆에

풀이 피자 가게('Pizza')는 타코 식당('Tacos') 옆에 있으므로 (D)가 정답이다.

6. Which two shops are in the same building?

    (A) the cafe and the pizza place
    (B) the cafe and the ice cream shop
    (C) the salad cafe and the burger shop
    (D) the pizza place and the taco restaurant

해석 어떤 가게 두 개가 같은 건물에 있는가?

    (A) 카페와 피자 가게
    (B) 카페와 아이스크림 가게
    (C) 샐러드 카페와 버거 가게
    (D) 피자 가게와 타코 식당

풀이 'Salads'와 'Burgers' 가게가 같은 건물에 있으므로 (C)가 정답이다.

[7-10]

Many people eat three meals a day: breakfast, lunch, and dinner. But in some countries, people eat more meals. Some people in Poland have a second breakfast. And many people in England have an afternoon snack. These meals are called a "fourth meal." Many people now enjoy fourth meals. But these meals are not always healthy. That's why some countries are <u>worried</u> about people's health. Richard Mattes is a professor at Purdue University. He studies people's meals. Mattes says one fourth meal is usually about 580 calories. But it should only be about 200 calories. Yogurt, fruit, almonds, vegetables, and milk are good choices. However, most people do not eat these healthy foods. They like to eat fast food as a fourth meal. They eat burgers, pizza, tacos, and fried chicken. It is easy to buy fast food. Many fast food restaurants are open 24 hours every day. Also, these foods are often delicious. However, a healthy fourth meal is a better idea.

해석

많은 사람이 하루에 세 끼를 먹는다: 아침, 점심, 그리고 저녁으로. 그런데 어떤 나라들에서는, 사람들이 더 많은 식사를 한다. 폴란드의 일부 사람들은 두 번째 아침을 먹는다. 그리고 영국의 많은 사람은 오후에 간식을 먹는다. 이런 식사들은 "네 번째 식사"라고 불린다. 많은 사람이 이제 네 번째 식사를 즐긴다. 하지만 이런 식사들이 항상 건강에 좋지는 않다. 그것이 바로 몇몇 나라들이 사람들의 건강에 관해 <u>걱정하는</u> 이유이다. Richard Mattes는 Purdue 대학교의 교수이다. 그는 사람들의 식사를 연구한다. Mattes는 네 번째 식사가 보통 약 580칼로리 정도라고 말한다. 하지만 그것은 약 200칼로리 정도가 돼야 한다. 요거트, 과일, 아몬드, 채소, 그리고 우유가 좋은 선택지들이다. 하지만, 대부분 사람들은 이 건강식들을 먹지 않는다. 그들은 네 번째 식사로 패스트푸드 먹는 것을 좋아한다. 그들은 버거, 피자, 타코, 그리고 프라이드치킨을 먹는다. 패스트푸드는 구매하기 쉽다. 많은 패스트푸드 식당은 매일 24시간 열려 있다. 또한, 이런 음식들은 보통 맛있다. 하지만, 건강에 좋은 네 번째 식사가 더 좋은 생각이다.

7. Why did the author write this passage?

    (A) to ask about online food
    (B) to tell people about a fourth meal
    (C) to ask when people eat breakfast
    (D) to explain about the calories in fast food

해석 저자가 이 지문을 쓴 이유는 무엇인가?

    (A) 온라인 음식에 관해 물어보려고
    (B) 사람들에게 네 번째 식사에 관해 말하려고
    (C) 사람들이 언제 아침을 먹는지 물어보려고
    (D) 패스트푸드 음식의 열량에 관해 말하려고

유형 전체 내용 파악

풀이 'fourth meal'이란 중심 소재를 언급한 뒤, 네 번째 식사로서 건강에 좋은 식사와 건강에 좋지 않은 식사를 대비하여 서술하고 있다. 따라서 해당 지문은 'fourth meal'에 관해 설명하는 글이므로 (B)가 정답이다.

8. According to the passage, what is NOT a healthy fourth meal?

    (A) fruit
    (B) yogurt
    (C) burgers
    (D) vegetables

해석 지문에 따르면, 건강에 좋은 네 번째 식사가 아닌 것은 무엇인가?

    (A) 과일
    (B) 요거트
    (C) 버거
    (D) 채소

유형 세부 내용 파악

풀이 'Yogurt, fruit, almonds, vegetables, and milk are good choices.'에서 언급한 건강에 좋은 음식에 해당하지 않으므로 (C)가 정답이다.

9. According to the passage, when is most likely the fourth meal in England?

    (A) at 11 AM
    (B) at noon
    (C) at 4 PM
    (D) at midnight

해석 지문에 따르면, 영국에서 네 번째 식사 시간으로 가장 적절한 때는 언제인가?

    (A) 오전 11시에
    (B) 정오에
    (C) 오후 4시에
    (D) 자정에

유형 추론하기

풀이 'And many people in England have an afternoon snack. These meals are called a "fourth meal."'을 통해 영국에서 네 번째 식사를 하는 시각은 오후라는 사실을 알 수 있으므로 오후에 해당하는 (C)가 정답이다.

10. Which word is best for the blank?

(A) glad

(B) tired

(C) happy

(D) worried

해석 다음 중 빈칸에 들어갈 가장 알맞은 단어는 무엇인가?

(A) 기쁜

(B) 피곤한

(C) 행복한

(D) 걱정하는

유형 추론하기

풀이 'But these meals are not always healthy. That's why some countries are _____ about people's health.'의 첫 문장에서 네 번째 식사가 건강에 좋지 않다고 언급하고 있다. 그 다음 건강에 좋지 않은 식사 때문에 국가에서 건강에 관해 걱정한다는 내용이 들어가야 문맥상 자연스러우므로 (D)가 정답이다.

🎧 **Listening Practice** ▶ B2-6 p.58

Many people eat three <u>meals</u> a day: breakfast, lunch, and dinner. But in some countries, people eat more meals. Some people in Poland have a second breakfast. And many people in England have an afternoon <u>snack</u>. These meals are called a "fourth meal." Many people now enjoy fourth meals. But these meals are not always <u>healthy</u>. That's why some countries are worried about people's health. Richard Mattes is a professor at Purdue University. He studies people's meals. Mattes says one fourth meal is usually about 580 <u>calories</u>. But it should only be about 200 calories. Yogurt, fruit, almonds, vegetables, and milk are good choices. However, most people do not eat these healthy foods. They like to eat <u>fast food</u> as a fourth meal. They eat burgers, pizza, <u>tacos</u>, and fried chicken. It is easy to buy fast food. Many fast food restaurants are open 24 hours every day. Also, these foods are often delicious. However, a healthy fourth meal is a better idea.

1. meals

2. snack

3. healthy

4. calories

5. fast food

6. tacos

 **Writing Practice** p.59

1. meal

2. calorie

3. snack

4. taco

5. fast food

6. healthy

📄 **Summary**

In some countries, people eat a "fourth <u>meal</u>". However, a fourth meal is <u>not</u> always healthy. Many people eat fast <u>food</u>. Instead, they should choose to eat a <u>healthy</u> fourth meal.

몇몇 나라에서는, 사람들이 "네 번째 <u>식사</u>"를 한다. 하지만, 네 번째 식사가 항상 몸에 좋은 것은 <u>아니다</u>. 많은 사람이 패스트<u>푸드</u>를 먹는다. 대신에, 그들은 <u>건강에 좋은</u> 네 번째 식사를 하도록 선택해야 한다.

🧩 **Word Puzzle** p.60

Across	Down
4. snack	1. fast food
5. meal	2. healthy
6. taco	3. calorie

Pre-reading Questions   p.61

Is there a famous vegetable or fruit from your town?
What is it?

당신의 동네에서 나오는 유명한 채소나 과일이 있나요?
무엇인가요?

Reading Passage   p.62

Jamie and Local Food

Jamie went to a supermarket with his mom. He picked up an onion. A sign near the onion said, "Local Food." It also had a picture of a farmer on it. The farmer's name was Dario Bonifaz. Jamie asked Tommy about local food. Tommy is a worker at the supermarket. Tommy said, "Local food is healthy and fresh. That's because local food comes from a nearby place. It is very delicious because it doesn't travel a long time on a truck. Plus, you know who grows it!" Tommy also said, "Jamie, you can grow local food at home." Jamie was excited! He came home and asked his mom about local food. He wanted to grow plants for food in his house. Jamie's mom gave him a box with dirt. He put tomato seeds in it. Then, he watered his tomato seeds. After that, he put a light over them. His tomato plants started growing. At that point, he put them under sunlight. Eighty days later, he had delicious red tomatoes! He ate them with his family.

Jamie와 현지 음식

Jamie는 엄마와 함께 슈퍼마켓에 갔다. 그는 양파 하나를 집어 들었다. 양파 근처에 있는 표시에는, "현지 음식"이라고 쓰여 있었다. 그 위에는 또한 한 농부의 사진이 있었다. 그 농부의 이름은 Dario Bonifaz였다. Jamie는 Tommy에게 현지 음식에 관해 물었다. Tommy는 슈퍼마켓 직원이다. Tommy가 말했다, "현지 음식은 건강에 좋고 신선해요. 현지 음식은 가까운 장소에서 오기 때문이에요. 그것은 트럭에서 오랜 시간 이동하지 않기 때문에 매우 맛있어요. 게다가, 누가 그것들을 길렀는지 알잖아요!" Tommy는 또 말했다, "Jamie, 집에서 현지 음식을 기를 수 있어요." Jamie는 신이 났다! 그는 집으로 와서 현지 음식에 관해 엄마에게 물었다. 그는 집에서 식용 식물을 기르고 싶어 했다. Jamie의 엄마는 흙이 든 상자 하나를 그에게 주었다. 그는 그 안에 토마토 씨앗을 넣었다. 그다음, 그는 토마토 씨앗에 물을 주었다. 그 후, 그는 그것들 위에 빛을 쬈다. 그의 토마토 식물이 자라기 시작했다. 그때, 그는 그것들을 햇빛 아래에 놓았다. 80일 후에, 그에게 맛있는 빨간 토마토들이 생겼다! 그는 가족과 함께 그것들을 먹었다.

어휘 famous 유명한 | vegetable 채소 | dirt 흙 | grass 잔디, 풀 | plant 심다 | water 물 주다 | pick 따다 | strawberry 딸기 | tightly 꽉, 단단히 | fill A with B A를 B로 가득 채우다 | behind ~ 뒤에 | onion 양파 | sign 표시, 신호 | local 현지의 | picture 사진 | farmer 농부 | come from ~에서 오다 | travel 이동하다; 여행하다 | plus 더욱이 | grow 기르다 | seed 씨앗 | light 빛 | over ~ 위에 | point 시점; 단계 | sunlight 햇빛 | diary 일지, 일기 | step 단계 | learn 배우다 | seller 판매자 | dig (땅을) 파다 | hole 구멍 | dirty 더러운 | messy 지저분한 | nearby 가까운 | faraway 멀리 떨어진, 먼

1. <u>Who</u> made this sandwich?

   (A) How
   (B) Who
   (C) Why
   (D) Where

해석 <u>누가</u> 이 샌드위치를 만들었니?

   (A) 어떻게
   (B) 누가
   (C) 왜
   (D) 어디

풀이 불완전한 절 'made this sandwich'의 주어 역할을 하는 의문사가 필요하다. 'who'나 'what'이 그런 역할을 할 수 있는데, 문맥상 '누가' 만들었는지를 묻는 것이 자연스러우므로 (B)가 정답이다.

관련 문장 Plus, you know who grows it!

2. Jamie's mom gave <u>him</u> a box with dirt.

   (A) he
   (B) his
   (C) him
   (D) he's

해석 Jamie의 엄마는 <u>그에게</u> 흙이 든 상자를 주었다.

   (A) 그는
   (B) 그의
   (C) 그에게
   (D) 그는 ~이다

풀이 'give A B'라는 4형식 문장 구조를 사용하여 'A에게 B를 주다'라는 뜻을 나타낼 수 있다. 빈칸에는 동사 'give'의 간접 목적어가 들어가야 하므로 목적격 형태인 (C)가 정답이다.

관련 문장 Jamie's mom gave him a box with dirt.

3. Asma is <u>watering</u> flowers.

   (A) cutting
   (B) picking
   (C) planting
   (D) watering

해석 Asma는 꽃에 <u>물을 주고 있다</u>.

   (A) 깎는
   (B) 따는
   (C) 심는
   (D) 물 주는

풀이 꽃에 물을 주고 있는 아이의 모습이므로 (D)가 정답이다.

관련 문장 Then, he watered his tomato seeds.

4. The box is <u>filled with toys</u>.

   (A) closed tightly
   (B) filled with toys
   (C) under the guitar
   (D) behind the teddy bear

해석 상자는 <u>장난감들로 가득하다</u>.

   (A) 단단히 봉해진
   (B) 장난감들로 가득한
   (C) 기타 아래에
   (D) 테디베어 뒤에

풀이 상자 안에 장난감들이 가득 차 있으므로 (B)가 정답이다.

관련 문장 Jamie's mom gave him a box with dirt.

[5-6]

해석

Jamie의 토마토 일지

5. What is the first step?

   (A) picking fruit
   (B) planting seeds
   (C) watering the plants
   (D) putting light on the plants

해석 첫 번째 단계는 무엇인가?

   (A) 과일 따기
   (B) 씨앗 심기
   (C) 식물에 물 주기
   (D) 식물에 빛 쬐기

풀이 첫 번째 단계가 씨앗을 심는 것이므로 (B)가 정답이다.

6. What does Jamie do right after he first puts the plants in open sunlight?

(A) eats the tomatoes
(B) plants more seeds
(C) picks the tomatoes
(D) waters the plants again

해석 식물을 탁 트인 햇빛에 처음 놓은 직후에 Jamie는 무엇을 하는가?

(A) 토마토 먹기
(B) 씨앗 더 심기
(C) 토마토 따기
(D) 식물에 물 다시 주기

풀이 탁 트인 햇빛에 처음 식물을 놓는 것은 세 번째 단계에 해당하고, 그다음 네 번째 단계에서 식물에 물을 다시 주고 있으므로 (D)가 정답이다.

[7-10]

Jamie went to a supermarket with his mom. He picked up an onion. A sign near the onion said, "Local Food." It also had a picture of a farmer on it. The farmer's name was Dario Bonifaz. Jamie asked Tommy about local food. Tommy is a worker at the supermarket. Tommy said, "Local food is healthy and fresh. That's because local food comes from a <u>nearby</u> place. It is very delicious because it doesn't travel a long time on a truck. Plus, you know who grows it!" Tommy also said, "Jamie, you can grow local food at home." Jamie was excited! He came home and asked his mom about local food. He wanted to grow plants for food in his house. Jamie's mom gave him a box with dirt. He put tomato seeds in it. Then, he watered his tomato seeds. After that, he put a light over them. His tomato plants started growing. At that point, he put them under sunlight. Eighty days later, he had delicious red tomatoes! He ate them with his family.

해석

Jamie는 엄마와 함께 슈퍼마켓에 갔다. 그는 양파 하나를 집어 들었다. 양파 근처에 있는 표시에는, "현지 음식"이라고 쓰여 있었다. 그 위에는 또한 한 농부의 사진이 있었다. 그 농부의 이름은 Dario Bonifaz였다. Jamie는 Tommy에게 현지 음식에 관해 물었다. Tommy는 슈퍼마켓 직원이다. Tommy가 말했다, "현지 음식은 건강에 좋고 신선해요. 현지 음식은 <u>가까운</u> 장소에서 오기 때문이에요. 그것은 트럭에서 오랜 시간 이동하지 않기 때문에 매우 맛있어요. 게다가, 누가 그것들을 길렀는지 알잖아요!" Tommy는 또 말했다, "Jamie, 집에서 현지 음식을 기를 수 있어요." Jamie는 신이 났다! 그는 집으로 와서 현지 음식에 관해 엄마에게 물었다. 그는 집에서 식용 식물을 기르고 싶어 했다. Jamie의 엄마는 흙이 든 상자 하나를 그에게 주었다. 그는 그 안에 토마토 씨앗을 넣었다. 그다음, 그는 토마토 씨앗에 물을 주었다. 그 후, 그는 그것들 위에 빛을 쬈다. 그의 토마토 식물이 자라기 시작했다. 그때, 그는 그것들을 햇빛 아래에 놓았다. 80일 후에, 그에게 맛있는 빨간 토마토들이 생겼다! 그는 가족과 함께 그것들을 먹었다.

7. What is the main idea of the passage?

(A) Jamie watered his onions.
(B) Dario has the best tomatoes.
(C) Tomatoes grew after 80 days.
(D) Jamie learned about local food.

해석 지문의 요지는 무엇인가?

(A) Jamie가 그의 양파에 물을 줬다.
(B) Dario에게는 최고의 토마토가 있다.
(C) 토마토는 80일 후에 자랐다.
(D) Jamie는 현지 음식에 관해 배웠다.

유형 전체 내용 파악

풀이 Jamie가 슈퍼마켓에 가서 현지 음식에 관해 배우고, 집에 돌아와 직접 토마토를 키워서 먹는다는 내용의 글이다. 따라서 (D)가 정답이다.

8. According to the passage, who is Dario?

(A) a kid shopping
(B) a tomato seller
(C) a farmer of onions
(D) a worker at the supermarket

해석 지문에 따르면, Dario는 누구인가?

(A) 쇼핑하는 아이
(C) 토마토 파는 사람
(C) 양파 농부
(D) 슈퍼마켓 직원

유형 세부 내용 파악 & 추론하기

풀이 'A sign near the onion said, "Local Food." [...] The farmer's name was Dario Bonifaz.'에서 양파 근처에 Dario Bonifaz라는 농부 사진이 걸려있다는 것을 알 수 있다. 이는 Dario가 양파를 재배하는 농부라는 의미이므로 (C)가 정답이다.

9. What did Jamie do first after he watered the seeds?

(A) dig a hole
(B) put a light over them
(C) eat them with his family
(D) put the box under sunlight

해석 씨앗에 물을 준 후 Jamie가 가장 먼저 한 일은 무엇인가?

(A) 구멍 파기
(B) 위에 빛 쬐기
(C) 가족과 함께 먹기
(D) 햇빛 아래에 상자 놓기

유형 세부 내용 파악

풀이 'Then, he watered his tomato seeds. After that, he put a light over them.'에서 Jamie가 씨앗에 물을 준 뒤 바로 씨앗 위에 빛을 쬈다는 것을 알 수 있으므로 (B)가 정답이다. (D)는 그 다음에, (C)는 마지막에 한 일이므로 오답이다.

10. Which word is best for the blank?

    (A) dirty
    (B) messy
    (C) nearby
    (D) faraway

해석 다음 중 빈칸에 들어갈 가장 알맞은 단어는 무엇인가?

    (A) 더러운
    (B) 지저분한
    (C) 가까운
    (D) 멀리 떨어진

유형 추론하기

풀이 'Local food is healthy and fresh. That's because local food comes from a _____ place. It is very delicious because it doesn't travel a long time on a truck'에서 앞뒤 문장에서 현지 음식이 신선하고 트럭에서 이동을 많이 하지 않는다고 설명하고 있다. 이는 현지 음식이 가까운 곳에서 오기 때문이라는 내용과 어울리므로 (C)가 정답이다.

🎧 Listening Practice ▶ B2-7   p.66

Jamie went to a supermarket with his mom. He picked up an onion. A sign near the onion said, "Local Food." It also had a picture of a farmer on it. The farmer's name was Dario Bonifaz. Jamie asked Tommy about local food. Tommy is a worker at the supermarket. Tommy said, "Local food is healthy and fresh. That's because local food comes from a nearby place. It is very delicious because it doesn't travel a long time on a truck. Plus, you know who grows it!" Tommy also said, "Jamie, you can grow local food at home." Jamie was excited! He came home and asked his mom about local food. He wanted to grow plants for food in his house. Jamie's mom gave him a box with dirt. He put tomato seeds in it. Then, he watered his tomato seeds. After that, he put a light over them. His tomato plants started growing. At that point, he put them under sunlight. Eighty days later, he had delicious red tomatoes! He ate them with his family.

1. local
2. fresh
3. truck
4. dirt
5. seeds
6. At that point

✏️ Writing Practice   p.67

1. local
2. fresh
3. dirt
4. truck
5. at that point
6. seed

📄 Summary

Jamie asked Tommy about <u>local</u> food at a supermarket. Tommy <u>said</u> local food was healthy. He said Jamie could <u>grow</u> his own food. Jamie grew some <u>tomatoes</u> at home.

슈퍼마켓에서 Jamie가 Tommy에게 <u>현지</u> 음식에 관해 물었다. Tommy는 현지 음식이 몸에 좋다고 <u>말했다</u>. 그는 Jamie에게 (Jamie)자신의 음식을 직접 <u>기를</u> 수 있다고 말했다. Jamie는 집에서 <u>토마토</u>를 길렀다.

⊞ Word Puzzle   p.68

Across	Down
1. fresh	2. seed
4. dirt	3. at that point
5. truck	
6. local	

Pre-reading Questions   p.69

Do you like avocados? Why or why not?

아보카도를 좋아하나요? 왜 좋아하나요, 아니면 왜 안 좋아하나요?

Reading Passage   p.70

Good Avocados

Avocado is a popular fruit. But how can you choose a good avocado? And how can you eat one? First, remember that some avocados do not taste good. That's because sometimes they are not ripe yet. To be ripe means to be ready to eat. So when are avocados ripe? Remember to check the color and to feel each avocado. Bright green avocados are not ripe yet. They feel very hard, too. If you buy a bright green or hard avocado, don't eat it for 4 to 5 days. The color of a perfect avocado is dark green. It can even be purple. And it feels soft, but not too soft. A very soft avocado is overripe. That means it is past being ripe. It will not taste great anymore. The color of an overripe avocado is brown or yellow. Next, you must cut the avocado. How do you cut an avocado? Cut it in half, and take out the seed in the middle. Then, scoop out the avocado with a spoon. Now you can make a delicious avocado smoothie or salad!

좋은 아보카도

아보카도는 인기 있는 과일이다. 하지만 좋은 아보카도를 어떻게 고르는가? 그리고 어떻게 먹을 수 있는가? 먼저, 어떤 아보카도들은 맛이 좋지 않다는 것을 명심하라. 그것은 가끔 아직 익지 않았기 때문이다. 익는다는 것은 먹을 준비가 되었다는 뜻이다. 그래서 아보카도는 언제 익는가? 각 아보카도의 색깔을 확인하는 것과 (촉감을) 느끼는 것을 명심하라. 밝은 녹색 아보카도는 아직 익지 않은 것이다. 그것들은 매우 단단하기도 하다. 밝은 녹색 혹은 단단한 아보카도를 산다면, 4일에서 5일 동안은 그것을 먹지 말아라. 완벽한 아보카도의 색깔은 짙은 녹색이다. 그것은 심지어 보라색일 수도 있다. 그리고 그것은 부드러운데, 너무 부드럽지는 않다. 아주 부드러운 아보카도는 너무 익은 것이다. 이는 익은 상태가 지났다는 뜻이다. 그것은 더는 맛이 훌륭하지 않을 것이다. 너무 익은 아보카도의 색깔은 갈색 혹은 노란색이다. 다음으로, 아보카도를 잘라야만 한다. 아보카도를 어떻게 자르는가? 절반으로 자르고, 중앙에 있는 씨를 빼라. 그다음, 숟가락으로 아보카도를 퍼내라. 이제 맛있는 아보카도 스무디 또는 샐러드를 만들 수 있다!

어휘   avocado 아보카도 | taste 맛; 맛이 ~하다 | ripe 익은 | hard 단단한 | bucket 양동이 | pull 당기다 | carry 옮기다 | throw 던지다 | scoop out 퍼내다 | slice 얇게 썰다 | overripe 너무[지나치게] 익은 | chop 잘게 썰다 | popular 인기 있는 | choose 고르다 | remember 명심하다; 기억하다 | bright 밝은 | dark 짙은, 어두운 | soft 부드러운 | past 지난 | anymore 더는, 더 이상 | cut 자르다 | in half 절반으로 | middle 중앙 | smoothie 스무디 | order sheet 주문서, 주문전표 | item 물품 | pack (of) (동일한 종류의 상품을 여러 개 넣거나 많은 양을 담아놓은) 묶음[꾸러미] | color 색깔; 색칠하다 | without ~가 없는

1. This tomato <u>doesn't</u> taste good. It is not ripe.

    (A) no
    (B) don't
    (C) doesn't
    (D) don't not

해석 이 토마토는 맛이 좋지 <u>않다</u>. 그것은 익지 않았다.

    (A) ~가 아닌
    (B) ~하지 않다
    (C) ~하지 않다
    (D) 어색한 표현

풀이 일반동사의 부정은 'don't + 동사 원형'의 구조로 나타낸다. 따라서 3인칭 단수 주어 'This tomato'와 어울리는 do 조동사 (C)가 정답이다.

관련 문장 First, remember that some avocados do not taste good.

2. A good apple is hard, <u>but</u> not too hard.

    (A) as
    (B) for
    (C) but
    (D) than

해석 좋은 사과는 단단<u>하지만</u>, 너무 단단하지는 않다.

    (A) ~하는 동안
    (B) ~이니까
    (C) 하지만
    (D) ~보다

풀이 빈칸의 앞뒤를 보면 'hard'와 'not too hard'가 의미상 대립하고 있다. 따라서 대립의 의미를 나타내는 접속사 'but'이 적절하므로 (C)가 정답이다.

관련 문장 And it feels soft, but not too soft.

3. Get a bucket and <u>scoop out</u> some sand.

    (A) pull
    (B) carry
    (C) throw
    (D) scoop out

해석 양동이를 가져와서 모래를 조금 <u>퍼내라</u>.

    (A) 당기다
    (B) 옮기다
    (C) 던지다
    (D) 퍼내다

풀이 삽으로 모래를 퍼내고 있는 아이의 모습이므로 (D)가 정답이다.

관련 문장 Then, scoop out the avocado with a spoon.

4. The banana on the right is <u>overripe</u>.

    (A) green
    (B) sliced
    (C) overripe
    (D) chopped

해석 오른쪽에 있는 바나나는 <u>너무 익었다</u>.

    (A) 덜 익은
    (B) 얇게 썰린
    (C) 너무 익은
    (D) 잘게 썰린

풀이 오른쪽 바나나가 지나치게 익어서 껍질이 검은색으로 변한 상태이므로 (C)가 정답이다.

관련 문장 A very soft avocado is overripe.

[5-6]

Busker Cafe		Order sheet for: October 2020	
#	Items	Price for 1	Number of items
1	a bag of oranges	$2	10
2	a bag of lemons	$1	5
3	a bag of avocados	$2	10
4	a pack of blueberries	$4	5
5	a pack of strawberries	$5	4

해석

Busker 카페		주문 일자: 2020년 10월	
#	물품	개당 가격	수량
1	오렌지 한 봉지	$2	10
2	레몬 한 봉지	$1	5
3	아보카도 한 봉지	$2	10
4	블루베리 한 묶음	$4	5
5	딸기 한 묶음	$5	4

5. How many packs of strawberries does Busker Cafe buy?

    (A) 4
    (B) 5
    (C) 10
    (D) 30

해석 Busker Cafe에서 딸기 묶음을 몇 개 구입하는가?

    (A) 4
    (B) 5
    (C) 10
    (D) 30

풀이 딸기는 5번 항목에 있으며, 'Number of items' 열에서 총 4묶음 주문했다고 나와 있으므로 (A)가 정답이다.

6. How much does Busker Cafe pay for avocados in total?

    (A) 5 dollars

    (B) 10 dollars

    (C) 15 dollars

    (D) 20 dollars

해석 Busker Cafe에서 아보카도에 총 얼마 지불하는가?

    (A) 5달러

    (B) 10달러

    (C) 15달러

    (D) 20달러

풀이 아보카도는 3번 항목에 있으며, 봉지당 2달러인 아보카도를 10봉지 주문했다고 표시되어 있다. 따라서 아보카도에 총 20달러 ($2 × 10봉지)를 지불했으므로 (D)가 정답이다.

[7-10]

Avocados are popular fruit. But how can you choose a good avocado? And how can you eat one? First, remember that some avocados do not taste good. That's because sometimes they are not ripe yet. To be ripe means to be ready to eat. So when are avocados ripe? Remember to check the color and to feel each avocado. Bright green avocados are not ripe yet. They feel very hard, too. If you buy a bright green or hard avocado, don't eat it for 4 to 5 days. The color of a perfect avocado is dark green. It can even be purple. And it feels soft, but not too soft. A very soft avocado is overripe. That means it is past being ripe. It will not taste great anymore. The color of an overripe avocado is brown or yellow. Next, you must cut the avocado. How do you cut an avocado? Cut it in half, and take out the seed in the middle. Then, scoop out the avocado with a spoon. Now you can make a delicious avocado smoothie or salad!

해석

아보카도는 인기 있는 과일이다. 하지만 좋은 아보카도를 어떻게 고르는가? 그리고 어떻게 먹을 수 있는가? 먼저, 어떤 아보카도들은 맛이 좋지 않다는 것을 명심하라. 그것은 가끔 아직 익지 않았기 때문이다. 익는다는 것은 먹을 준비가 되었다는 뜻이다. 그래서 아보카도는 언제 익는가? 각 아보카도의 색깔을 확인하는 것과 (촉감을) 느끼는 것을 명심하라. 밝은 녹색 아보카도는 아직 익지 않은 것이다. 그것들은 매우 단단하기도 하다. 밝은 녹색 혹은 단단한 아보카도를 산다면, 4일에서 5일 동안 그것을 먹지 말아라. 완벽한 아보카도의 색깔은 짙은 녹색이다. 그것은 심지어 보라색일 수도 있다. 그리고 그것은 부드러운데, 너무 부드럽지는 않다. 아주 부드러운 아보카도는 너무 익은 것이다. 이는 익은 상태가 지났다는 뜻이다. 그것은 더는 맛이 훌륭하지 않을 것이다. 너무 익은 아보카도의 색깔은 갈색 혹은 노란색이다. 다음으로, 아보카도를 잘라야만 한다. 아보카도를 어떻게 자르는가? 절반으로 자르고, 중앙에 있는 씨를 빼라. 그다음, 숟가락으로 아보카도를 퍼내라. 이제 맛있는 아보카도 스무디 또는 샐러드를 만들 수 있다!

---

7. What is the best title for the passage?

    (A) Why Avocados Are Healthy

    (B) Coloring Avocados in Art Class

    (C) How to Choose a Good Avocado

    (D) How to Make an Avocado Smoothie

해석 지문에 가장 알맞은 제목은 무엇인가?

    (A) 아보카도는 왜 건강에 좋은가

    (B) 미술 수업에서 아보카도 색칠하기

    (C) 좋은 아보카도 고르는 법

    (D) 아보카도 스무디 만드는 법

유형 전체 내용 파악

풀이 'Avocados are a popular fruit. But how can you choose a good avocado?'에서 좋은 아보카도 고르는 방법이라는 중심 내용을 암시하고 있다. 이어서 익은 정도를 판단하는 법, 손질하는 법을 설명하고 있는 글이므로 (C)가 정답이다.

8. According to the passage, what color is a good avocado?

    (A) yellow

    (B) brown

    (C) dark green

    (D) bright green

해석 지문에 따르면, 좋은 아보카도는 무슨 색인가?

    (A) 노란색

    (B) 갈색

    (C) 짙은 녹색

    (D) 밝은 녹색

유형 세부 내용 파악

풀이 'The color of a perfect avocado is dark green. It can even be purple.'에서 좋은 아보카도는 짙은 녹색이라는 것을 알 수 있으므로 (C)가 정답이다. (A)와 (B)는 너무 많이 익은 아보카도의 색이며, (D)는 덜 익은 아보카도의 색이므로 오답이다.

9. According to the passage, what is true about avocados?

   (A) They are always green.
   (B) Avocados are not popular.
   (C) Hard avocados taste good.
   (D) There is a seed in the middle.

해석 지문에 따르면, 아보카도에 관해 옳은 설명은 무엇인가?

   (A) 항상 초록색이다.
   (B) 아보카도는 인기가 없다.
   (C) 단단한 아보카도는 맛이 좋다.
   (D) 중앙에 씨 하나가 있다.

유형 세부 내용 파악 & 추론하기

풀이 'Cut it in half, and take out the seed in the middle.'에서 아보카도 중앙에 씨앗 하나가 있다는 것을 알 수 있으므로 (D)가 정답이다. (A)는 아보카도는 보라색일 수도 있고 지나치게 익으면 노란색이나 갈색이 된다고 했으므로 오답이다. (B)는 'Avocados are a popular fruit.'에서 아보카도가 인기 있는 과일이라고 했으므로 오답이다. (C)는 'Bright green avocados are not ripe yet. They feel very hard, too. [...]'에서 단단한 아보카도는 덜 익은 아보카도이고 4일에서 5일 동안 먹지 말라고 했으므로 오답이다.

10. Which avocado would be best after 4 days?

   (A) a hard avocado
   (B) a yellow avocado
   (C) a very soft avocado
   (D) an avocado without a seed

해석 어떤 아보카도가 4일 후에 가장 좋겠는가?

   (A) 단단한 아보카도
   (B) 노란색 아보카도
   (C) 아주 부드러운 아보카도
   (D) 씨앗 없는 아보카도

유형 세부 내용 파악 & 추론하기

풀이 'If you buy a bright green or hard avocado, don't eat it for 4 to 5 days.'에서 아보카도가 옅은 녹색이거나 단단하면 먹지 말라고 설명하고 있다. 이는 4-5일이 지나면 맛이 좋은 아보카도가 된다는 의미이므로 (A)가 정답이다. (B)와 (C)는 노란색이거나 아주 부드러운 아보카도는 지나치게 익은 것이며 맛이 없다고 했으므로 오답이다.

🎧 **Listening Practice**   ▶ B2-8   p.74

Avocado is a popular fruit. But how can you choose a good <u>avocado</u>? And how can you eat one? First, remember that some avocados do not taste good. That's because sometimes they are not <u>ripe</u> yet. To be ripe means to be ready to eat. So when are avocados ripe? Remember to check the color and to feel each avocado. Bright green avocados are not ripe yet. They feel very <u>hard</u>, too. If you buy a bright green or hard avocado, don't eat it for 4 to 5 days. The color of a perfect avocado is dark green. It can even be purple. And it feels soft, but not too soft. A very soft avocado is <u>overripe</u>. That means it is past being ripe. It will not taste great anymore. The color of an overripe avocado is brown or yellow. Next, you must cut the avocado. How do you cut an avocado? Cut it <u>in half</u>, and take out the seed in the middle. Then, <u>scoop</u> out the avocado with a spoon. Now you can make a delicious avocado smoothie or salad!

1. avocado
2. ripe
3. hard
4. overripe
5. in half
6. scoop

✏️ **Writing Practice**   p.75

1. avocado
2. ripe
3. hard
4. overripe
5. in half
6. scoop out

📄 **Summary**

Are you buying an avocado? Check the <u>color</u> and feel each avocado. Are you eating an avocado? Cut the avocado in <u>half</u> and take out the <u>seed</u>. <u>Scoop</u> out the avocado.

아보카도를 사는가? 각 아보카도의 색깔을 확인하고 (촉감을) 느껴라. 아보카도를 먹을 것인가? 아보카도를 <u>절반</u>으로 자르고 <u>씨앗</u>을 빼내라. 아보카도를 <u>퍼내라</u>.

Word Puzzle

p.76

Across

2. scoop out
4. hard
5. cut in half
6. ripe

Down

1. avocado
3. overripe

Chapter Review

p.77

What is it?

My class is doing a project on fruit. Our teacher asked us to write a speech and make a costume of our favorite fruit. First, I read about my fruit on the internet. It grows best in hot places. You must be careful when you touch the outside. You might cut your hand. Many different countries grow and eat the fruit. It is also common to drink its juice. I like to eat it with ham on pizza. For my costume, I wear a big yellow shirt and big yellow pants. I fill them with cotton until I am big and round. Then, I make a hat with long, green leaves. I stand up in front of the class and do my speech about my fruit. My teacher likes my speech and gives me an "A." My mother and father are very proud.

그것은 무엇인가?

우리 반은 과일에 관한 프로젝트를 하고 있다. 우리 선생님은 우리에게 발표문을 쓰고 우리가 매우 좋아하는 과일로 의상을 만들라고 하셨다. 먼저, 나는 인터넷에서 내 과일에 관한 것을 읽었다. 그것은 더운 곳에서 가장 잘 자란다. 겉을 만질 때는 조심해야만 한다. 손을 벨 수도 있다. 많은 여러 나라에서 그 과일을 기르고 먹는다. 그것의 즙을 마시는 것 또한 일반적이다. 나는 그것을 피자 위에 햄과 함께 먹는 걸 좋아한다. 내 의상으로는, 나는 큰 노란 셔츠와 큰 노란 바지를 입는다. 나는 크고 둥글게 될 때까지 솜으로 그것들을 채운다. 그다음, 나는 길고 푸른 잎으로 모자를 만든다. 나는 교실 앞에 서서 내 과일에 관한 발표를 한다. 우리 선생님은 나의 발표를 좋아하시고 나에게 "A"를 주신다. 우리 어머니와 아버지는 매우 자랑스러워하신다.

(정답: pineapple)

Chapter 3. Arts and Crafts

💡 Pre-reading Questions   p.79

Do you like visiting art galleries?

What kind of art do you enjoy?

미술관에 가는 것을 좋아하나요?

어떤 예술을 즐기나요?

 **Reading Passage**   p.80

Art Gallery of Saint Peter

The Art Gallery of Saint Peter welcomes everyone! We are open from 10 AM to 5 PM Monday to Sunday! But on Wednesdays, we are open until 9 PM. The tickets are 15 dollars for adults, and 10 dollars for students. Children under 5 get in for free. On Wednesday nights, from 6 PM to 9 PM, entry is free for everyone. That is called Art Wednesday Nights. We have more than 90,000 artworks in our gallery. The works are from Africa, America, Asia, and Europe. Please remember, you cannot take pictures! There is a special artwork section, too. Right now that section is showing Rebecca Neilstein's artworks. It ends on May 8th, 2019. The art in the special section changes every 6 months. Do you need a tour of the gallery? There are five tours every day, from 11 AM to 4 PM. There is one tour every hour. One tour takes about 40 minutes. The tours are always free! For more information about the Art Gallery of Saint Peter, visit our website at www.saintpeterart.org.

Saint Peter 미술관

Saint Peter 미술관은 모두를 환영합니다! 월요일에서 일요일까지 오전 10시부터 오후 5시까지 영업합니다! 하지만 수요일에는, 오후 9시까지 영업합니다. 입장권은 성인은 15달러, 학생은 10달러입니다. 5세 미만 어린이는 무료로 입장합니다. 수요일 저녁에는, 오후 6시부터 오후 9시까지, 모든 사람에게 입장이 무료입니다. 이는 수요예술의 밤이라고 불립니다. 저희는 갤러리에 90,000점이 넘는 미술 작품을 보유하고 있습니다. 작품들은 아프리카 (대륙), 아메리카 (대륙), 아시아, 그리고 유럽에서 왔습니다. 유념해주세요, 사진은 찍을 수 없습니다! 특별 미술품 구역도 있습니다. 지금 그 구역에서는 Rebecca Neilstein의 작품들을 전시하고 있습니다. 이는 2019년 5월 8일에 종료합니다. 특별 구역의 미술품은 6개월마다 변경합니다. 갤러리 투어가 필요하나요? 오전 11시부터 오후 4시까지, 매일 다섯 차례의 투어가 있습니다. 매시간 한 차례 투어가 있습니다. 한 번의 투어는 40분 정도 걸립니다. 투어는 언제나 무료입니다! Saint Peter 미술관에 관한 더 많은 정보를 원하시면, 저희 웹사이트 www.saintpeterart.org를 방문해 주세요.

어휘 art gallery 미술관 | kind 종류, 유형 | from A to B A부터 B까지 | club 동아리 | wall 벽 | adult 성인 | section 구역 | flag 깃발 | tour 여행, 투어 | guide 가이드, 안내인 | owner 주인 | photographer 사진작가 | until ~까지 | for free 무료로 | more than ~보다 많은 | artwork 미술 작품 | take a picture 사진을 찍다 | special 특별한 | change 변경하다 | information 정보 | website 웹사이트 | map 지도 | turn off ~을 끄다 | learn about ~에 대해 배우다 | volunteer 자원봉사자 | fewer than ~보다 적은 | entry 들어감[옴], 입장; 출입

Comprehension Questions p.81

1. The store is open from 9 AM <u>to</u> 10 PM.

   (A) to
   (B) at
   (C) on
   (D) for

해석 그 가게는 오전 9시부터 오후 <u>10시까지</u> 연다.

   (A) ~로
   (B) ~에
   (C) ~(위)에
   (D) ~을 위해

풀이 'A에서 B까지'를 나타낼 때 전치사 'from'과 'to'를 함께 사용하여 'from A to B'라고 표현하므로 (A)가 정답이다.

관련 문장 We are open from 10 AM to 5 PM Monday to Sunday!

2. We have <u>more</u> than twenty students in our art club!

   (A) as
   (B) over
   (C) more
   (D) more as

해석 우리 미술 동아리에는 스무 명 <u>넘는</u> 학생들이 있다.

   (A) ~만큼
   (B) ~ 위로
   (C) 더 많은
   (D) 어색한 표현

풀이 '~보다 더 많은 수(량)'을 나타낼 때 대명사 'more'과 접속사 'than'을 사용하여 'more than ~'이라 표현하므로 (C)가 정답이다.

관련 문장 We have more than 90,000 artworks in our gallery.

3. There are three <u>sections</u> in the art gallery.

   (A) walls
   (B) adults
   (C) children
   (D) sections

해석 미술관에 <u>구역</u>이 세 개 있다.

   (A) 벽들
   (B) 성인들
   (C) 어린이들
   (D) 구역들

풀이 미술관에 구역이 세 개 있으므로 (D)가 정답이다.

관련 문장 There is a special artwork section, too.

4. The woman with the red flag is a <u>tour guide</u>.

   (A) driver
   (B) tour guide
   (C) store owner
   (D) photographer

해석 빨간색 깃발을 든 여자는 <u>여행 가이드</u>이다.

   (A) 운전기사
   (B) 여행 가이드
   (C) 가게 주인
   (D) 사진작가

풀이 빨간색 깃발을 든 여자가 관광객을 안내하고 있는 모습이다. 따라서 여자가 여행 가이드라고 유추할 수 있으므로 (B)가 정답이다.

관련 문장 Do you need a tour of the gallery?

[5-6]

Art Gallery of Saint Peter

NOW we have:

3rd Floor	Special Section Rebecca Neilstein's works	
2nd Floor	Artworks from Africa	
1st Floor	Artworks from Europe	

Please pay $10 more at the door for the special section.

해석

Saint Peter 미술관	
현재 전시 중:	
3층	특별 구역 Rebecca Neilstein의 작품
2층	아프리카 예술품
1층	유럽 예술품
특별 구역은 입구에서 10달러를 더 지불해주시기 바랍니다.	

5. Where are the museum's artworks from Europe?

   (A) on the first floor
   (B) on the second floor
   (C) on the third floor
   (D) The museum has no artworks from Europe.

해석 박물관의 유럽 예술품은 어디에 있는가?

   (A) 1층에
   (B) 2층에
   (C) 3층에
   (D) 박물관에는 유럽 예술품이 없다.

풀이 'artworks from Europe'은 1층에 있다고 표시되어 있으므로 (A)가 정답이다.

6. According to the map, what should you do before you go to the third floor?

(A) wash your hands

(B) pay $10 at the door

(C) turn off your cell phone

(D) learn about Rebecca Neilstein

해석 지도에 의하면, 3층에 가기 전에 무엇을 해야 하는가?

(A) 손 씻기

(B) 입구에서 10달러 내기

(C) 휴대 전화 끄기

(D) Rebecca Neilstein에 관해 배우기

풀이 3층은 특별 구역이며, 특별 구역으로 가기 전에 입구에서 10 달러를 더 내라고 했으므로 (B)가 정답이다.

[7-10]

The Art Gallery of Saint Peter welcomes everyone! We are open from 10 AM to 5 PM Monday to Sunday! But on Wednesdays, we are open until 9 PM. The tickets are 15 dollars for adults, and 10 dollars for students. Children under 5 get in for free. On Wednesday nights, from 6 PM to 9 PM, entry is free for everyone. That is called Art Wednesday Nights. We have more than 90,000 artworks in our gallery. The works are from Africa, America, Asia, and Europe. Please remember, you cannot take pictures! There is a special artwork section, too. Right now that section is showing Rebecca Neilstein's artworks. It ends on May 8th, 2019. The art in the special section changes every 6 months. Do you need a tour of the gallery? There are five tours every day, from 11 AM to 4 PM. There is one tour every hour. One tour takes about 40 minutes. The tours are always free! For more information about the Art Gallery of Saint Peter, visit our website at www.saintpeterart.org.

해석

Saint Peter 미술관은 모두를 환영합니다! 월요일에서 일요일까지 오전 10시부터 오후 5시까지 영업합니다! 하지만 수요일에는, 오후 9시까지 영업합니다. 입장권은 성인은 15달러, 학생은 10달러입니다. 5세 미만 어린이는 무료로 입장합니다. 수요일 저녁에는, 오후 6시부터 오후 9시까지, 모든 사람에게 입장이 무료입니다. 이는 수요예술의 밤이라고 불립니다. 저희는 갤러리에 90,000점이 넘는 미술 작품을 보유하고 있습니다. 작품들은 아프리카 (대륙), 아메리카 (대륙), 아시아, 그리고 유럽에서 왔습니다. 유념해주세요, 사진은 찍을 수 없습니다! 특별 미술품 구역도 있습니다. 지금 그 구역에서는 Rebecca Neilstein의 작품들을 전시하고 있습니다. 이는 2019년 5월 8일에 종료합니다. 특별 구역의 미술품은 6개월마다 변경합니다. 갤러리 투어가 필요하나요? 오전 11시부터 오후 4시까지, 매일 다섯 차례의 투어가 있습니다. 매시간 한 차례 투어가 있습니다. 한 번의 투어는 40분 정도 걸립니다. 투어는 언제나 무료입니다! Saint Peter 미술관에 관한 더 많은 정보를 원하시면, 저희 웹사이트 www.saintpeterart.org를 방문해 주세요.

7. What is the best title for the passage?

(A) Art Gallery Programs for Kids

(B) Join Art Wednesday Nights for Free

(C) We Need Volunteers for Gallery Tours

(D) Welcome to the Art Gallery of Saint Peter

해석 지문에 가장 알맞은 제목은 무엇인가?

(A) 아이들을 위한 미술관 프로그램

(B) 수요예술의 밤에 무료로 참여하세요

(C) 갤러리 투어 자원봉사자가 필요합니다

(D) Saint Peter 미술관에 오신 것을 환영합니다

유형 전체 내용 파악

풀이 'The Art Gallery of Saint Peter welcomes everyone!'에서 Saint Peter 미술관 소개라는 내용을 암시하고 있으며, 이어서 개관 시간, 작품 개수 및 국가, 특별전 행사 및 미술관 투어에 관련한 내용을 다루고 있는 글이다. 따라서 (D)가 정답이다. (B)는 글의 일부만을 반영하는 제목이므로 오답이다.

8. According to the passage, what is true about the Art Gallery of Saint Peter?

(A) A tour takes about 40 minutes.

(B) It is open until 9 PM on Mondays.

(C) It has fewer than 80,000 artworks.

(D) The special section changes every month.

해석 지문에 따르면, Saint Peter 미술관에 관해 옳은 설명은 무엇인가?

(A) 투어는 40분 정도 걸린다.

(B) 월요일에는 오후 9시까지 연다.

(C) 80,000점보다 적은 예술작품이 있다.

(D) 특별 구역은 매달 변경된다.

유형 세부 내용 파악

풀이 'One tour takes about 40 minutes.'에서 투어 하나에 40분 정도 걸린다고 했으므로 (A)가 정답이다. (B)는 'We are open from 10 AM to 5 PM Monday to Sunday!'에서 월요일에 오후 5시까지 연다는 것을 알 수 있으므로 오답이다. (C)는 미술관에 예술작품이 90,000점보다 많다고 했으므로 오답이다. (D)는 특별 구역은 매달이 아니라 6개월마다 변경된다고 했으므로 오답이다.

9. According to the passage, what happens on Art Wednesday Nights?

(A) **The art gallery is free.**
(B) There is a party at the gallery.
(C) The gallery is open until 10 PM.
(D) Children cannot go to the art gallery.

해석 지문에 따르면, 수요예술의 밤에는 무슨 일이 일어나는가?

(A) 미술관은 무료이다.
(B) 미술관에서 파티가 있다.
(C) 갤러리는 오후 10시까지 연다.
(D) 어린이는 미술관에 갈 수 없다.

유형 세부 내용 파악

풀이 'On Wednesday nights, from 6 PM to 9 PM, entry is free for everyone. That is called Art Wednesday Nights.'에서 수요예술의 밤에는 입장이 무료라는 것을 알 수 있으므로 (A)가 정답이다. (C)는 오후 9시까지 연다고 했으므로 오답이다. (B)와 (D)는 관련 내용이 언급되지 않았으므로 오답이다.

10. What can you probably NOT see in the art gallery?

(A) ten people on a gallery tour at 2 PM
(B) two women looking at an African artwork
(C) **a boy taking pictures of Neilstein's works**
(D) two adults paying 30 dollars to enter on Tuesday

해석 미술관에서 볼 수 없는 것은 무엇인가?

(A) 오후 2시에 갤러리 투어를 하고 있는 10인
(B) 아프리카 예술품을 보고 있는 두 여자
(C) Neilstein 작품의 사진을 찍고 있는 소년
(D) 화요일에 입장하려고 30달러를 내는 두 성인

유형 세부 내용 파악 & 추론하기

풀이 'Please remember, you cannot take pictures!'에서 미술관에서 사진을 찍을 수 없다고 했으므로 (C)가 정답이다. (A)는 'There are five tours every day, from 11 AM to 4 PM.'에서, (B)는 'The works are from Africa, America, Asia, and Europe.'에서, (D)는 'The tickets are 15 dollars for adults, and 10 dollars for students.'에서 확인할 수 있는 내용이므로 오답이다.

 Listening Practice   ▶ B2-9   p.84

The Art Gallery of Saint Peter welcomes everyone! We are open from 10 AM to 5 PM Monday to Sunday! But on Wednesdays, we are <u>open until</u> 9 PM. The tickets are 15 dollars for adults, and 10 dollars for students. Children under 5 get in for free. On Wednesday nights, from 6 PM to 9 PM, <u>entry</u> is free for everyone. That is called Art Wednesday Nights. We have more than 90,000 artworks in our gallery. The works are from Africa, America, Asia, and Europe. Please remember, you cannot take pictures! There is a special <u>artwork</u> section, too. Right now that section is showing Rebecca Neilstein's artworks. It ends on May 8th, 2019. The art in the special <u>section</u> changes every 6 months. Do you need a tour of the gallery? There are five tours every day, from 11 AM to 4 PM. There is one tour every hour. One tour takes about 40 minutes. The tours are always free! For more <u>information</u> about the Art Gallery of Saint Peter, visit our <u>website</u> at www.saintpeterart.org.

1. open until
2. entry
3. artwork
4. section
5. information
6. website

✏️ **Writing Practice**   p.85

1. open until
2. entry
3. artwork
4. section
5. for more information about
6. website

📄 Summary

The Art Gallery of Saint Peter <u>welcomes</u> everyone. On Wednesday nights, <u>entry</u> is <u>free</u>. We are now showing Rebecca Neilstein's artworks. You can also take a free gallery <u>tour</u>.

Saint Peter 미술관은 여러분 모두를 <u>환영합니다</u>. 수요일 밤에는, <u>입장</u>이 <u>무료입니다</u>. 저희는 지금 Rebecca Neilstein의 예술 작품을 전시하고 있습니다. 무료 갤러리 <u>투어</u>도 할 수 있습니다.

Word Puzzle   p.86

Across	Down
3. website	1. artwork
5. open until	2. section
6. entry	4. for more information about

Unit 10 | What Is Origami?   p.87

Part A. Sentence Completion   p.89

1 (C)   2 (C)

Part B. Situational Writing   p.89

3 (A)   4 (C)

Part C. Practical Reading and Retelling   p.90

5 (C)   6 (D)

Part D. General Reading and Retelling   p.91

7 (C)   8 (B)   9 (C)   10 (B)

Listening Practice   p.92

1 fold	2 gift
3 string	4 decorate
5 colorful	6 pattern

Writing Practice   p.93

1 fold	2 gift
3 colorful	4 string
5 decorate	6 pattern

Summary folding, boxes, piece, patterns

Word Puzzle   p.94

Across

2 gift	5 decorate

Down

1 pattern	3 fold
4 string	6 colorful

Pre-reading Questions   p.87

Do you like folding paper?

What can you make out of paper?

종이 접는 것을 좋아하나요?

종이로 무엇을 만들 수 있나요?

What Is Origami?

Origami first started in China, but the word "origami" comes from Japan. It means paper folding. People can make masks, animals, and toys by folding paper. But origami is not just about folding paper. It is art! Many people enjoy origami as a hobby. They like folding the paper very carefully to make pretty shapes. Workers at stores use origami, too. They fold gift boxes and ribbons. Sometimes they put many folded origami shapes on one piece of string. Then they can decorate their store.

There are many types of paper for origami. Many people like to use shiny paper. Then they can make bright shapes, like stars or flowers. Some people like to use rainbow-colored paper. They make colorful birds and fish. There are also different patterns of origami. Some patterns are easy. Some patterns are very difficult. A dragon or a star pattern might be very hard. But a frog could be an easy pattern.

종이접기(Origami)란 무엇인가요?

종이접기는 중국에서 처음 시작됐지만, "종이접기(origami)"란 단어는 일본에서 왔다. 그것은 종이를 접는 것을 뜻한다. 사람들은 종이를 접어서 가면, 동물, 그리고 장난감을 만들 수 있다. 하지만 종이접기는 단순히 종이를 접는 것에 관한 것만이 아니다. 그것은 예술이다! 많은 사람이 취미로 종이접기를 즐긴다. 그들은 예쁜 모양을 만들려고 아주 조심스럽게 종이 접는 것을 좋아한다. 가게 직원들도 종이접기를 사용한다. 그들은 선물 상자와 리본을 접는다. 때때로 그들은 끈 한 가닥에 여러 가지 종이접기 모양을 얹는다. 그러면 그들은 가게를 장식할 수 있다.

여러 종류의 종이접기용 종이가 있다. 많은 사람은 반짝이는 종이를 사용하는 것을 좋아한다. 그러면 그들은 별이나 꽃과 같은 밝은 모양을 만들 수 있다. 몇몇 사람들은 무지개색 종이를 사용하는 것을 좋아한다. 그들은 알록달록한 새와 물고기를 만든다. 또한 다양한 종이접기 패턴이 있다. 어떤 패턴은 쉽다. 어떤 패턴은 몹시 어렵다. 용이나 별 패턴은 몹시 어려울 수 있다. 하지만 개구리는 쉬운 패턴일 수 있다.

어휘 folding paper 종이접기 | out of (수단·재료) ~으로, ~에 의해 | hard 어려운 | easy 쉬운 | pile 꾸러미, 더미 | gift 선물 | fold 접다, 개다 | sew 바느질하다 | mouse (복수형: mice) 쥐 | string 실, 끈, 줄 | robot 로봇 | origami 종이접기 | come form ~로부터 오다 | mask 가면 | by ~로 | just 단순히, 단지 | art 예술 | hobby 취미 | carefully 조심스럽게 | pretty 예쁜 | shape 모양 | worker 직원 | ribbon 리본 | piece 한 부분; 조각 | decoration 장식 | shiny 반짝이는 | bright 밝은 | rainbow-colored 무지개색의 | colorful 알록달록한 | different 다양한 | pattern 패턴, 모양 | frog 개구리 | square 정사각형의 | corner 모서리 | bottom 아래 | tip 끝; 조언 | plastic bag 비닐봉지 | dragon 용 | mermaid 인어

1. Cakes are hard <u>to bake</u>, but cookies are easy.
   (A) bake
   (B) baking
   (C) to bake
   (D) to baking

해석 케이크는 <u>굽기</u> 힘들지만, 쿠키는 쉽다.
   (A) 굽다
   (B) 굽기
   (C) 굽기
   (D) 어색한 표현

풀이 '[명사] + be 동사 + [형용사] + to [동사]'라는 구조를 통해 '[명사]를 [동사]하는 것이 [형용사]하다.'라는 의미를 나타낼 수 있다. 따라서 (C)가 정답이다.

새겨 두기 위 구조와 같은 문장을 좀 더 연습하여 익숙해지도록 하자.
   예) a difficult question to answer
   → <u>The question</u> is difficult <u>to answer</u>.
   (이 질문은 대답하기 어렵다.)

관련 문장 Some patterns are very difficult.

2. Look at that big pile of <u>colorful</u> gifts!
   (A) color
   (B) colors
   (C) colorful
   (D) colorfully

해석 저 <u>알록달록한</u> 거대한 선물 꾸러미를 봐!
   (A) 색
   (B) 색들
   (C) 알록달록한
   (D) 알록달록하게

풀이 빈칸에는 명사 'gifts'를 꾸밀 수 있는 수식어가 들어가야 한다. 형용사가 명사를 수식할 수 있으므로 (C)가 정답이다.

관련 문장 They make colorful birds and fish.

3. He is <u>folding</u> his shirts.
   (A) folding
   (B) sewing
   (C) painting
   (D) washing

해석 그는 그의 셔츠를 <u>개고</u> 있다.
   (A) 개는
   (B) 바느질하는
   (C) 칠하는
   (D) 세탁하는

풀이 소년이 옷을 개고 있으므로 (A)가 정답이다.

관련 문장 It means paper folding.

Basic Book 2

4. The cat is playing with some <u>string</u>.

(A) mice
(B) water
(C) string
(D) robots

해석 고양이는 실을 갖고 놀고 있다.

(A) 쥐들
(B) 물
(C) 끈
(D) 로봇들

풀이 고양이가 실뭉치를 갖고 놀고 있으므로 (C)가 정답이다.

관련 문장 Sometimes they put many folded origami shapes on one piece of string.

[5-6]

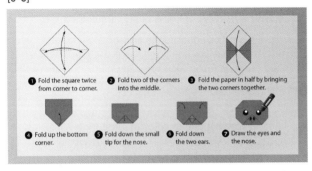

해석

---

1. 정사각형을 모서리에서 모서리까지 두 번 접어라.

2. 모서리 두 개를 중앙으로 접어라.

3. 그 모서리 두 개를 모아서 종이를 반으로 접어라.

4. 아래 모서리를 위로 접어라.

5. 코가 될 작은 끝을 아래로 접어라.

6. 두 귀를 아래로 접어라.

7. 눈과 코를 그려라.

---

5. When do you fold the ears?

(A) in the last step
(B) after drawing the eyes
(C) after folding down the nose
(D) before folding the paper in half

해석 언제 귀를 접는가?

(A) 마지막 단계에서
(B) 눈을 그리고 나서
(C) 아래로 코를 접고 나서
(D) 종이를 반으로 접기 전에

풀이 5단계에서 아래로 코를 접으라고 지시한 뒤, 6단계에서 'Fold down the two ears.'라며 아래로 귀를 접으라고 지시하고 있다. 따라서 (C)가 정답이다.

6. For which step do you need a crayon?

(A) 1
(B) 3
(C) 4
(D) 7

해석 어느 단계에서 크레용이 필요한가?

(A) 1
(B) 3
(C) 4
(D) 7

풀이 마지막 7단계 'Draw the eyes and the nose.'에서 눈과 코를 그리라고 했으므로 (D)가 정답이다.

[7-10]

Origami first started in China, but the word "origami" comes from Japan. It means paper folding. People can make masks, animals, and toys by folding paper. But origami is not just about folding paper. It is art! Many people enjoy origami as a hobby. They like folding the paper very carefully to make pretty shapes. Workers at stores use origami, too. They fold gift boxes and ribbons. Sometimes they put many folded origami shapes on one piece of string. Then they can decorate their store.

There are many types of paper for origami. Many people like to use shiny paper. Then they can make bright shapes, like stars or flowers. Some people like to use rainbow-colored paper. They make colorful birds and fish. There are also different patterns of origami. Some patterns are easy. Some patterns are very difficult. A dragon or a star pattern might be very hard. But a frog could be an easy pattern.

해석

종이접기는 중국에서 처음 시작됐지만, "종이접기(origami)"란 단어는 일본에서 왔다. 그것은 종이를 접는 것을 뜻한다. 사람들은 종이를 접어서 가면, 동물, 그리고 장난감을 만들 수 있다. 하지만 종이접기는 단순히 종이를 접는 것에 관한 것만이 아니다. 그것은 예술이다! 많은 사람이 취미로 종이접기를 즐긴다. 그들은 예쁜 모양을 만들려고 아주 조심스럽게 종이 접는 것을 좋아한다. 가게 직원들도 종이접기를 사용한다. 그들은 선물 상자와 리본을 접는다. 때때로 그들은 끈 한 가닥에 여러 가지 종이접기 모양을 얹는다. 그러면 그들은 가게를 장식할 수 있다.

여러 종류의 종이접기용 종이가 있다. 많은 사람은 반짝이는 종이를 사용하는 것을 좋아한다. 그러면 그들은 별이나 꽃과 같은 밝은 모양을 만들 수 있다. 몇몇 사람들은 무지개색 종이를 사용하는 것을 좋아한다. 그들은 알록달록한 새와 물고기를 만든다. 또한 다양한 종이접기 패턴이 있다. 어떤 패턴은 쉽다. 어떤 패턴은 몹시 어렵다. 용이나 별 패턴은 몹시 어려울 수 있다. 하지만 개구리는 쉬운 패턴일 수 있다.

---

7. What is the best title for the passage?

(A) Find Your Favorite Hobby
(B) Paper Bags and Plastic Bags
(C) Folding Paper for Many Things
(D) Why Students Don't Like Origami

해석 지문에 가장 알맞은 제목은 무엇인가?

(A) 아주 좋아하는 취미를 찾아라
(B) 종이 가방과 비닐봉지
(C) 여러 가지를 위한 종이접기
(D) 학생들이 종이접기를 왜 좋아하지 않는가

유형 전체 내용 파악

풀이 종이접기(origami)의 기원을 처음에 설명하고, 종이접기의 여러 가지 용도, 종이, 패턴을 차례대로 설명하고 있는 글이다. 따라서 (C)가 정답이다.

8. According to the passage, what is NOT true about origami?

(A) It is a type of art.
(B) It started in Japan.
(C) It means folding paper.
(D) It is a hobby for some people.

해석 지문에 따르면, 종이접기에 관해 옳지 않은 설명은 무엇인가?

(A) 예술의 일종이다.
(B) 일본에서 시작했다.
(C) 종이를 접는다는 것을 의미한다.
(D) 몇몇 사람들에게 취미이다.

유형 세부 내용 파악

풀이 첫 부분 'Origami first started in China'에서 종이접기가 중국에서 처음 시작됐다고 하였으므로 (B)가 정답이다. (A)는 'But origami is not just about folding paper. It is art!'에서, (C)는 'It means paper folding.'에서, (D)는 'Many people enjoy origami as a hobby.'에서 확인할 수 있는 내용이므로 오답이다.

9. Which origami pattern is mentioned in the passage?

(A) school
(B) planet
(C) dragon
(D) mermaid

해석 다음 중 어떤 종이접기 패턴이 지문에서 언급되었는가?

(A) 학교
(B) 행성
(C) 용
(D) 인어

유형 세부 내용 파악

풀이 'A dragon or a star pattern might be very hard.'에서 용 패턴이 언급되었으므로 (C)가 정답이다.

10. According to the passage, which pattern might be easy?

(A) star
(B) frog
(C) store
(D) gift box

해석 지문에 따르면, 다음 중 어떤 패턴이 쉽겠는가?

(A) 별
(B) 개구리
(C) 가게
(D) 선물 상자

유형 세부 내용 파악

풀이 'But a frog could be an easy pattern.'에서 개구리가 쉬운 패턴일 수 있다고 했으므로 (B)가 정답이다. (A)는 어려운 패턴이라고 했으므로 오답이다.

🎧 **Listening Practice** ▶ B2-10 p.92

Origami first started in China, but the word "origami" comes from Japan. It means paper folding. People can make masks, animals, and toys by folding paper. But origami is not just about folding paper. It is art! Many people enjoy origami as a hobby. They like folding the paper very carefully to make pretty shapes. Workers at stores use origami, too. They <u>fold gift</u> boxes and ribbons. Sometimes they put many folded origami shapes on one piece of <u>string</u>. Then they can <u>decorate</u> their store.

There are many types of paper for origami. Many people like to use shiny paper. Then they can make bright shapes, like stars or flowers. Some people like to use rainbow-colored paper. They make <u>colorful</u> birds and fish. There are also different patterns of origami. Some patterns are easy. Some patterns are very difficult. A dragon or a star <u>pattern</u> might be very hard. But a frog could be an easy pattern.

1. fold
2. gift
3. string
4. decorate
5. colorful
6. pattern

✏ Writing Practice   p.93

1. fold
2. gift
3. colorful
4. string
5. decorate
6. pattern

📄 Summary

Origami is paper <u>folding</u>. People like it as art, as a hobby, and for gift <u>boxes</u>. Some people put them on a <u>piece</u> of string. There are many types of paper, shapes, and <u>patterns</u> in origami.

종이접기(Origami)는 종이를 <u>접는 것</u>이다. 사람들은 예술로서, 취미로서, 그리고 선물 <u>상자</u>용으로 그것을 좋아한다. 어떤 사람들은 끈 한 <u>가닥</u> 위에 그것들을 얹는다. 종이접기에는 다양한 종류의 종이, 모양, 그리고 <u>패턴들</u>이 있다.

🧩 Word Puzzle   p.94

Across	Down
2. gift	1. pattern
5. decorate	3. fold
	4. string
	6. colorful

Unit 11 | Introduction to Webtoons   p.95

Part A. Sentence Completion			p.97
1 (A)	2 (A)		

Part B. Situational Writing			p.97
3 (A)	4 (B)		

Part C. Practical Reading and Retelling			p.98
5 (C)	6 (D)		

Part D. General Reading and Retelling			p.99
7 (C)	8 (A)	9 (C)	10 (D)

Listening Practice   p.100

1 cartoon		2 company	
3 began		4 fans of	
5 neck pain		6 a day	

Writing Practice   p.101

1 cartoon	2 begin
3 company	4 become fans of
5 neck pain	6 ten hours a day

Summary cartoon, Korea, artists, famous

Word Puzzle   p.102

Across
   3 ten hours a day
   5 neck pain
Down
   1 become fans of
   2 cartoon   4 begin
   6 company

💡 Pre-reading Questions   p.95

Do you like reading comics? Do you read comics online?
만화책 읽는 것을 좋아하나요? 온라인으로 만화책을 읽나요?

Introduction to Webtoons

What is a webtoon? The word "webtoon" is from "web" and "cartoon," so a webtoon is an online cartoon, or comic. The first webtoon was made in 2003. A Korean company called Daum made it. From 2004, other companies began to make webtoons, too. Each week, the artists draw a new story. Sometimes the story is free, and sometimes the reader needs to pay money. Many people read webtoons online. About 10 million people read free webtoons in 2016. As people read webtoons, they become fans of the artists. Some artists are really famous for their webtoons. They sometimes appear on TV!

Do you want to become a webtoon artist? Then draw a free webtoon and put it on a webtoon site. Maybe a company will ask you to join it. The company will pay you after you join. Do many readers like your webtoon? Then you will get more money. But drawing a new story every week is not easy. Some artists get neck pain from drawing. Sometimes, artists have to draw for ten hours a day!

웹툰 소개

웹툰이란 무엇인가? "웹툰(webtoon)"이라는 단어는 "웹(web)"과 "카툰(cartoon)"에서 왔고, 따라서 웹툰은 온라인 카툰이나 만화이다. 최초의 웹툰은 2003년에 만들어졌다. 한국 회사 Daum 이 그것을 만들었다. 2004년부터, 다른 회사들도 웹툰을 만들기 시작했다. 매주, 작가들은 새로운 이야기를 그린다. 이야기는 때로는 무료이고, 때로는 독자들이 돈을 지불해야 한다. 많은 사람들이 온라인으로 웹툰을 본다. 2016년에는 약 1,000만 명이 넘는 사람들이 무료 웹툰을 봤다. 사람들이 웹툰을 보면서, 그들은 작가들의 팬이 된다. 몇몇 작가들은 그들의 웹툰으로 매우 유명하다. 그들은 가끔 TV에도 출연한다!

웹툰 작가가 되고 싶은가? 그렇다면 무료 웹툰을 그려서 웹툰 사이트에 올려라. 아마도 어떤 회사가 함께 하자고 당신에게 요청할 것이다. 당신이 합류한 후에 회사는 당신에게 돈을 지급할 것이다. 많은 독자가 당신의 웹툰을 좋아하는가? 그렇다면 더 많은 돈을 벌게 될 것이다. 하지만 매주 새로운 이야기를 그린다는 것은 쉽지 않다. 몇몇 작가들은 그리면서 목 통증을 얻는다. 때때로, 작가들은 하루에 열 시간 동안 그려야만 한다!

어휘 cartoon 만화, 카툰 | online 온라인 | karate 가라테(일본무술) | lesson 수업 | have to ~해야 한다 | at least 적어도 | neck 목 | pain 통증 | paper cut 종이에 베인 상처 | broken 부러진, 깨진 | stomach 위 | screen 화면 | spill 엎지르다; 흐르다 | company 회사 | artist 작가 | free 무료의; 자유로운 | need to ~해야 한다 | pay 지불하다 | million 백만 | fan 팬 | be famous for ~로 유명하다 | appear 출연하다; 나타나다 | ask 요청하다 | join 함께하다; 연결하다 | advertisement 광고 | talented 재능있는 | win 얻다; 이기다 | competition 경연 대회 | contest 경연 | cure 치료하다

1. Each <u>week</u>, I go to karate lessons.
   (A) week
   (B) weeks
   (C) a week
   (D) my week

해석 매주, 나는 가라테 수업에 간다.
   (A) 주
   (B) 주들
   (C) 한 주
   (D) 나의 주

풀이 '각자, 각각'을 뜻하는 한정사 'Each'는 단수 명사를 수식하므로 (A)가 정답이다. (B)는 복수 명사이므로 오답이다. (C)는 'each'와 관사가 함께 쓰이면 어색하므로 오답이다.

관련 문장 Each week, the artists draw a new story.

2. My brothers have to <u>sleep</u> at least eight hours a day.
   (A) sleep
   (B) be sleep
   (C) sleeping
   (D) is sleeps

해석 내 남동생들은 하루에 적어도 여덟 시간은 <u>자야</u> 한다.
   (A) 자다
   (B) 어색한 표현
   (C) 잠자기
   (D) 어색한 표현

풀이 '~해야 한다'를 뜻할 때 'have to + 동사 원형' 표현을 사용할 수 있으므로 (A)가 정답이다.

관련 문장 Sometimes, artists have to draw for ten hours a day!

3. Nila has <u>neck pain</u>.
   (A) neck pain
   (B) a paper cut
   (C) a broken leg
   (D) stomach pain

해석 Nila는 <u>목 통증</u>이 있다.
   (A) 목 통증
   (B) 종이에 베인 상처
   (C) 부러진 다리
   (D) 위 통증

풀이 여자가 목에 통증이 있어서 목을 부여잡고 있으므로 (A)가 정답이다.

관련 문장 Some artists get neck pain from drawing.

4. Nick is <u>drawing a cartoon</u> on the screen.

(A) showing a car
(B) drawing a cartoon
(C) spilling some coffee
(D) watching a baseball game

해석 Nick은 화면에 <u>만화를 그리고</u> 있다.

(A) 자동차를 보여주는
(B) 만화를 그리는
(C) 커피를 엎지르는
(D) 야구 경기를 보는

풀이 태블릿 화면에 만화를 그리고 있으므로 (B)가 정답이다.

관련 문장 But drawing a new story every week is not easy.

[5-6]

해석

웹툰 작가 광고
젊은 작가를 위한 웹툰 경연 대회

재능있는 웹툰 작가를 찾고 있습니다!
최고의 이야기는 50,000달러를 받습니다.

• 나이: 14-25

• 장르: 드라마, 판타지, 액션, 역사, 로맨스, 코미디

각 작가로부터 여섯 편의 이야기가 필요합니다.
작품은 반드시 채색되어야 합니다.

5. How many stories should you draw for the competition?

(A) 2
(B) 3
(C) 6
(D) 8

해석 경연 대회를 위해 몇 편의 이야기를 그려야 하는가?

(A) 2
(B) 3
(C) 6
(D) 8

풀이 'We need six stories from each artist.'에서 각 작가로부터 여섯 편의 이야기가 필요하다고 했으므로 (C)가 정답이다.

6. What is NOT true about the contest?

(A) The winner gets $50,000.
(B) The artist must color the work.
(C) A 15-year-old student can join.
(D) There are more than 7 types of webtoon.

해석 경연에 관해 옳지 않은 설명은 무엇인가?

(A) 우승자는 50,000달러를 받는다.
(B) 작가는 작품을 채색해야 한다.
(C) 15살 학생이 참여할 수 있다.
(D) 웹툰 장르가 7개보다 많다.

풀이 'Types: drama, fantasy, action, history, romance, comedy'에서 나열된 작품 장르 수는 여섯 개이므로 (D)가 정답이다.
(A)는 'The best story wins $50,000'에서, (B)는 'The artwork must be in color.'에서, (C)는 'Age: 14 - 25'에서 확인할 수 있는 내용이므로 오답이다.

What is a webtoon? The word "webtoon" is from "web" and "cartoon," so a webtoon is an online cartoon, or comic. The first webtoon was made in 2003. A Korean company called Daum made it. From 2004, other companies began to make webtoons, too. Each week, the artists draw a new story. Sometimes the story is free, and sometimes the reader needs to pay money. Many people read webtoons online. About 10 million people read free webtoons in 2016. As people read webtoons, they become fans of the artists. Some artists are really famous for their webtoons. They sometimes appear on TV!

Do you want to become a webtoon artist? Then draw a free webtoon and put it on a webtoon site. Maybe a company will ask you to join it. The company will pay you after you join. Do many readers like your webtoon? Then you will get more money. But drawing a new story every week is not easy. Some artists get neck pain from drawing. Sometimes, artists have to draw for ten hours a day!

해석

웹툰이란 무엇인가? "웹툰(webtoon)"이라는 단어는 "웹(web)"과 "카툰(cartoon)"에서 왔고, 따라서 웹툰은 온라인 카툰이나 만화이다. 최초의 웹툰은 2003년에 만들어졌다. 한국회사 Daum이 그것을 만들었다. 2004년부터, 다른 회사들도 웹툰을 만들기 시작했다. 매주, 작가들은 새로운 이야기를 그린다. 이야기는 때로는 무료이고, 때로는 독자들이 돈을 지불해야 한다. 많은 사람들이 온라인으로 웹툰을 본다. 2016년에는 약 1,000만 명이 넘는 사람들이 무료 웹툰을 봤다. 사람들이 웹툰을 보면서, 그들은 작가들의 팬이 된다. 몇몇 작가들은 그들의 웹툰으로 매우 유명하다. 그들은 가끔 TV에도 출연한다!

웹툰 작가가 되고 싶은가? 그렇다면 무료 웹툰을 그려서 웹툰 사이트에 올려라. 아마도 어떤 회사가 함께 하자고 당신에게 요청할 것이다. 당신이 합류한 후에 회사는 당신에게 돈을 지급할 것이다. 많은 독자가 당신의 웹툰을 좋아하는가? 그렇다면 더 많은 돈을 벌게 될 것이다. 하지만 매주 새로운 이야기를 그린다는 것은 쉽지 않다. 몇몇 작가들은 그리면서 목 통증을 얻는다. 때때로, 작가들은 하루에 열 시간 동안 그려야만 한다!

---

7. What is this passage mainly about?

   (A) TV shows from Korea
   (B) famous cartoon artists
   (C) webtoons and their artists
   (D) the most popular websites

해석 지문은 주로 무엇에 관한 내용인가?

   (A) 한국의 TV 프로그램
   (B) 유명한 만화 작가들
   (C) 웹툰과 그것들의 작가들
   (D) 가장 인기 있는 웹사이트

유형 전체 내용 파악

풀이 첫 번째 문단에서 웹툰의 시초와 구독자 수 등을 설명하고, 두 번째 문단에서 웹툰 작가가 되는 방법과 웹툰 작가의 생활을 간략하게 서술하고 있는 글이다. 따라서 (C)가 정답이다.

8. According to the passage, when did the first webtoon start?

   (A) in 2003
   (B) in 2004
   (C) in 2010
   (D) in 2016

해석 지문에 따르면, 최초의 웹툰은 언제 시작했는가?

   (A) 2003년에
   (B) 2004년에
   (C) 2010년에
   (D) 2016년에

유형 세부 내용 파악

풀이 'The first webtoon was made in 2003.'에서 최초의 웹툰은 2003년에 만들어졌다는 사실을 알 수 있으므로 (A)가 정답이다.

9. According to the passage, what should you do first to become a webtoon artist?

   (A) look for a company
   (B) cure your neck pain
   (C) draw free webtoons
   (D) ask companies to pay

해석 지문에 따르면, 웹툰 작가가 되기 위해 처음에 무엇을 해야 하는가?

   (A) 회사 찾기
   (B) 목 통증 치료하기
   (D) 무료 웹툰 그리기
   (D) 회사에 지불 요청하기

유형 세부 내용 파악

풀이 'Do you want to become a webtoon artist? Then draw a free webtoon and put it on a webtoon site.'에서 웹툰 작가가 되려면 가장 먼저 무료 웹툰을 그리고 사이트에 올리라고 했으므로 (C)가 정답이다.

10. According to the passage, why do some webtoon artists have neck pain?

(A) They walk very fast.
(B) They do not sleep well.
(C) They watch too much TV.
(D) They draw for a long time.

해석 지문에 따르면, 몇몇 웹툰 작가들이 목 통증을 겪는 이유는 무엇인가?

(A) 너무 빨리 걷는다.
(B) 잠을 잘 자지 못한다.
(C) TV를 너무 많이 본다.
(D) 오랫동안 그린다.

유형 세부 내용 파악

풀이 'Some artists get neck pain from drawing. Sometimes, artists have to draw for ten hours a day!'에서 하루에 열 시간 동안이나 작업할 정도로 오랫동안 웹툰을 그려서 작가들에게 목 통증이 생긴다는 것을 알 수 있으므로 (D)가 정답이다.

🎧 Listening Practice   ▶ B2-11 p.100

What is a webtoon? The word "webtoon" is from "web" and "cartoon," so a webtoon is an online cartoon, or comic. The first webtoon was made in 2003. A Korean company called Daum made it. From 2004, other companies began to make webtoons, too. Each week, the artists draw a new story. Sometimes the story is free, and sometimes the reader needs to pay money. Many people read webtoons online. About 10 million people read free webtoons in 2016. As people read webtoons, they become fans of the artists. Some artists are really famous for their webtoons. They sometimes appear on TV!

Do you want to become a webtoon artist? Then draw a free webtoon and put it on a webtoon site. Maybe a company will ask you to join it. The company will pay you after you join. Do many readers like your webtoon? Then you will get more money. But drawing a new story every week is not easy. Some artists get neck pain from drawing. Sometimes, artists have to draw for ten hours a day!

1. cartoon
2. company
3. began
4. fans of
5. neck pain
6. a day

✏️ Writing Practice   p.101

1. cartoon
2. begin
3. company
4. become fans of
5. neck pain
6. ten hours a day

📄 Summary

A webtoon is an online <u>cartoon</u>. Webtoons started in <u>Korea</u> in 2003. Webtoon <u>artists</u> have many fans. The artists can become <u>famous</u>, but the work can be hard.

웹툰은 온라인 <u>만화</u>이다. 웹툰은 2003년에 <u>한국</u>에서 시작되었다. 웹툰 <u>작가들</u>은 많은 팬을 보유하고 있다. 그 작가들은 <u>유명해질</u> 수 있지만, 일이 힘들 수 있다.

▦ Word Puzzle   p.102

Across	Down
3. ten hours a day	1. become fans of
5. neck pain	2. cartoon
	4. begin
	6. company

🔆 Pre-reading Questions　　　　　p.103

What can you make with an old bottle or can?

오래된 병이나 캔으로 무엇을 만들 수 있나요?

📖 Reading Passage　　　　　p.104

Haihat's Recycled Pig

Haihat bought many things, so she had a lot of trash in her house. She had plastic bottles, paper boxes, clothes, and cans. She wanted to use them. Then, she remembered last week's art class. In class, the teacher, Mr. Thal, showed pictures of recycled art. The artists used trash to make recycled art. Trash became something beautiful! So, Haihat collected three plastic bottles and some clothes. She thought of some animals. She thought, "A bottle lid looks like a pig's nose!" Haihat decided to make plastic pigs. She asked her dad to help her. That's because cutting plastic is dangerous. Haihat's dad cut the plastic bottles. They became the pigs' ears. He also cut the lid for the noses. Then, Haihat cut the clothes. She glued them on the pigs. Finally, she colored the pigs pink and put two big eyes on each one. The trash became a piece of art. Haihat took a picture of her pigs. Then, she showed it to Mr. Thal. Mr. Thal was happy to see the photo. He told Haihat to bring the pigs to class next week.

Haihat의 재활용 돼지

Haihat은 많은 것들을 샀고, 그래서 그녀의 집에는 쓰레기가 많았다. 그녀에게는 플라스틱병, 종이 상자, 옷, 그리고 깡통들이 있었다. 그녀는 그것들을 활용하고 싶었다. 그때, 그녀는 지난주 미술 수업을 떠올렸다. 수업에서, 선생님인 Thal 씨는 재활용 예술 사진들을 보여주었다. 예술가들은 재활용 예술을 만들려고 쓰레기를 활용했다. 쓰레기가 무언가 아름다운 것이 됐다! 그래서, Haihat은 플라스틱병 세 개와 옷가지를 모았다. 그녀는 몇몇 동물을 생각했다. 그녀는 생각했다, "병뚜껑이 돼지의 코처럼 보여!" Haihat은 플라스틱 돼지를 만들기로 결정했다. 그녀는 아빠에게 도와달라고 부탁했다. 왜냐하면 플라스틱을 자르는 것은 위험하기 때문이다. Haihat의 아빠가 플라스틱병을 잘랐다. 그것들은 돼지들의 귀가 되었다. 그는 또한 코가 될 뚜껑을 잘랐다. 그런 다음, Haihat은 옷들을 잘랐다. 그녀는 그것들을 돼지들에 붙였다. 마지막으로, 그녀는 돼지들을 분홍색으로 색칠했고 각 돼지에 두 개의 큰 눈을 붙였다. 쓰레기는 예술품이 되었다. Haihat는 돼지들의 사진을 찍었다. 그런 다음, Thal 선생님께 그것을 보여주었다. Thal 선생님은 사진을 보고 기뻐했다. 그는 Haihat에게 다음 주 수업에 그녀의 돼지들을 가져오라고 말했다.

어휘 bottle 병 | rope 밧줄 | snake 뱀 | look like ~처럼 보이다 | light 가벼운; 빛 | glue 풀; (접착제로) 붙이다 | right 바로; 오른쪽의 | inside ~ 안에 | behind ~ 뒤에 | directly 바로 | under ~ 아래 | paint 칠하다; 페인트 | wall 벽 | piece 조각 | take a picture 사진을 찍다 | a lot of 많은 | trash 쓰레기 | use 활용하다, 사용하다 | remember 기억하다 | recycle 재활용하다 | collect 모으다 | lid 뚜껑 | decide to ~하기로 결정하다 | dangerous 위험한 | color 색칠하다 | shiny 반짝이는 | mouth 입 | perfect 완벽한

1. A rope sometimes looks <u>like</u> a snake.

   (A) is
   (B) like
   (C) that
   (D) may

해석 밧줄은 가끔 뱀<u>처럼</u> 보인다.

   (A) ~이다
   (B) ~처럼
   (C) 접속사 that
   (D) ~일지도 모른다

풀이 '~처럼 보이다'를 나타낼 때 동사 'look'과 전치사 'like'를 사용하여 'look like ~'라고 표현하므로 (B)가 정답이다.

관련 문장 A bottle lid looks like a pig's nose!

2. Dad cut a <u>paper box</u> for me.

   (A) light cans
   (B) paper box
   (C) glue sticks
   (D) plastic bottles

해석 아빠가 나를 위해 <u>종이 상자</u> 하나를 잘라 주셨다.

   (A) 가벼운 캔들
   (B) 종이 상자
   (C) 딱풀들
   (D) 플라스틱병들

풀이 빈칸에는 동사 'cut'의 목적어가 들어가야 한다. 또한 단수를 뜻하는 부정관사 'a'가 수식해야 하므로 단수 명사 (B)가 정답이다.

관련 문장 Haihat's dad cut the plastic bottles.

3. The flowers are <u>right inside</u> the boots.

   (A) right inside
   (B) right behind
   (C) directly under
   (D) just to the left of

해석 꽃들은 장화 <u>바로 안에</u> 있다.

   (A) ~ 바로 안에
   (B) ~ 바로 뒤에
   (C) ~ 바로 밑에
   (D) ~의 바로 왼쪽에

풀이 꽃들이 장화 안에 심어져 있으므로 (A)가 정답이다.

4. Yuki likes to <u>glue pieces of paper</u>.

   (A) paint her walls
   (B) cut plastic pieces
   (C) glue pieces of paper
   (D) take pictures outside

해석 Yuki는 <u>종잇조각 붙이는 것</u>을 좋아한다.

   (A) 벽 칠하기
   (B) 플라스틱 조각 자르기
   (C) 종잇조각 붙이기
   (D) 밖에서 사진 찍기

풀이 풀로 종잇조각을 붙이고 있는 모습이므로 (C)가 정답이다.

관련 문장 She glued them on the pigs.

[5-6]

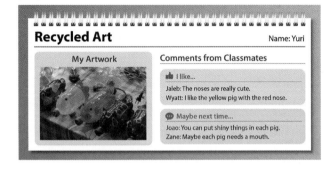

해석

재활용 예술		이름: Yuri
나의 미술 작품	학급 친구들 의견	
	나는 좋았어요...	
	Jaleb: 코가 정말 귀여워요.	
	Wyatt: 빨간 코를 가진 노란색 돼지가 좋아요.	
	아마도 다음번에는...	
	Joao: 각 돼지 안에 반짝거리는 것을 넣을 수 있어요.	
	Zane: 각 돼지에게 입이 필요할 수도 있어요.	

5. Who wrote about putting things in a bottle?

   (A) Jaleb
   (B) Wyatt
   (C) Joao
   (D) Zane

해석 병 안에 무언가를 담는 것에 관해 쓴 사람은 누구인가?

   (A) Jaleb
   (B) Wyatt
   (C) Joao
   (D) Zane

풀이 'Joao: You can put shiny things in each pig.'에서 Joao가 병으로 만든 돼지 안에 반짝이는 것들을 넣을 수 있다고 했다. 따라서 (C)가 정답이다.

6. What does Zane think?

    (A) The eyes are too big.
    (B) The colors are bright.
    (C) Each pig needs a mouth.
    (D) Each pig needs bigger ears.

해석 Zane은 어떻게 생각하는가?

    (A) 눈이 너무 크다.
    (B) 색깔이 밝다.
    (C) 돼지마다 입이 필요하다.
    (D) 돼지마다 더 큰 귀가 필요하다.

풀이 'Zane: Maybe each pig needs a mouth'에서 Zane이
돼지들에게 입이 필요하다고 생각하고 있음을 알 수 있다. 따라서
(C)가 정답이다.

[7-10]

Haihat bought many things, so she had a lot of trash in her house. She had plastic bottles, paper boxes, clothes, and cans. She wanted to use them. Then, she remembered last week's art class. In class, the teacher, Mr. Thal, showed pictures of recycled art. The artists used trash to make recycled art. Trash became something beautiful! So, Haihat collected three plastic bottles and some clothes. She thought of some animals. She thought, "A bottle lid looks like a pig's nose!" Haihat decided to make plastic pigs. She asked her dad to help her. That's because cutting plastic is dangerous. Haihat's dad cut the plastic bottles. They became the pigs' ears. He also cut the lid for the noses. Then, Haihat cut the clothes. She glued them on the pigs. Finally, she colored the pigs pink and put two big eyes on each one. The trash became a piece of art. Haihat took a picture of her pigs. Then, she showed it to Mr. Thal. Mr. Thal was happy to see the photo. He told Haihat to bring the pigs to class next week.

해석

Haihat은 많은 것들을 샀고, 그래서 그녀의 집에는 쓰레기가
많았다. 그녀에게는 플라스틱병, 종이 상자, 옷, 그리고
깡통들이 있었다. 그녀는 그것들을 활용하고 싶었다. 그때,
그녀는 지난주 미술 수업을 떠올렸다. 수업에서, 선생님인
Thal 씨는 재활용 예술 사진들을 보여주었다. 예술가들은
재활용 예술을 만들려고 쓰레기를 활용했다. 쓰레기가 무언가
아름다운 것이 됐다! 그래서, Haihat은 플라스틱병 세 개와
옷가지를 모았다. 그녀는 몇몇 동물을 생각했다. 그녀는
생각했다, "병뚜껑이 돼지의 코처럼 보여!" Haihat은 플라스틱
돼지를 만들기로 결정했다. 그녀는 아빠에게 도와달라고
부탁했다. 왜냐하면 플라스틱을 자르는 것은 위험하기
때문이다. Haihat의 아빠가 플라스틱병을 잘랐다. 그것들은
돼지들의 귀가 되었다. 그는 또한 코가 될 뚜껑을 잘랐다. 그런
다음, Haihat은 옷들을 잘랐다. 그녀는 그것들을 돼지들에
붙였다. 마지막으로, 그녀는 돼지들을 분홍색으로 색칠했고
각 돼지에 두 개의 큰 눈을 붙였다. 쓰레기는 예술품이 되었다.
Haihat는 돼지들의 사진을 찍었다. 그런 다음, Thal 선생님께
그것을 보여주었다. Thal 선생님은 사진을 보고 기뻐했다.
그는 Haihat에게 다음 주 수업에 그녀의 돼지들을 가져오라고
말했다.

7. What is the main idea of the passage?

(A) Adults can cut plastic.
(B) Haihat made recycled art.
(C) Plastic bottles have good lids.
(D) Mr. Thal is the best art teacher.

해석 주로 무엇에 관한 지문인가?

(A) 성인은 플라스틱을 자를 수 있다.
(B) Haihat은 재활용 예술품을 만들었다.
(C) 플라스틱병에는 좋은 뚜껑이 있다.
(D) Thal 선생님은 최고의 미술 선생님이다.

유형 전체 내용 파악

풀이 Haihat이 미술 시간에 보았던 재활용 예술품을 떠올리고, 플라스틱병을 재활용해서 돼지들을 만들었다는 내용이 주를 이루고 있는 글이다. 따라서 (B)가 정답이다.

8. Who is Mr. Thal?

(A) Haihat's dad
(B) a store owner
(C) an art teacher
(D) a bottle maker

해석 Thal 씨는 누구인가?

(A) Haihat의 아빠
(B) 가게 주인
(C) 미술 선생님
(D) 병 제작자

유형 세부 내용 파악 & 추론하기

풀이 'Then, she remembered last week's art class. In class, the teacher, Mr. Thal, showed pictures of recycled art.'에서 Thal 씨가 미술 선생님이라는 사실을 알 수 있으므로 (C)가 정답이다.

9. Why did Haihat make pigs?

(A) Cans looked perfect for pigs.
(B) Her dad told her to make pigs.
(C) She had some big glass bottles.
(D) A bottle lid looked like a pig's nose.

해석 Haihat이 돼지를 만든 이유는 무엇인가?

(A) 캔이 돼지에 완벽해 보였다.
(B) 아빠가 돼지를 만들라고 했다.
(C) 큰 유리병이 좀 있었다.
(D) 병뚜껑이 돼지코처럼 보였다.

유형 세부 내용 파악

풀이 'She thought of some animals. She thought, "A bottle lid looks like a pig's nose!" Haihat decided to make plastic pigs.'에서 Haihat이 병뚜껑을 보고 돼지코를 떠올려 돼지를 만들었다는 것을 알 수 있으므로 (D)가 정답이다.

10. What did Haihat do with the pigs?

(A) paint them white
(B) put them in the trash
(C) take a photo of them
(D) bring them to art class

해석 Haihat은 돼지들로 무엇을 했는가?

(A) 하얗게 칠하기
(B) 쓰레기에 넣기
(C) 그것들의 사진 찍기
(D) 미술 수업에 가져오기

유형 세부 내용 파악

풀이 'Haihat took a picture of her pigs.'에서 Haihat이 돼지들의 사진을 찍었다고 했으므로 (C)가 정답이다. (A)는 'she colored the pigs pink'에서 하얀색이 아니라 분홍색으로 칠했다는 것을 알 수 있으므로 오답이다. (D)는 'He told Haihat to bring the pigs to class next week.'에서 다음 주에 미술 수업에 돼지들을 가져갈 것이므로 오답이다.

🎧 **Listening Practice** ▶ B2-12 p.108

Haihat bought many things, so she had a lot of trash in her house. She had plastic bottles, paper boxes, clothes, and cans. She wanted to use them. Then, she remembered last week's art class. In class, the teacher, Mr. Thal, showed pictures of <u>recycled</u> art. The artists used trash to make recycled art. Trash became something beautiful! So, Haihat collected three plastic bottles and some clothes. She thought of some animals. She thought, "A bottle lid <u>looks like</u> a pig's nose!" Haihat decided to make plastic pigs. She asked her dad to help her. That's because cutting plastic is <u>dangerous</u>. Haihat's dad cut the plastic bottles. They became the pigs' ears. He also cut the <u>lid</u> for the noses. Then, Haihat cut the clothes. She <u>glued</u> them on the pigs. Finally, she colored the pigs pink and put two big eyes on each one. The trash became a <u>piece of art</u>. Haihat took a picture of her pigs. Then, she showed it to Mr. Thal. Mr. Thal was happy to see the photo. He told Haihat to bring the pigs to class next week.

1. recycled

2. looks like

3. dangerous

4. lid

5. glued

6. piece of art

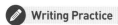 **Writing Practice** p.109

1. recycle
2. lid
3. dangerous
4. look like
5. glue
6. piece of art

📄 **Summary**

Haihat wanted to use her <u>trash</u>. She remembered beautiful <u>recycled</u> art from her class. So she collected some trash to make plastic <u>pigs</u>. Her <u>art</u> teacher liked the pigs.

Haihat은 그녀의 <u>쓰레기</u>를 활용하고 싶었다. 그녀는 수업 시간의 아름다운 <u>재활용</u> 예술품들을 떠올렸다. 그래서 그녀는 플라스틱 <u>돼지들</u>을 만들기 위해 쓰레기를 모았다. 그녀의 <u>미술</u> 선생님이 그 돼지들을 마음에 들어 했다.

🧩 **Word Puzzle** p.110

Across	Down
1. lid	2. dangerous
4. recycle	3. piece of art
6. glue	5. look like

Chapter Review p.111

The Court Artist's Rooster

Once upon a time, there was a king. He loved roosters and thought they were beautiful. So one day, he said to the court artist, "Paint a picture of a rooster for me." The king waited and waited. In fact, he waited a whole year. Still, there was no picture. The king was angry. "BRING ME THE ARTIST!" he shouted. The artist came out. She had paper, paint, and a paintbrush. She painted a picture of a rooster. It took just five minutes. The king was angrier. His face became purple. He shouted, "Why is this so late? You had one year! And you only do the painting NOW???" The artist was calm. She said, "My king, please come with me." The king followed the artist into a room. The room had 1000 pieces of paper in it. The paper showed pictures of roosters. "See?" said the artist to the king. "I painted a picture in five minutes. But I needed one year to learn how."

궁정화가의 수탉

옛날 옛적에, 왕이 있었다. 그는 수탉을 아주 좋아했고 그들이 아름답다고 생각했다. 그래서 어느 날, 그는 궁정화가에게 말했다, "나를 위해 수탉 그림을 그려오라." 왕은 기다리고 기다렸다. 사실, 그는 일 년 내내 기다렸다. 그래도, 그림은 없었다. 왕은 화가 났다. "화가를 데려와라!" 그가 고함쳤다. 화가가 나왔다. 그녀에게는 종이, 물감, 그리고 붓이 있었다. 그녀는 수탉 그림을 그렸다. 겨우 5분 걸렸다. 왕은 더 화가 났다. 그의 얼굴은 보라색이 되었다. 그는 소리쳤다, "왜 이렇게 늦은 건가? 자네에게 1년이 있었지 않은가! 그리고 이제야 겨우 그림을 그리는 것인가???" 화가는 침착했다. 그녀가 말했다, "전하, 저와 함께 가주십시오." 왕은 화가를 따라 방으로 들어갔다. 방에는 안에 1000장의 종이가 있었다. 종이에는 수탉 그림들이 있었다. "보셨습니까?"라고 화가가 왕에게 말했다. "저는 5분 만에 그림을 그렸습니다. 하지만 방법을 배우려면 1년이 필요했습니다."

MEMO

MEMO

MEMO

TOSEL® Reading
Basic Book 3

Basic Book 3

ANSWERS

CHAPTER 1 | Travel

UNIT 1 ▶ B3-1 p.11
- ⏱ 1 (A) 2 (C) 3 (D) 4 (D) 5 (A) 6 (C) 7 (B) 8 (A) 9 (C) 10 (C)
- 🎧 1 sand | 2 Sunset | 3 Sunrise | 4 friendly | 5 visitors | 6 fee
- ✏ 1 sand | 2 sunrise | 3 sunset | 4 friendly | 5 visitor | 6 fee
- 📄 island, sand beaches, fire, hotels
- ▦ → 2 fee 3 visitor 4 sunset ↓ 1 sunrise 2 friendly 4 sand

UNIT 2 ▶ B3-2 p.19
- ⏱ 1 (B) 2 (D) 3 (C) 4 (C) 5 (C) 6 (B) 7 (C) 8 (C) 9 (C) 10 (C)
- 🎧 1 lost | 2 all about | 3 international | 4 suitcases | 5 baggage | 6 claim
- ✏ 1 get lost | 2 all about | 3 international flight | 4 suitcase | 5 baggage | 6 baggage claim area
- 📄 London, grandparents, airport, mother
- ▦ → 4 baggage claim area ↓ 1 suitcase 2 international flight 3 all about 4 baggage 5 get lost

UNIT 3 ▶ B3-3 p.27
- ⏱ 1 (D) 2 (A) 3 (D) 4 (B) 5 (A) 6 (C) 7 (B) 8 (A) 9 (C) 10 (B)
- 🎧 1 offices | 2 towers | 3 design | 4 safety | 5 thousand | 6 That's
- ✏ 1 office | 2 design | 3 twin towers | 4 thousand | 5 safety | 6 that's why
- 📄 buildings, twin, design, bridge
- ▦ → 5 twin towers ↓ 1 thousand 2 safety 3 that's why 4 design 6 office

UNIT 4 ▶ B3-4 p.35
- ⏱ 1 (C) 2 (B) 3 (A) 4 (B) 5 (D) 6 (C) 7 (C) 8 (D) 9 (D) 10 (A)
- 🎧 1 mistakes | 2 travel | 3 manners | 4 history | 5 Copying | 6 allow
- ✏ 1 travel | 2 make a mistake | 3 manners | 4 history | 5 allow | 6 copy
- 📄 manners, read, follow, pictures
- ▦ → 2 make a mistake 3 travel 4 manners 6 copy ↓ 1 history 5 allow

CHAPTER 2 | Culture
p.44

UNIT 5 ▶ B3-5 p.45
- ⏱ 1 (B) 2 (D) 3 (B) 4 (C) 5 (A) 6 (B) 7 (B) 8 (B) 9 (B) 10 (A)
- 🎧 1 adults | 2 turkey | 3 vegetarian | 4 close | 5 dining | 6 parade
- ✏ 1 adult | 2 turkey | 3 vegetarian | 4 We are close | 5 dining room | 6 parade
- 📄 grandparents, ten, eat, vegetarians
- ▦ → 2 adult 5 parade 6 turkey ↓ 1 we are close 3 dining room 4 vegetarian

UNIT 6 ▶ B3-6 p.53
- ⏱ 1 (B) 2 (C) 3 (A) 4 (C) 5 (D) 6 (B) 7 (D) 8 (D) 9 (B) 10 (B)
- 🎧 1 went to bed | 2 take a nap | 3 break | 4 continued | 5 cool | 6 These days
- ✏ 1 go to bed late | 2 break | 3 take a nap | 4 continue with your story | 5 cool | 6 these days
- 📄 break, hot, restaurants, these days
- ▦ → 1 cool 4 go to bed late ↓ 1 continue with your story 2 break 3 take a nap 5 these days

UNIT 7 ▶ B3-7 p.61
- ⏱ 1 (A) 2 (C) 3 (C) 4 (B) 5 (D) 6 (A) 7 (A) 8 (A) 9 (B) 10 (C)
- 🎧 1 tidy | 2 Modern | 3 tomb | 4 treasures | 5 ill | 6 weak
- ✏ 1 tidy | 2 tomb | 3 modern | 4 treasure | 5 ill | 6 weak
- 📄 Egypt, learn, tomb, died
- ▦ → 1 tomb 2 weak 3 modern 4 tidy ↓ 1 treasure 5 ill

UNIT 8 ▶ B3-8 p.69
- ⏱ 1 (A) 2 (C) 3 (D) 4 (A) 5 (C) 6 (B) 7 (C) 8 (C) 9 (D) 10 (B)
- 🎧 1 wide | 2 stripe | 3 cactus | 4 capital | 5 similar | 6 soldier
- ✏ 1 wide | 2 stripe | 3 cactus | 4 capital | 5 similar | 6 soldier
- 📄 flag, Mexican, white, snake
- ▦ → 4 wide 5 capital 6 soldier ↓ 1 stripe 2 similar 3 cactus

CHAPTER 3 | Nature & the Earth
p.78

UNIT 9 ▶ B3-9 p.79
- ⏱ 1 (C) 2 (A) 3 (D) 4 (D) 5 (A) 6 (C) 7 (D) 8 (C) 9 (D) 10 (D)
- 🎧 1 interested in | 2 habitat | 3 scientist | 4 need | 5 space | 6 Sharks
- ✏ 1 habitat | 2 be interested in | 3 scientist | 4 need | 5 space | 6 shark
- 📄 habitat, plants, air, food
- ▦ → 3 scientist 4 shark 5 need ↓ 1 be interested in 2 habitat 4 space

UNIT 10 ▶ B3-10 p.87
- ⏱ 1 (D) 2 (C) 3 (A) 4 (B) 5 (B) 6 (B) 7 (D) 8 (C) 9 (C) 10 (B)
- 🎧 1 global | 2 melting | 3 desert | 4 bigger | 5 humans | 6 lakes
- ✏ 1 global warming | 2 melt | 3 human | 4 desert | 5 get bigger | 6 lake
- 📄 bigger, two, warming, water
- ▦ → 3 get bigger 4 lake 5 human ↓ 1 melt 2 desert 3 global warming

UNIT 11 ▶ B3-11 p.95
- ⏱ 1 (C) 2 (D) 3 (C) 4 (C) 5 (C) 6 (A) 7 (A) 8 (A) 9 (D) 10 (A)
- 🎧 1 turn off | 2 brush | 3 glasses | 4 print | 5 leave | 6 parent
- ✏ 1 brush your teeth | 2 turn off | 3 print | 4 glass | 5 leave | 6 parent
- 📄 earth, brush, turn off, leave
- ▦ → 2 turn off 3 glass 4 print 5 leave ↓ 1 brush your teeth 4 parent

UNIT 12 ▶ B3-12 p.103
- ⏱ 1 (A) 2 (B) 3 (A) 4 (B) 5 (C) 6 (B) 7 (B) 8 (D) 9 (D) 10 (D)
- 🎧 1 pills | 2 vacation | 3 technology | 4 expert | 5 insects | 6 cancer
- ✏ 1 pill | 2 vacation | 3 technology | 4 expert | 5 insect | 6 cancer
- 📄 future, insects, check, will
- ▦ → 1 insect 3 vacation 4 expert ↓ 2 cancer 5 pill 6 technology

Chapter 1. Travel

💡 **Pre-reading Questions**   p.11

What do you know about Thailand? Name three things.

태국에 관해 무엇을 아나요? 세 가지를 대보세요.

📖 **Reading Passage**   p.12

Koh Lipe

Do you want to enjoy the jungle and the beach at the same time? Do you want delicious food at a good price? Then you should visit Koh Lipe. Koh Lipe is an island in the south of Thailand. You have to take a boat from other islands to get there. I got to Koh Lipe by boat from Pak Bara.

So why is Koh Lipe so great? It is famous for white sand beaches and blue waters. The three main beaches are Sunset Beach, Sunrise Beach, and Pattaya Beach. I stood in the sand on the beach. I could see beautiful fish in the water. Also, on this island, people are very friendly. If you get lost, someone will help you. And the island has a special fire show. After the fire show, visitors can dance and enjoy wonderful food in restaurants.

Sadly, there are problems on Koh Lipe, too. The big hotels make a lot of garbage. And many people throw garbage on the ground. To solve some of the problems, now visitors must pay a fee to go on the island. The people on the island use the fees to take care of nature.

Koh Lipe

정글과 해변을 동시에 즐기고 싶은가? 좋은 가격에 맛있는 음식을 원하는가? 그렇다면 당신은 Koh Lipe에 방문해야 한다. Koh Lipe 는 태국의 남쪽에 있는 섬이다. 그곳에 가려면 다른 섬에서 배를 타야 한다. 나는 Pak Bara에서 배를 타고 Koh Lipe에 도착했다.

그렇다면 Koh Lipe는 왜 그렇게 좋은가? 그곳은 백사장과 푸른 물로 유명하다. 3대 해수욕장은 Sunset 해변, Sunrise 해변, Pattaya 해변이다. 나는 해변의 모래에 서 있었다. 나는 물속에 있는 아름다운 물고기를 볼 수 있었다. 또한, 이 섬에서는, 사람들이 몹시 친절하다. 길을 잃는다면, 누군가가 당신을 도와줄 것이다. 그리고 이 섬은 특별한 불꽃 쇼가 있다. 불꽃 쇼가 끝난 후, 방문객들은 식당에서 춤추고 훌륭한 음식을 즐길 수 있다.

슬프게도, Koh Lipe에는 문제점들도 있다. 거대한 호텔들이 많은 쓰레기를 만든다. 그리고 많은 사람이 땅바닥에 쓰레기를 버린다. 이런 문제점 중 몇몇을 해결하기 위해서, 이제 방문객들은 섬에 가기 위해 요금을 지불해야만 한다. 섬의 사람들은 자연을 돌보기 위해 그 요금을 쓴다.

어휘 Thailand 태국 | island 섬 | crowded 붐비는 | pond 연못 | mountain 산 | beach 해변 | cold 냉랭한 | mean 못된 | violent 폭력적인 | friendly 친절한; 친한, 친구 사이의 | jungle 정글 | at the same time 동시에 | price 가격 | visit 방문하다 | south 남쪽 | have to ~해야 한다 | other 다른 | special 특별한 | restaurant 식당 | sadly 슬프게도 | a lot of 많은 | garbage 쓰레기 | throw (내)던지다, 투척하다 | ground 땅바닥 | solve 해결하다 | pay 지불하다 | fee 요금 | take care of ~을 돌보다 | nature 자연 | airport 공항 | according to ~에 따르면 | map 지도 | west 서쪽 | near 근처 | on fire 불타고 있는 | hurt 해치다, 다치게 하다 | company 회사

1. We got to the island <u>by</u> boat.

   (A) by
   (B) for
   (C) under
   (D) around

해석 우리는 배를 <u>타고</u> 섬으로 도착했다.

   (A) ~로
   (B) ~을 위해
   (C) ~ 아래에
   (D) ~ 주변에

풀이 교통수단 앞에서 전치사 'by'를 사용하여 '~로, ~을 타고'라는 뜻이므로 (A)가 정답이다.

관련 문장 I got to Koh Lipe by boat from Pak Bara.

2. There are <u>too many</u> people in the room. It is crowded.

   (A) as so
   (B) so as
   (C) too many
   (D) many too

해석 방에 사람이 <u>너무 많다</u>. 그곳은 붐빈다.

   (A) 부사 as + 부사 so
   (B) 부사 so + 부사 as
   (C) 너무 많은
   (D) 어색한 표현

풀이 빈칸 뒤 복수 명사 'people'을 꾸며주는 수식어구가 필요하다. 부사 'too'와 한정사 'many'는 'too many'라는 형태로 함께 사용되어 복수 명사를 수식하므로 (C)가 정답이다.

관련 문장 And many people throw garbage on the ground.

3. The island has a <u>beautiful beach</u>.

   (A) tall building
   (B) small pond
   (C) high mountain
   (D) beautiful beach

해석 그 섬에는 <u>아름다운 해변</u>이 있다.

   (A) 높은 건물
   (B) 작은 연못
   (C) 높은 산
   (D) 아름다운 해변

풀이 모래사장과 바다가 있는 해변의 모습이므로 (D)가 정답이다.

관련 문장 It is famous for white sand beaches and blue waters.

4. They are <u>friendly</u> to each other.

   (A) cold
   (B) mean
   (C) violent
   (D) friendly

해석 그들은 서로에게 <u>다정하다</u>.

   (A) 냉랭한
   (B) 못된
   (C) 폭력적인
   (D) 다정한

풀이 고양이와 개가 친한 사이처럼 옆에 붙어 앉아 있으므로 (D)가 정답이다.

관련 문장 Also, on this island, people are very friendly.

[5-6]

해석

N 북		ANDAMAN SEA 안다만해
W 서	E 동	airport 공항
S 남		THE GULF OF THAILAND 타이 만
		Hat Yai
		Phuket
		Koh Samui
		Koh Pangan

5. According to the map, what is true about Phuket?

   (A) It is an island.
   (B) It has no airport.
   (C) It is east of Koh Pangan.
   (D) It is between Koh Samui and Koh Pangan.

해석 지도에 따르면, Phuket에 관해 옳은 설명은 무엇인가?

   (A) 섬이다.
   (B) 공항이 없다.
   (C) Koh Pangan의 동쪽에 있다.
   (D) Koh Samui와 Koh Pangan 사이에 있다.

풀이 지도를 보면 Phuket이 사면이 바다로 둘러싸인 섬이라는 것을 알 수 있으므로 (A)가 정답이다. (B)는 Phuket에 공항이 있으므로 오답이다. (C)는 Koh Pangan의 남서쪽에 위치하므로 오답이다.

6. Where is Koh Samui?

    (A) west of Phuket
    (B) south of Phuket
    (C) near Koh Pangan
    (D) inside of Koh Pangan

해석 Koh Samui는 어디에 있는가?

    (A) Phuket의 서쪽에
    (B) Phuket의 남쪽에
    (C) Koh Pangan 근처에
    (D) Koh Pangan 안에

풀이 지도를 보면 Koh Samui는 Koh Pangan 근처에 있으므로 (C)가 정답이다. (A)와 (B)는 Koh Samui가 Phuket의 북동쪽에 위치하므로 오답이다.

[7-10]

Do you want to enjoy the jungle and the beach at the same time? Do you want delicious food at a good price? Then you should visit Koh Lipe. Koh Lipe is an island in the south of Thailand. You have to take a boat from other islands to get there. I got to Koh Lipe by boat from Pak Bara.

So why is Koh Lipe so great? It is famous for white sand beaches and blue waters. The three main beaches are Sunset Beach, Sunrise Beach, and Pattaya Beach. I stood in the sand on the beach. I could see beautiful fish in the water. Also, on this island, people are very friendly. If you get lost, someone will help you. And the island has a special fire show. After the fire show, visitors can dance and enjoy wonderful food in restaurants.

Sadly, there are problems on Koh Lipe, too. The big hotels make a lot of garbage. And many people throw garbage on the ground. To solve some of the problems, now visitors must pay a fee to go on the island. The people on the island use the fees to take care of nature.

해석

정글과 해변을 동시에 즐기고 싶은가? 좋은 가격에 맛있는 음식을 원하는가? 그렇다면 당신은 Koh Lipe에 방문해야 한다. Koh Lipe는 태국의 남쪽에 있는 섬이다. 그곳에 가려면 다른 섬에서 배를 타야 한다. 나는 Pak Bara에서 배를 타고 Koh Lipe에 도착했다.

그렇다면 Koh Lipe는 왜 그렇게 좋은가? 그곳은 백사장과 푸른 물로 유명하다. 3대 해수욕장은 Sunset 해변, Sunrise 해변, Pattaya 해변이다. 나는 해변의 모래에 서 있었다. 나는 물속에 있는 아름다운 물고기를 볼 수 있었다. 또한, 이 섬에서는, 사람들이 몹시 친절하다. 길을 잃는다면, 누군가가 당신을 도와줄 것이다. 그리고 이 섬은 특별한 불꽃 쇼가 있다. 불꽃 쇼가 끝난 후, 방문객들은 식당에서 춤추고 훌륭한 음식을 즐길 수 있다.

슬프게도, Koh Lipe에는 문제점들도 있다. 거대한 호텔들이 많은 쓰레기를 만든다. 그리고 많은 사람이 땅바닥에 쓰레기를 버린다. 이런 문제점 중 몇몇을 해결하기 위해서, 이제 방문객들은 섬에 가기 위해 요금을 지불해야만 한다. 섬의 사람들은 자연을 돌보기 위해 그 요금을 쓴다.

7. What is the passage mainly about?

(A) how to get to Thailand

(B) the island of Koh Lipe

(C) restaurants in Thailand

(D) a nice hotel near Koh Lipe

해석 이 지문은 주로 무엇에 관한 지문인가?

(A) 태국에 가는 방법

(B) Koh Lipe 섬

(C) 태국의 식당들

(D) Koh Lipe 근처의 좋은 호텔

유형 전체 내용 파악

풀이 첫 번째 문단에서 Koh Lipe라는 섬과 위치, 가는 방법을 설명하고, 두 번째 문단에서 Koh Lipe의 볼거리, 먹거리 등을 소개한 뒤, 마지막 문단에서 Koh Lipe의 환경 문제를 언급하며 글이 마무리되고 있다. 따라서 중심 소재는 Koh Lipe 섬이므로 (B)가 정답이다.

8. What is NOT mentioned in the passage?

(A) boat shops

(B) beautiful fish

(C) white sand beaches

(D) dancing at restaurants

해석 지문에서 언급되지 않은 것은 무엇인가?

(A) 보트 가게

(B) 아름다운 물고기

(C) 백사장

(D) 식당에서 춤추기

유형 세부 내용 파악

풀이 본문에서 보트 가게는 언급되지 않았으므로 (A)가 정답이다. (B)는 'I could see beautiful fish in the water.'에서, (C)는 'It is famous for white sand beaches and blue waters.'에서, (D)는 'visitors can dance and enjoy wonderful food in restaurants.'에서 확인할 수 있으므로 오답이다.

9. According to the passage, what is a problem of Koh Lipe?

(A) The hotels are on fire.

(B) There are too many fish.

(C) People are hurting nature.

(D) The boats are often broken.

해석 지문에 따르면, Koh Lipe의 문제는 무엇인가?

(A) 호텔에 불이 났다.

(B) 물고기가 너무 많다.

(C) 사람들이 자연을 해치고 있다.

(D) 보트가 자주 망가진다.

유형 세부 내용 파악

풀이 'The big hotels make a lot of garbage. And many people throw garbage on the ground.'에서 호텔과 사람들 때문에 Koh Lipe에 쓰레기가 많아져서 자연을 해치고 있다는 것을 알 수 있으므로 (C)가 정답이다.

10. According to the passage, how will Koh Lipe probably use the visitors' fee?

(A) to make a new fire show

(B) to get a boat to Pak Bara

(C) to pay people to clean the island

(D) to ask companies to build more hotels

해석 지문에 따르면, Koh Lipe에서는 방문객들의 요금을 어떻게 사용할 것인가?

(A) 새로운 불꽃 쇼 만들기

(B) Pak Bara로 가는 보트 얻기

(C) 사람들에게 섬을 청소하라고 돈 지불하기

(D) 호텔을 더 짓도록 회사에 요청하기

유형 세부 내용 파악 & 추론하기

풀이 'The people on the island use the fees to take care of nature.'에서 섬사람들이 방문객들의 요금을 자연을 돌보는 데 사용한다고 했다. 섬을 청소하는 것은 자연을 돌보는 활동이라 할 수 있으므로 (C)가 정답이다.

🎧 **Listening Practice**   ▶ B3-1   p.16

Do you want to enjoy the jungle and the beach at the same time? Do you want delicious food at a good price? Then you should visit Koh Lipe. Koh Lipe is an island in the south of Thailand. You have to take a boat from other islands to get there. I got to Koh Lipe by boat from Pak Bara.

So why is Koh Lipe so great? It is famous for white <u>sand</u> beaches and blue waters. The three main beaches are <u>Sunset</u> Beach, <u>Sunrise</u> Beach, and Pattaya Beach. I stood in the sand on the beach. I could see beautiful fish in the water. Also, on this island, people are very <u>friendly</u>. If you get lost, someone will help you. And the island has a special fire show. After the fire show, <u>visitors</u> can dance and enjoy wonderful food in restaurants.

Sadly, there are problems on Koh Lipe, too. The big hotels make a lot of garbage. And many people throw garbage on the ground. To solve some of the problems, now visitors must pay a <u>fee</u> to go on the island. The people on the island use the fees to take care of nature.

1. sand

2. Sunset

3. Sunrise

4. friendly

5. visitors

6. fee

✏️ Writing Practice p.17

1. sand
2. sunrise
3. sunset
4. friendly
5. visitor
6. fee

📄 Summary

Koh Lipe is an <u>island</u> in Thailand. It has white <u>sand beaches</u> and blue water. The people there are friendly. Also, there is a special <u>fire</u> show. But the big <u>hotels</u> and visitors leave too much garbage.

Koh Lipe는 태국에 있는 <u>섬</u>이다. 그곳에는 <u>백사장</u>과 푸른 물이 있다. 그곳의 사람들은 친절하다. 또한, 특별한 <u>불꽃</u> 쇼가 있다. 하지만 큰 <u>호텔들</u>과 방문객들이 너무 많은 쓰레기를 남긴다.

🧩 Word Puzzle p.18

Across	Down
2. fee	1. sunrise
3. visitor	2. friendly
4. sunset	4. sand

Unit 2 | Flying to London p.19

Part A. Sentence Completion p.21

1 (B)   2 (D)

Part B. Situational Writing p.21

3 (C)   4 (C)

Part C. Practical Reading and Retelling p.22

5 (C)   6 (B)

Part D. General Reading and Retelling p.23

7 (C)   8 (C)   9 (C)   10 (C)

Listening Practice p.24

1 lost   2 all about
3 international   4 suitcases
5 baggage   6 claim

Writing Practice p.25

1 get lost   2 all about
3 international flight
4 suitcase   5 baggage
6 baggage claim area
Summary London, grandparents, airport, mother

Word Puzzle p.26

Across
    4 baggage claim area
Down
    1 suitcase   2 international flight
    3 all about   4 baggage
    5 get lost

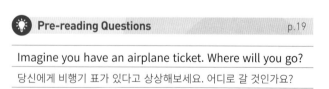 Pre-reading Questions p.19

Imagine you have an airplane ticket. Where will you go?
당신에게 비행기 표가 있다고 상상해보세요. 어디로 갈 것인가요?

Flying to London

Anik's family is going to London on Tuesday. Anik's grandparents live there. Anik is very worried. He might get lost at the airport. And what should he do if he loses his ticket? He told his mom about his worries. Anik's mom laughed and told him all about the airport. Here are some things they talked about. On Tuesday, they are taking an international flight. That means they are leaving the country. First, they will check in. That means they will give their suitcases to some airline workers. Then, they will get their tickets. The workers will give them boarding passes. Boarding passes are tickets for airplanes. Then, Anik's family will get on the airplane. They will eat three meals there. After flying for ten hours, they will be in London. When they get off, they will go to the baggage claim area. There, they will get their suitcases back. Anik's mom said Anik's grandparents will be waiting outside. They will drive Anik and his family to their house. Now Anik knows what will happen. He is excited and not worried!

런던으로 비행하기

Anik의 가족은 화요일에 런던에 간다. Anik의 조부모님은 거기에 산다. Anik은 매우 걱정스럽다. 그는 공항에서 길을 잃을지도 모른다. 표를 잃어버리면 어떻게 해야 할까? 그는 엄마에게 그의 걱정거리에 대해 말했다. Anik의 엄마는 웃었고 공항에 관해 모든 것을 그에게 말해주었다. 여기 그들이 대화를 나눈 몇 가지가 있다. 화요일에 그들은 국제선을 탈 것이다. 그들이 출국한다는 것을 의미한다. 먼저, 그들은 체크인할 것이다. 그들이 어떤 공항 직원에게 본인들의 여행 가방을 준다는 것을 뜻한다. 그러면, 그들은 표를 받을 것이다. 직원들은 그들에게 탑승권을 줄 것이다. 탑승권은 비행기를 타기 위한 표이다. 그런 다음, Anik의 가족은 비행기에 오를 것이다. 그들은 그곳에서 세 끼를 먹을 것이다. 열 시간 동안의 비행 후, 그들은 런던에 있을 것이다. 그들이 내리면, 수하물 찾는 곳으로 갈 것이다. 거기서, 그들의 여행 가방을 되찾을 것이다. Anik의 엄마는 Anik의 조부모님이 밖에서 기다릴 것이라고 말했다. 그들은 Anik과 그의 가족을 자신들의 집으로 태워다 줄 것이다. 이제 Anik은 무슨 일이 일어날지 안다. 그는 신이 나고 걱정되지 않는다!

어휘 travel 여행하다 | plane 비행기 | about ~에 관해 | worry 걱정하다; 걱정 | wait 기다리다 | check in 체크인하다, 탑승 수속을 받다 | quickly 빨리 | pack 싸다 | luggage 짐 | airport 공항 | worker 직원 | boarding pass 탑승권 | large 큰 | suitcase 여행 가방 | busy 바쁜 | live in ~에 살다 | visit 방문하다 | lost 길을 잃은 | get lost 길을 잃다 | lose 잃어버리다 | laugh 웃다 | international 국제적인 | flight 비행 | international flight 국제선 | mean 의미하다 | leave 떠나다 | country 나라 | meal 식사 | baggage claim area 짐[수하물] 찾는 곳 | happen 일어나다 | departure 출발, 떠남 | train 기차 | soon after 곧, 얼마 안 되어

1. Nabi told Jason about his <u>worries</u>.
   (A) worried
   (B) worries
   (C) to worry
   (D) to worrying

해석 Nabi는 Jason에게 자신의 <u>걱정들</u>에 관해 말했다.
   (A) 걱정하는
   (B) 걱정들
   (C) 걱정하기
   (D) 어색한 표현

풀이 빈칸에는 소유격 'his'가 수식할 수 있는 명사가 들어가야 하므로 (B)가 정답이다.

관련 문장 He told his mom about his worries.

2. My brother will be <u>waiting</u> for me outside the school.
   (A) wait
   (B) waiter
   (C) waited
   (D) waiting

해석 남동생이 학교 밖에서 나를 <u>기다리고</u> 있을 것이다.
   (A) 기다리다
   (B) 웨이터
   (C) 기다렸다
   (D) 기다리는

풀이 빈칸은 동사 자리이며, 앞에 be 동사가 있으므로 '-ed'나 '-ing'와 같은 동사의 활용형이 들어가야 한다. 'wait for'는 '~를 기다리다'라는 뜻으로 능동형으로 쓰이기 때문에 (D)가 정답이다. (A)는 be 동사와 일반 동사의 동사 원형이 같이 쓰일 수 있으므로 오답이다.

관련 문장 Anik's mom said Anik's grandparents will be waiting outside.

3. My grandparents are <u>driving us to their house</u>.
   (A) checking in quickly
   (B) packing luggage at home
   (C) driving us to their house
   (D) standing outside in the snow

해석 조부모님이 <u>우리를 그들의 집으로 태워다 주시고 있다.</u>
   (A) 빠르게 체크인하는
   (B) 집에서 짐을 싸고 있는
   (C) 그들의 집으로 우리를 태워다 주는
   (D) 눈이 오는 바깥에 서 있는

풀이 조부모님이 아이들을 태우고 운전하고 있는 그림이다. 따라서 (C)가 정답이다.

관련 문장 They will drive Anik and his family to their house.

4. Brandon is holding a <u>boarding pass</u>.

  (A) airport worker
  (B) shopping bag
  (C) boarding pass
  (D) large suitcase

해석 Brandon은 <u>탑승권</u>을 들고 있다.

  (A) 공항 직원
  (B) 쇼핑백
  (C) 탑승권
  (D) 큰 여행 가방

풀이 비행기 등을 탈 때 제시하는 탑승권을 들고 있으므로 (C)가 정답이다.

관련 문장 The workers will give them boarding passes. Boarding passes are tickets for airplanes.

[5-6]

해석

출발편			
시간	도착지	비행기	게이트
20:20	런던	AV 237	17
20:45	헬싱키	BD 327	8
20:55	모스크바	SQ 214	23
21:15	파리	SG 394	12
21:30	밀라노	HR 543	8
21:40	암스테르담	TY 339	11
21:55	로스앤젤레스	AS 742	10
22:05	카라카스	DN 923	4

5. When does the flight to Amsterdam leave?

  (A) 20:20
  (B) 21:15
  (C) 21:40
  (D) 21:55

해석 암스테르담행 비행기는 언제 떠나는가?

  (A) 20:20
  (B) 21:15
  (C) 21:40
  (D) 21:55

풀이 암스테르담행 비행기 'TY 339'는 '21:40'에 출발한다고 나와 있으므로 (C)가 정답이다.

6. Which gate is for the flight to Paris?

  (A) 8
  (B) 12
  (C) SG 394
  (D) HR 543

해석 파리행 비행기는 어떤 게이트인가?

  (A) 8
  (B) 12
  (C) SG 394
  (D) HR 543

풀이 파리행 비행기 'SG 394'의 게이트는 12번이라고 나와 있으므로 (B)가 정답이다.

[7-10]

Anik's family is going to London on Tuesday. Anik's grandparents live there. Anik is very worried. He might get lost at the airport. And what should he do if he loses his ticket? He told his mom about his worries. Anik's mom laughed and told him all about the airport. Here are some things they talked about. On Tuesday, they are taking an international flight. That means they are leaving the country. First, they will check in. That means they will give their suitcases to some airline workers. Then, they will get their tickets. The workers will give them boarding passes. Boarding passes are tickets for airplanes. Then, Anik's family will get on the airplane. They will eat three meals there. After flying for ten hours, they will be in London. When they get off, they will go to the baggage claim area. There, they will get their suitcases back. Anik's mom said Anik's grandparents will be waiting outside. They will drive Anik and his family to their house. Now Anik knows what will happen. He is excited and not worried!

해석

Anik의 가족은 화요일에 런던에 간다. Anik의 조부모님은 거기에 산다. Anik은 매우 걱정스럽다. 그는 공항에서 길을 잃을지도 모른다. 표를 잃어버리면 어떻게 해야 할까? 그는 엄마에게 그의 걱정거리에 대해 말했다. Anik의 엄마는 웃었고 공항에 관해 모든 것을 그에게 말해주었다. 여기 그들이 대화를 나눈 몇 가지가 있다. 화요일에 그들은 국제선을 탈 것이다. 그들이 출국한다는 것을 의미한다. 먼저, 그들은 체크인할 것이다. 그들이 어떤 공항 직원에게 본인들의 여행 가방을 준다는 것을 뜻한다. 그러면, 그들은 표를 받을 것이다. 직원들은 그들에게 탑승권을 줄 것이다. 탑승권은 비행기를 타기 위한 표이다. 그런 다음, Anik의 가족은 비행기에 오를 것이다. 그들은 그곳에서 세 끼를 먹을 것이다. 열 시간 동안의 비행 후, 그들은 런던에 있을 것이다. 그들이 내리면, 수하물 찾는 곳으로 갈 것이다. 거기서, 그들의 여행 가방을 되찾을 것이다. Anik의 엄마는 Anik의 조부모님이 밖에서 기다릴 것이라고 말했다. 그들은 Anik과 그의 가족을 자신들의 집으로 태워다 줄 것이다. 이제 Anik은 무슨 일이 일어날지 안다. 그는 신이 나고 걱정되지 않는다!

7. What is the best title for the passage?

(A) Getting Lost in London
(B) At the Airport to Shanghai
(C) Mom talks about the Airport
(D) Finding Grandparents at the airport

해석 이 지문에 가장 알맞은 제목은 무엇인가?

(A) 런던에서 길을 잃음
(B) 상하이행 공항에서
(C) 엄마가 공항에 관해 말하다
(D) 공항에서 조부모님 찾기

유형 전체 내용 파악

풀이 Anik의 가족이 비행기를 타고 런던으로 가게 되어 여행 때문에 걱정하는 Anik에게 Anik의 엄마가 공항에서 무엇을 하는지 설명해 준 내용을 다루고 있다. 따라서 (C)가 정답이다.

8. What will Anik do in the baggage claim area?

(A) get on an airplane
(B) buy airplane tickets
(C) get his suitcase back
(D) give workers his suitcases

해석 수하물 찾는 곳에서 Anik은 무엇을 할 것인가?

(A) 비행기 탑승하기
(B) 비행기 표 사기
(C) 여행 가방 되찾기
(D) 직원들에게 여행 가방 주기

유형 세부 내용 파악

풀이 'When they get off, they will go to the baggage claim area. There, they will get their suitcases back.'에서 Anik과 가족이 수하물 찾는 곳에서 여행 가방을 다시 찾아갈 것이라고 했으므로 (C)가 정답이다.

9. What is NOT true about London?

(A) Anik's grandparents live there.
(B) Anik is going there on Tuesday.
(C) Anik will take a train to get there.
(D) Anik will take 10 hours to get there.

해석 런던에 관해 옳지 않은 설명은 무엇인가?

(A) Anik의 조부모님은 거기에 산다.
(B) Anik은 화요일에 거기에 간다.
(C) Anik은 기차를 타고 그곳에 갈 것이다.
(D) Anik이 거기 가는 데 10시간이 걸릴 것이다.

유형 세부 내용 파악

풀이 'After flying for 10 hours, they will be in London.'에서 Anik이 기차가 아니라 비행기를 타고 런던에 간다는 것을 알 수 있으므로 (C)가 정답이다. (A)와 (B)는 'Anik's family is going to London on Tuesday. Anik's grandparents live there.'에서, (D)는 'After flying for 10 hours, they will be in London.'에서 확인할 수 있으므로 오답이다.

10. Which of the following will Anik do soon after he gets a boarding pass?

(A) check in
(B) go to the airport
(C) get on the airplane
(D) go to baggage claim

해석 다음 중 탑승권을 받은 후 Anik이 곧바로 할 일은 무엇인가?

(A) 체크인하기
(B) 공항에 가기
(C) 비행기 탑승하기
(D) 수하물 찾는 곳 가기

유형 세부 내용 파악

풀이 'Then, they will get their tickets. The workers will give them boarding passes. [...] Then, Anik's family will get on the airplane.'에서 Anik의 가족이 탑승권을 받은 후에 비행기에 탑승할 것이라고 했으므로 (C)가 정답이다. (A)와 (B)는 탑승권을 받기 이전에 하는 일이므로 오답이다. (D)는 10시간 비행 후 비행기에서 내리고 난 뒤에 하는 일이므로 오답이다.

🎧 **Listening Practice**   ▶ B3-2   p.24

Anik's family is going to London on Tuesday. Anik's grandparents live there. Anik is very worried. He might get <u>lost</u> at the airport. And what should he do if he loses his ticket? He told his mom about his worries. Anik's mom laughed and told him <u>all about</u> the airport. Here are some things they talked about. On Tuesday, they are taking an <u>international</u> flight. That means they are leaving the country. First, they will check in. That means they will give their <u>suitcases</u> to some airline workers. Then, they will get their tickets. The workers will give them boarding passes. Boarding passes are tickets for airplanes. Then, Anik's family will get on the airplane. They will eat three meals there. After flying for ten hours, they will be in London. When they get off, they will go to the <u>baggage</u> <u>claim</u> area. There, they will get their suitcases back. Anik's mom said Anik's grandparents will be waiting outside. They will drive Anik and his family to their house. Now Anik knows what will happen. He is excited and not worried!

1. lost

2. all about

3. international

4. suitcases

5. baggage

6. claim

✏ Writing Practice — p.25

1. get lost
2. all about
3. international flight
4. suitcase
5. baggage
6. baggage claim area

📄 Summary

Anik and his family are going to <u>London</u>. Anik's <u>grandparents</u> live there. Anik was worried about going to the <u>airport</u>. But Anik's <u>mother</u> explained about the airport. Now Anik feels better.

Anik과 그의 가족은 <u>런던</u>에 간다. Anik의 <u>조부모님</u>이 거기에 산다. Anik은 공항에 가는 것에 대해 걱정스러웠다. 하지만 Anik의 <u>어머니</u>가 공항에 관해 설명해 주었다. 이제 Anik은 한결 나아졌다.

🧩 Word Puzzle — p.26

Across

4. baggage claim area

Down

1. suitcase
2. international flight
3. all about
4. baggage
5. get lost

Unit 3 | Petronas Towers — p.27

Part A. Sentence Completion — p.29

1 (D)   2 (A)

Part B. Situational Writing — p.29

3 (D)   4 (B)

Part C. Practical Reading and Retelling — p.30

5 (A)   6 (C)

Part D. General Reading and Retelling — p.31

7 (B)   8 (A)   9 (C)   10 (B)

Listening Practice — p.32

1 offices	2 towers
3 design	4 safety
5 thousand	6 That's

Writing Practice — p.33

1 office	2 design
3 twin towers	4 thousand
5 safety	6 that's why

Summary buildings, twin, design, bridge

Word Puzzle — p.34

Across

5 twin towers

Down

1 thousand	2 safety
3 that's why	4 design
6 office	

💡 Pre-reading Questions — p.27

Is there a famous building near you? What is it?

당신 근처에 유명한 건물이 있나요? 무엇인가요?

Petronas Towers

There are lots of great buildings around the world. Some of them are very famous, like the Eiffel Tower in France. There are some special buildings in Malaysia, too. They are called the Petronas Towers. The Petronas Towers are the main offices for an oil company called Petronas. They were the tallest buildings in the world until 2004. Now, they are the tallest twin towers. In 1992, César Pelli designed the Petronas Towers. The towers have a special design. The design shows Malaysian culture to visitors. Also, this building is very famous for a special bridge. There is a bridge between the two buildings. It is called the Skybridge. The Skybridge connects the 41st and 42nd floors of the Petronas Towers. For safety, only a thousand people can visit the bridge every day. That's why it is very hard to get tickets. Sometimes, people start to get in line from 6:30 AM in the morning. The Petronas Towers are not the tallest buildings in the world now. But they are still really interesting buildings to visit!

Petronas 타워

세계에는 훌륭한 건물들이 많다. 그중 몇몇은 프랑스의 에펠탑처럼 매우 유명하다. 말레이시아에도 몇몇 특별한 건물들이 있다. 그것들은 Petronas 타워라고 불린다. Petronas 타워는 Petronas 라고 불리는 석유 회사의 본사이다. 그것들은 2004년까지 세계에서 가장 높은 건물이었다. 이제, 그것들은 가장 높은 쌍둥이 타워이다. 1992년에, César Pelli가 Petronas 타워를 설계했다. 타워는 특별한 디자인을 갖고 있다. 그 디자인은 방문객들에게 말레이시아 문화를 보여준다. 또한, 이 건물은 특별한 다리로 아주 유명하다. 두 건물 사이에는 다리가 하나 있다. 그것은 Skybridge라고 불린다. Skybridge는 Petronas 타워의 41층과 42층을 연결한다. 안전을 위해서, 매일 천 명만 다리를 방문할 수 있다. 이것이 표를 구하기가 몹시 어려운 이유이다. 때때로, 사람들은 아침에 오전 6시 30분부터 줄을 서기 시작한다. Petronas 타워는 이제 세계에서 가장 높은 건물은 아니다. 하지만 그것들은 여전히 방문하기 흥미로운 건물이다!

어휘 famous 유명한 | building 건물 | near ~의 주위에, ~에서 가까운 | design 디자인; 디자인하다 | paint 페인트칠하다 | choose 고르다, 선택하다 | elevator 엘리베이터, 승강기 | between ~ 사이에 | bridge 다리 | factory 공장 | windmill 풍차 | lots of (수)많은 | tower 타워 (탑 모양의 고층 건물); 탑, 망루 | main office 본사 | oil 석유, 기름 | company 회사 | until ~까지 | twin 쌍둥이 | show 보여주다 | culture 문화 | connect 연결하다 | floor 층; 바닥 | safety 안전 | get in line 줄을 서다 | shape 문양, 모양 | in the shape of ~의 모양으로; ~의 형태로 | hear 듣다 | visit 방문하다 | worker 직원 | cheap 값이 싼, 저렴한

1. Burj Khalifa is <u>the tallest</u> building in the world.

   (A) tall
   (B) tallest
   (C) the taller
   (D) the tallest

해석 Burj Khalifa는 세계에서 <u>가장 높은</u> 건물이다.

   (A) 높은
   (B) 가장 높은
   (C) 더 높은 것
   (D) 가장 높은

풀이 '가장 A한 B'라는 최상급의 의미를 나타낼 때 'the + 최상급 A + 명사 B'의 형태로 표현하므로 (D)가 정답이다.

관련 문장 They were the tallest buildings in the world until 2004.

2. <u>This</u> design is so pretty!

   (A) This
   (B) These
   (C) Those
   (D) That's

해석 <u>이</u> 디자인이 너무 예쁘다!

   (A) 이
   (B) 이들의
   (C) 저들의
   (D) 저것은 ~이다

풀이 빈칸 뒤 명사 'design'이 단수 형태이므로 단수 지시 형용사 (A)가 정답이다. (B)와 (C)는 복수 명사를 수식하는 지시 형용사이므로 오답이다.

관련 문장 The towers have a special design.

3. The team is <u>designing buildings</u>.

   (A) painting houses
   (B) choosing clothing
   (C) taking an elevator
   (D) designing buildings

해석 그 팀은 <u>건물을 설계하고</u> 있다.

   (A) 집을 페인트칠하는
   (B) 옷을 고르는
   (C) 엘리베이터를 타는
   (D) 건물을 설계하는

풀이 건축물의 구조, 형상, 치수 등을 기록하는 설계도 앞에서 사람들이 토론하고 있으므로 (D)가 정답이다.

관련 문장 In 1992, César Pelli designed the Petronas Towers.

4. There is a <u>bridge</u> between the two towns.

    (A) truck
    (B) bridge
    (C) factory
    (D) windmill

해석 두 도시 사이에 <u>다리</u>가 있다.

    (A) 트럭
    (B) 다리
    (C) 공장
    (D) 풍차

풀이 두 도시 사이에 물 위를 건너기 위해 만든 다리가 놓여 있으므로 (B)가 정답이다.

관련 문장 There is a bridge between the two buildings.

[5-6]

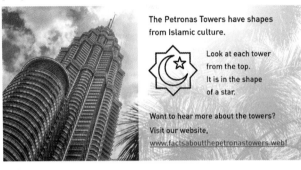

해석

> Petronas 타워에는 이슬람 문화에서 온 문양들이 있습니다.
>
> 위에서 각 타워를 바라보세요.
>
> 그것은 별 모양입니다.
>
> 타워에 관해 더 듣고 싶으세요?
>
> 저희 웹사이트 www.factsaboutthepetronastowers.web에 방문하시기 바랍니다!

5. What shape is each tower from the top?

    (A) star
    (B) circle
    (C) heart
    (D) square

해석 각 타워는 위에서 볼 때 무슨 모양인가?

    (A) 별
    (B) 원
    (C) 하트
    (D) 정사각형

풀이 'Look at each tower from the top. It is in the shape of a star.'에서 각 타워를 위에서 바라보면 별 모양이라는 것을 알 수 있으므로 (A)가 정답이다.

6. According to the ad, how can you learn more about the Petronas Towers?

    (A) call them
    (B) email them
    (C) visit a website
    (D) talk to a worker at the towers

해석 광고에 따르면, Petronas 타워에 관해 더 알 수 있는 방법은 무엇인가?

    (A) 전화하기
    (B) 이메일 보내기
    (C) 웹사이트 방문하기
    (D) 타워 직원과 대화하기

풀이 'Want to hear more about the towers? Visit our website, [...]'에서 타워에 관해 더 알고 싶으면 웹사이트에 방문하라고 했으므로 (C)가 정답이다.

[7-10]

There are lots of great buildings around the world. Some of them are very famous, like the Eiffel Tower in France. There are some special buildings in Malaysia, too. They are called the Petronas Towers. The Petronas Towers are the main offices for an oil company called Petronas. They were the tallest buildings in the world until 2004. Now, they are the tallest twin towers. In 1992, César Pelli designed the Petronas Towers. The towers have a special design. The design shows Malaysian culture to visitors. Also, this building is very famous for a special bridge. There is a bridge between the two buildings. It is called the Skybridge. The Skybridge connects the 41st and 42nd floors of the Petronas Towers. For safety, only a thousand people can visit the bridge every day. That's why it is very hard to get tickets. Sometimes, people start to get in line from 6:30 AM in the morning. The Petronas Towers are not the tallest buildings in the world now. But they are still really interesting buildings to visit!

해석

> 세계에는 훌륭한 건물들이 많다. 그중 몇몇은 프랑스의 에펠탑처럼 매우 유명하다. 말레이시아에도 몇몇 특별한 건물들이 있다. 그것들은 Petronas 타워라고 불린다. Petronas 타워는 Petronas라고 불리는 석유 회사의 본사이다. 그것들은 2004년까지 세계에서 가장 높은 건물이었다. 이제, 그것들은 가장 높은 쌍둥이 타워이다. 1992년에, César Pelli가 Petronas 타워를 설계했다. 타워는 특별한 디자인을 갖고 있다. 그 디자인은 방문객들에게 말레이시아 문화를 보여준다. 또한, 이 건물은 특별한 다리로 아주 유명하다. 두 건물 사이에는 다리가 하나 있다. 그것은 Skybridge라고 불린다. Skybridge는 Petronas 타워의 41층과 42층을 연결한다. 안전을 위해서, 매일 천 명만 다리를 방문할 수 있다. 이것이 표를 구하기가 몹시 어려운 이유이다. 때때로, 사람들은 아침에 오전 6시 30분부터 줄을 서기 시작한다. Petronas 타워는 이제 세계에서 가장 높은 건물은 아니다. 하지만 그것들은 여전히 방문하기 흥미로운 건물이다!

7. What is the passage mainly about?

(A) the tallest building in France
(B) some famous towers in Malaysia
(C) safety problems of a famous building
(D) how to buy tickets for towers in Malaysia

해석 이 지문은 주로 무엇에 관한 지문인가?

(A) 프랑스에서 가장 높은 건물
(B) 말레이시아의 유명한 몇몇 타워들
(C) 유명 건물의 안전 문제들
(D) 말레이시아의 타워 입장권 구입 방법

유형 전체 내용 파악

풀이 말레이시아의 유명 건물인 Petronas 타워를 언급한 뒤, 타워의 디자인과 타워 사이에 있는 다리 등을 설명하고 있는 글이므로 (B)가 정답이다.

8. According to the passage, how many people can visit the bridge per day?

(A) 1,000
(B) 1,992
(C) 2,004
(D) 3,000

해석 지문에 따르면, 하루에 몇 명이 다리에 방문할 수 있는가?

(A) 1,000
(B) 1,992
(C) 2,004
(D) 3,000

유형 세부 내용 파악

풀이 'For safety, only a thousand people can visit the bridge every day.'에서 안전상의 이유로 하루에 천 명만 다리를 방문할 수 있다고 했으므로 (A)가 정답이다.

9. What is true about the Petronas Towers?

(A) They are in France.
(B) There is only one tower.
(C) They have a special bridge.
(D) They are the tallest buildings now.

해석 Petronas 타워에 관해 옳은 설명은 무엇인가?

(A) 프랑스에 있다.
(B) 타워가 하나밖에 없다.
(C) 특별한 다리가 있다.
(D) 현재 가장 높은 건물이다.

유형 세부 내용 파악 & 추론하기

풀이 'Also, this building is very famous for a special bridge.'에서 Petronas 타워에 특별한 다리가 있다는 것을 알 수 있으므로 (C)가 정답이다. (A)는 프랑스가 아니라 말레이시아에 있는 건물이므로 오답이다. (B)는 'twin towers'에서 타워가 두 개 있다는 것을 알 수 있으므로 오답이다. (D)는 현재가 아니라 2004년까지 가장 높은 건물이었다고 했으므로 오답이다.

10. Why do people probably line up for tickets from 6:30 AM?

(A) The programs start at 7:00 AM.
(B) Many people want to visit the towers.
(C) The tickets are cheaper in the mornings.
(D) The Petronas Towers are closed in the afternoon.

해석 사람들이 오전 6시 30분부터 표를 사려고 줄을 서는 이유는 무엇이겠는가?

(A) 프로그램이 오전 7시에 시작한다.
(B) 많은 사람이 타워에 방문하고 싶어 한다.
(C) 티켓이 아침에 더 싸다.
(D) Petronas 타워는 오후에 문을 닫는다.

유형 세부 내용 파악 & 추론하기

풀이 'For safety, only 1000 people can visit the bridge every day. That's why it is very hard to get tickets. Sometimes, people start to get in line from 6:30 AM in the morning.'에서 하루 방문객 수가 제한되어 있어서 표를 구하기 어렵다고 설명하고 있다. 이를 통해 사람들이 한정된 수량의 표를 구하려고 아침부터 줄을 선다는 것을 알 수 있으므로 (B)가 정답이다.

🎧 **Listening Practice** ▶ B3-3   p.32

There are lots of great buildings around the world. Some of them are very famous, like the Eiffel Tower in France. There are some special buildings in Malaysia, too. They are called the Petronas Towers. The Petronas Towers are the main <u>offices</u> for an oil company called Petronas. They were the tallest buildings in the world until 2004. Now, they are the tallest twin <u>towers</u>. In 1992, César Pelli designed the Petronas Towers. The towers have a special <u>design</u>. The design shows Malaysian culture to visitors. Also, this building is very famous for a special bridge. There is a bridge between the two buildings. It is called the Skybridge. The Skybridge connects the 41st and 42nd floors of the Petronas Towers. For <u>safety</u>, only a <u>thousand</u> people can visit the bridge every day. <u>That's</u> why it is very hard to get tickets. Sometimes, people start to get in line from 6:30 AM in the morning. The Petronas Towers are not the tallest buildings in the world now. But they are still really interesting buildings to visit!

1. offices

2. towers

3. design

4. safety

5. thousand

6. That's

✏️ Writing Practice   p.33

1. office
2. design
3. twin towers
4. thousand
5. safety
6. that's why

📄 Summary

The Petronas Towers are special <u>buildings</u>. They are the world's tallest <u>twin</u> towers. They have a special Malaysian <u>design</u>. A <u>bridge</u> connects the buildings.

Petronas 타워는 특별한 <u>건물들</u>이다. 그것들은 세계에서 가장 높은 <u>쌍둥이</u> 타워이다. 그것들은 특별한 말레이시아 디자인을 가지고 있다. <u>다리</u> 한 개가 그 건물들을 연결한다.

🧩 Word Puzzle   p.34

Across	Down
5. twin towers	1. thousand
	2. safety
	3. that's why
	4. design
	6. office

Unit 4 | Travel Manners   p.35

Part A. Sentence Completion			p.37
1 (C)	2 (B)		

Part B. Situational Writing			p.37
3 (A)	4 (B)		

Part C. Practical Reading and Retelling			p.38
5 (D)	6 (C)		

Part D. General Reading and Retelling			p.39
7 (C)	8 (D)	9 (D)	10 (A)

Listening Practice   p.40

1 mistakes	2 travel
3 manners	4 history
5 Copying	6 allow

Writing Practice   p.41

1 travel	2 make a mistake
3 manners	4 history
5 allow	6 copy

Summary manners, read, follow, pictures

Word Puzzle   p.42

Across
2 make a mistake
3 travel   4 manners
6 copy

Down
1 history   5 allow

💡 Pre-reading Questions   p.35

Think! You are traveling abroad.

Where are you? What rules must you follow?

생각해보세요! 당신이 해외여행을 하고 있어요.

어디에 있나요? 어떤 규칙을 반드시 따라야 하나요?

Travel Manners

Traveling is often very exciting. But if you remember some rules, it is even better! With no rules, you can make mistakes. Before you travel, you need to know good manners. So here is some advice for travelers. First, learn about the country. Learn its history, language, and culture. It will be fun! For example, in some countries, you can point with your finger. In other countries, that is not okay. Second, read the signs. When it says, "No Swimming," do not swim. It could be very dangerous or dirty. There is a reason for the signs. Third, watch and follow what others do. In many countries, you should not eat with your left hand. This is true in India, for example. So watch people when you eat at a restaurant, and follow what they do! Copying is the easiest way to learn. Finally, be careful when you take pictures. Taking pictures is fun in another country, but some people who live there might not like it. Also, museums and art galleries may not allow picture taking. Ask people before taking pictures. Remember these tips, and have a great trip!

여행 예절

여행하기는 보통 아주 신난다. 그런데 몇 가지 규칙을 명심한다면, 그것은 훨씬 더 좋다! 규칙을 모른다면, 당신은 실수할 수 있다. 여행을 가기 전에, 알맞은 예절을 알아야 한다. 그래서 여기 여행자들을 위한 몇 가지 조언이 있다. 먼저, 나라에 관해 배워라. 그곳의 역사, 언어, 그리고 문화를 배워라. 재밌을 것이다! 예를 들어, 몇몇 나라들에서는, 손가락으로 가리킬 수 있다. 다른 나라들에서는, 그것은 괜찮지 않다. 둘째, 표지판을 읽어라. 그것에 "수영 금지"라고 쓰여 있다면, 수영하지 말라. 몹시 위험하거나 더러울 수 있다. 표지판에는 이유가 있다. 셋째, 다른 이들이 하는 것을 보고 따라 해라. 많은 나라에서는, 왼손으로 먹어서는 안 된다. 이는 예를 들어, 인도에서 그렇다. 그래서 식당에서 먹을 때 사람들을 보라, 그리고 그들이 하는 것을 따라 해라! 따라 하기는 배우는 데 가장 쉬운 방법이다. 마지막으로, 사진을 찍을 때 주의하라. 다른 나라에서 사진 찍는 것은 재밌지만, 거기에 사는 몇몇 사람들은 그것을 좋아하지 않을 수도 있다. 또한, 박물관과 미술관에서는 사진 찍기를 허용하지 않을 수도 있다. 사진을 찍기 전 사람들에게 물어보라. 이 조언들을 명심하라, 그리고 즐거운 여행을 해라!

어휘 rule 규칙 | travel 여행하다 | abroad 해외로 | should ~해야 한다 | touch 만지다 | artwork 예술작품 | gallery 미술관 | before ~ 전에 | learn 배우다 | sign 표지판, 신호 | safety 안전 | remember 명심하다; 기억하다 | mistake 실수 | manner 예의; 태도 | advice 조언 | traveler 여행자 | country 나라 | history 역사 | language 언어 | culture 문화 | point 가리키다 | finger 손가락 | dangerous 위험한 | dirty 더러운 | for example 예를 들어 | copy 따라 하다 | careful 주의하는, 조심하는 | allow 허용하다 | tip 조언 | trip 여행 | cover 가리다, 덮다 | sneeze 재채기하다 | throw (내)던지다, 투척하다 | purpose 목적 | explain 설명하다 | pay 지불하다 | hide 숨기다 | raise 들다 | take a picture 사진을 찍다

1. You <u>should not touch</u> the artworks in the gallery.
   (A) should touch not
   (B) not should touch
   (C) should not touch
   (D) touch should not

   해석 미술관에서 예술작품을 <u>만져서는 안 된다</u>.
   (A) 어색한 표현
   (B) 어색한 표현
   (C) 만져서는 안 된다
   (D) 어색한 표현

   풀이 조동사의 부정형은 '조동사 + not + 동사원형'의 구조이므로 (C)가 정답이다.

   관련 문장 In many countries, you should not eat with your left hand.

2. Before Jim traveled to Haiti, he learned about <u>its</u> rules.
   (A) it
   (B) its
   (C) he
   (D) him

   해석 Jim이 아이티로 여행을 가기 전에, 그는 <u>그곳의</u> 규칙에 관해 배웠다.
   (A) 그것
   (B) 그것의
   (C) 그는
   (D) 그를

   풀이 빈칸에는 명사 'rules'를 꾸며줄 수 있도록 소유격이 들어가는 것이 적절하므로 (B)가 정답이다. 해당 문장에서 'its'는 앞에 나온 'Haiti'를 가리킨다는 점에 유의한다.

   관련 문장 Learn its history, language, and culture.

3. The sign says, "<u>No Running</u>".
   (A) No Running
   (B) Please Run
   (C) No Walking
   (D) Please Swim

   해석 표지판에는 "달리기 금지"라고 표시되어 있다.
   (A) 달리기 금지
   (B) 달려주세요
   (C) 걷기 금지
   (D) 수영해주세요

   풀이 달리는 모습에 금지 표시가 되어 있으므로 (A)가 정답이다.

   관련 문장 When it says, "No Swimming," do not swim.

4. For safety, the man should <u>stop walking</u>.

(A) walk faster

(B) stop walking

(C) jump into the hole

(D) look at his cell phone

해석 안전을 위해서, 남자는 <u>걷는 것을 멈춰야</u> 한다.

(A) 더 빠르게 걷기

(B) 걷는 것 멈추기

(C) 구멍 속으로 뛰기

(D) 휴대 전화 보기

풀이 경고 표지판이 있고, 길바닥에 구멍이 있는 위험한 상황이다. 따라서 남자가 걸음을 멈춰야 안전하므로 (B)가 정답이다. (D)는 그림과 같이 남자가 휴대 전화를 계속 보게 되면 표지판과 구멍을 볼 수 없어 위험하므로 오답이다.

관련 문장 Second, read the signs. [...] It could be very dangerous or dirty.

[5-6]

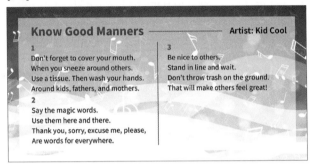

해석

좋은 예절을 알아라	가수: Kid Cool

1
입 가리는 걸 잊지 마.
다른 사람 주위에서 재채기할 때.
휴지를 사용해. 그런 다음 손을 씻어.
아이들, 아빠들, 그리고 엄마들 주위에서.

2
마법의 단어들을 말해.
여기저기서 그것들을 사용해.
고마워요, 미안해요, 실례합니다, 부탁이에요,
모든 곳을 위한 단어들이야.

3
다른 이들에게 친절해야지.
줄을 서고 기다려.
바닥에 쓰레기 버리지 마.
그것이 다른 사람을 기분 좋게 할 거야!

5. Which of "magic words" are NOT mentioned?

(A) sorry

(B) please

(C) excuse me

(D) you're welcome

해석 다음 "마법의 단어들" 중 언급되지 않은 것은 무엇인가?

(A) 미안해요

(B) 부탁이에요

(C) 실례합니다

(D) 천만에요

풀이 'magic words'가 언급되는 2절에서 'you're welcome'은 포함되지 않았으므로 (D)가 정답이다.

6. According to the song, what should you do after sneezing?

(A) put on a mask

(B) save your tissue

(C) wash your hands

(D) cover your mouth

해석 노래에 따르면, 재채기를 한 후에 무엇을 해야 하는가?

(A) 마스크 쓰기

(B) 휴지 절약하기

(C) 손 씻기

(D) 입 가리기

풀이 1절의 'When you sneeze around others. Use a tissue. Then wash your hands.'에서 재채기한 후에 휴지를 사용하고 손을 씻으라고 했으므로 (C)가 정답이다. (D)는 재채기하는 도중에 하는 행동이므로 오답이다.

Traveling is often very exciting. But if you remember some rules, it is even better! With no rules, you can make mistakes. Before you travel, you need to know good manners. So here is some advice for travelers. First, learn about the country. Learn its history, language, and culture. It will be fun! For example, in some countries, you can point with your finger. In other countries, that is not okay. Second, read the signs. When it says, "No Swimming," do not swim. It could be very dangerous or dirty. There is a reason for the signs. Third, watch and follow what others do. In many countries, you should not eat with your left hand. This is true in India, for example. So watch people when you eat at a restaurant, and follow what they do! Copying is the easiest way to learn. Finally, be careful when you take pictures. Taking pictures is fun in another country, but some people who live there might not like it. Also, museums and art galleries may not allow picture taking. Ask people before taking pictures. Remember these tips, and have a great trip!

해석

여행하기는 보통 아주 신난다. 그런데 몇 가지 규칙을 명심한다면, 그것은 훨씬 더 좋다! 규칙을 모른다면, 당신은 실수할 수 있다. 여행을 가기 전에, 알맞은 예절을 알아야 한다. 그래서 여기 여행자들을 위한 몇 가지 조언이 있다. 먼저, 나라에 관해 배워라. 그곳의 역사, 언어, 그리고 문화를 배워라. 재밌을 것이다! 예를 들어, 몇몇 나라들에서는, 손가락으로 가리킬 수 있다. 다른 나라들에서는, 그것은 괜찮지 않다. 둘째, 표지판을 읽어라. 그것에 "수영 금지"라고 쓰여 있다면, 수영하지 말라. 몹시 위험하거나 더러울 수 있다. 표지판에는 이유가 있다. 셋째, 다른 이들이 하는 것을 보고 따라 해라. 많은 나라에서는, 왼손으로 먹어서는 안 된다. 이는 예를 들어, 인도에서 그렇다. 그래서 식당에서 먹을 때 사람들을 보라, 그리고 그들이 하는 것을 따라 해라! 따라 하기는 배우는 데 가장 쉬운 방법이다. 마지막으로, 사진을 찍을 때 주의하라. 다른 나라에서 사진 찍는 것은 재밌지만, 거기에 사는 몇몇 사람들은 그것을 좋아하지 않을 수도 있다. 또한, 박물관과 미술관에서는 사진 찍기를 허용하지 않을 수도 있다. 사진을 찍기 전 사람들에게 물어보라. 이 조언들을 명심하라, 그리고 즐거운 여행을 해라!

7. What is the purpose of the passage?
   (A) to explain stop signs
   (B) to warn about dirty water
   (C) to give advice to travelers
   (D) to teach readers how to swim

해석 이 지문의 목적은 무엇인가?
   (A) 정지 표시를 설명하려고
   (B) 더러운 물에 대해 주의를 주려고
   (C) 여행자들에게 조언을 주려고
   (D) 독자들에게 수영하는 법을 가르치려고

유형 전체 내용 파악

풀이 'Before you travel, you need to know good manners. So here is some advice for travelers.'에서 여행할 때 알아둬야 하는 알맞은 예절이라는 중심 소재를 언급하고, 이에 따라 총 네 가지 조언을 예시로 들고 있는 글이므로 (C)가 정답이다.

8. According to the passage, what is true about pointing with your finger?
   (A) It is bad in every country.
   (B) It is okay only in big cities.
   (C) It is bad in most countries.
   (D) It is okay in some countries.

해석 지문에 따르면, 손가락으로 가리키는 것에 관해 옳은 설명은 무엇인가?
   (A) 모든 나라에서 부적절하다.
   (B) 큰 도시에서만 괜찮다.
   (C) 대부분의 나라에서 부적절하다
   (D) 몇몇 나라에서는 괜찮다.

유형 세부 내용 파악

풀이 'For example, in some countries, you can point with your finger. In other countries, that is not okay.'에서 손가락으로 가리키는 것이 어떤 나라에서는 괜찮고, 어떤 나라에서는 괜찮지 않다고 했으므로 (D)가 정답이다.

9. According to the passage, what should you NOT do in India?
   (A) swim in a river
   (B) go to a restaurant
   (C) wear a hat outside
   (D) eat with your left hand

해석 지문에 따르면, 인도에서 무엇을 하면 안 되는가?
   (A) 강에서 수영하기
   (B) 식당에 가기
   (C) 밖에서 모자 쓰기
   (D) 왼손으로 먹기

유형 세부 내용 파악

풀이 'In many countries, you should not eat with your left hand. This is true in India, for example.'에서 인도에서는 왼손으로 식사하면 안 된다는 것을 알 수 있으므로 (D)가 정답이다.

10. According to the passage, what should you do before taking pictures?

(A) ask people
(B) pay for pictures
(C) hide the camera
(D) raise your hands

해석 지문에 따르면, 사진 찍기 전에 무엇을 해야 하는가?

(A) 사람들에게 묻기
(B) 사진값 내기
(C) 카메라 숨기기
(D) 손들기

유형 세부 내용 파악

풀이 'Ask people before taking pictures.'에서 사진 찍기 전에 사람들에게 (사진을 찍어도 되는지) 물어보라고 했으므로 (A)가 정답이다.

🎧 Listening Practice ▶ B3-4   p.40

Traveling is often very exciting. But if you remember some rules, it is even better! With no rules, you can make <u>mistakes</u>. Before you <u>travel</u>, you need to know good <u>manners</u>. So here is some advice for travelers. First, learn about the country. Learn its <u>history</u>, language, and culture. It will be fun! For example, in some countries, you can point with your finger. In other countries, that is not okay. Second, read the signs. When it says, "No Swimming," do not swim. It could be very dangerous or dirty. There is a reason for the signs. Third, watch and follow what others do. In many countries, you should not eat with your left hand. This is true in India, for example. So watch people when you eat at a restaurant, and follow what they do! <u>Copying</u> is the easiest way to learn. Finally, be careful when you take pictures. Taking pictures is fun in another country, but some people who live there might not like it. Also, museums and art galleries may not <u>allow</u> picture taking. Ask people before taking pictures. Remember these tips, and have a great trip!

1. mistakes
2. travel
3. manners
4. history
5. Copying
6. allow

✏️ Writing Practice   p.41

1. travel
2. make a mistake
3. manners
4. history
5. allow
6. copy

📄 Summary

Remember these good travel <u>manners</u>. First, learn about the country. Second, <u>read</u> the signs. Third, <u>follow</u> others. Finally, be careful taking <u>pictures</u>.

이 알맞은 여행 <u>예절</u>을 기억해라. 첫째, 국가에 관해 배워라. 둘째, 표시들을 <u>읽어라</u>. 셋째, 다른 사람들을 <u>따라해라</u>. 마지막으로, <u>사진</u>을 찍을 때 조심해라.

🧩 Word Puzzle   p.42

Across
2. make a mistake
3. travel
4. manners
6. copy

Down
1. history
5. allow

What Am I

- Read the passage.
  Count: In how many sentences can you guess what it is?

What is this thing? It can be hard or soft. It can be in the shape of a square or a rectangle. It is not made of paper. It is not made of wood. You can take it on the bus or train. It has a handle, and maybe it has wheels. You can take it on a trip. You collect it at the baggage claim at the airport. It has things inside it. What is inside this thing? There are probably clothes in it. And there is probably a toothbrush and toothpaste. Maybe there is a pair of sunglasses. And if you are going to a beach, there is a swimsuit in it. If you are going to another country, put a book in it, too! A book of manners is helpful. So what is this thing? Now it's time for you to guess!

- Now guess! What is it?

나는 무엇일까

- 지문을 읽자.
  개수를 세자: 몇 개의 문장 만에 그것이 무엇인지 알아 맞출 수 있는가?

이것은 무엇일까? 그것은 단단하거나 부드러울 수 있다. 그것은 정사각형이나 직사각형 모양일 수 있다. 그것은 종이로 만들어지지 않았다. 그것은 나무로 만들어지지 않았다. 그것을 버스나 기차에 가져갈 수 있다. 그것에는 손잡이가 있고, 아마 바퀴들이 있을 것이다. 여행에 그것을 가져갈 수 있다. 공항의 수하물 찾는 곳에서 그것을 찾아갈 수 있다. 그것의 안에는 물건들이 있다. 여기 안에는 무엇이 있을까? 그 안에는 아마 옷이 있을 것이다. 그리고 아마 칫솔과 치약이 있다. 아마 선글라스가 있을 것이다. 그리고 해변에 간다면, 그 안에 수영복이 있다. 다른 나라로 간다면, 그 안에 책 한 권도 넣어라! 예절에 관한 책은 유용하다. 그렇다면 이것은 무엇일까? 이제 당신이 알아맞힐 시간이다!

- 이제 알아 맞혀보자! 그것은 무엇인가?
  (정답: suitcase, 여행 가방)

Chapter 2. Culture

Pre-reading Questions — p.45

Your family is together for a holiday.

What is the holiday? What will your family do?

당신의 가족이 휴일을 위해 모였어요.

무슨 휴일인가요? 당신의 가족은 무엇을 할 것인가요?

Reading Passage — p.46

Thanksgiving in Detroit

My mom, dad, and I live in New York. But my grandparents, aunts, uncles, and cousins live in Detroit. Every Thanksgiving, we travel to Detroit. My dad drives us to Detroit. It takes about 10 hours. When we get to Grandma and Grandpa's house, the adults start cooking food. My mom cooks turkey and sweet potatoes. My aunts make cornbread and apple pies. Grandma washes the dishes. My dad makes tofu salad and fruit dishes. Those dishes are for the vegetarians in the family. Vegetarians don't eat meat. Grandma is a vegetarian.

While the adults cook, the kids stay in the living room. We are all very close to one another. We play board games and card games. I like card games more because I always win. This year, my cousin Amy bought video games. So we took turns playing them. My cousin James won every game! After three hours, Grandma said, "Dinner is ready!" So we all went to the dining room and sat down to eat. There was a lot of food, but we ate it all! After dinner, we watched TV in the living room. We watched a parade on TV. It was very fun. Then we went to sleep. We have to drive back to New York tomorrow!

디트로이트에서의 추수감사절

우리 엄마, 아빠, 그리고 나는 뉴욕에 산다. 하지만 내 조부모님, 이모들, 삼촌들, 그리고 사촌들은 디트로이트에 산다. 매년 추수감사절에, 우리는 디트로이트로 여행한다. 우리 아빠는 우리를 디트로이트까지 태워다 주신다. 10시간 정도 걸린다. 우리가 할머니와 할아버지 댁에 도착하면, 어른들은 음식을 요리하기 시작한다. 우리 엄마는 칠면조와 고구마를 요리한다. 이모들은 옥수수빵과 사과 파이를 만든다. 할머니는 설거지를 한다. 아빠는 두부 샐러드와 과일 요리를 만든다. 그 요리들은 가족 중의 채식주의자들을 위한 것이다. 채식주의자들은 고기를 먹지 않는다. 우리 할머니는 채식주의자이다.

어른들이 요리하는 동안, 아이들은 거실에 머문다. 우리는 모두 서로 매우 친하다. 우리는 보드게임과 카드 게임을 한다. 나는 내가 항상 이기기 때문에 카드 게임을 더 좋아한다. 올해, 내 사촌 Amy 가 비디오 게임을 샀다. 그래서 우리는 교대로 그것을 했다. 내 사촌 James가 모든 게임을 이겼다! 세 시간 후에, 할머니가 말했다, "저녁 준비가 됐단다!" 그래서 우리는 모두 주방으로 갔고 먹으려고 앉았다. 음식이 아주 많았지만, 우리는 그것을 다 먹었다! 저녁 식사 후에, 우리는 거실에서 TV를 봤다. 우리는 TV에서 행진을 봤다. 그것은 매우 재밌었다. 그런 다음 우리는 잠을 잤다. 우리는 내일 뉴욕으로 다시 차를 타고 돌아가야 한다!

어휘 celebrate 축하하다 | Thanksgiving 추수감사절 | drive
운전하다 | top 맨 위(의), 꼭대기(의) | back (이전의 장소, 상태
등으로) 다시, 돌아가[와]서 | front 앞(의) | water 물을 주다; 물 |
vegetarian 채식주의자 | tofu 두부 | meat 고기 | aunt 고모,
이모 | uncle 삼촌 | cousin 사촌 | travel 여행하다; 이동하다 |
cook 요리하다 | turkey 칠면조 | sweet potato 고구마 |
corn 옥수수 | adult 어른, 성인 | kid 아이 | living room 거실 |
close 친한; 가까운 | one another 서로 | take turns (V-ing)
(~하는 것을) 교대로 하다 | dining room 주방 | a lot of 많은 |
parade 행진 | serve (식당 등에서 음식을) 제공하다, 차려 주다
[내다] | roasted 구운 | fried 튀긴 | mashed 으깬

⏱ Comprehension Questions
p.47

1. I will drive <u>back</u> to Philadelphia tonight.

(A) top
(B) back
(C) front
(D) behind

해석 나는 오늘 밤 필라델피아로 운전해서 <u>돌아갈</u> 것이다.

(A) 꼭대기(의)
(B) 돌아가[와]서
(C) 앞의
(D) 뒤에

풀이 '~로 운전해서 돌아가다'라는 뜻을 나타낼 때 주로 부사 'back'
과 전치사 'to'를 함께 사용하여 'drive back to ~'라는 구동사로
표현하므로 (B)가 정답이다. (D)는 전치사 'behind'와 전치사 'to'
를 함께 사용하면 어색하므로 오답이다.

관련 문장 We have to drive back to New York tomorrow!

2. <u>While</u> I play, Mom waters the plants.

(A) But
(B) And
(C) Why
(D) While

해석 내가 노는 <u>동안</u>, 엄마는 식물에 물을 준다.

(A) 하지만
(B) 그리고
(C) 왜
(D) ~하는 동안

풀이 빈칸에는 'I play'와 'Mom waters the plants'라는 두 문장을
이어줄 수 있는 접속사가 들어가야 한다. 그런데 접속사의 위치가
가장 앞에 있으므로 종속절을 이끄는 접속사가 들어가야 하며,
문맥상 '~하는 동안'이라는 뜻이 가장 자연스러우므로 (D)가
정답이다. (A)와 (B)는 'but'과 'and' 같은 등위 접속사는 '문장1 +
and + 문장2'에서와 같이 문장 사이에서만 두 문장을 연결하므로
오답이다.

관련 문장 While the adults cook, the kids stay in the living room.

3. Betsy is <u>washing dishes</u>.

(A) cooking food
(B) washing dishes
(C) cleaning her car
(D) shopping at the store

해석 Betsy는 <u>설거지하고 있다</u>.

(A) 음식을 요리하는
(B) 설거지하는
(C) 그녀의 차를 세차하는
(D) 가게에서 장 보는

풀이 여자 아이가 설거지하고 있는 모습이므로 (B)가 정답이다.

관련 문장 Grandma washes the dishes.

4. Takeshi is a vegetarian. So he doesn't eat <u>meat</u>.

(A) tofu
(B) food
(C) meat
(D) vegetables

해석 Takeshi는 채식주의자이다. 그래서 그는 <u>고기</u>를 먹지 않는다.

(A) 두부
(B) 음식
(C) 고기
(D) 채소

풀이 고기에 X 표시가 되어 있고, 채소를 먹고 있는 모습이므로 남자가
고기를 먹지 않는다는 내용이 가장 자연스럽다. 따라서 (C)가
정답이다. 접속사 'so'를 이용하여 인과관계를 나타냈다는 점에
주목한다.

관련 문장 Vegetarians don't eat meat.

[5-6]

해석

추수감사절 저녁 메뉴

추수감사절에 영업합니다! 여러분의 가족이 너무 멀리
계시다면, 여기로 오셔서 식사하세요. 추수감사절 저녁을
제공합니다!

구운 칠면조 1인분 - 15달러	곁들임 요리	
튀긴 칠면조 1인분 - 17달러	으깬 감자	튀긴 버섯
채식 파스타 1인분 - 13달러	구운 고구마	빵
* 모든 칠면조 요리에는 2가지 곁들임 요리가 포함됩니다.	두부 샐러드	파스타와 치즈
	껍질 콩	

5. How much is a vegetarian meal for one person?

    (A) $13
    (B) $15
    (C) $17
    (D) $19

해석 채식 식사 1인분은 얼마인가?

    (A) $13
    (B) $15
    (C) $17
    (D) $19

풀이 'Vegetarian pasta for one person - $13'에서 채식 파스타가 1인분에 13달러라고 나와 있으므로 (A)가 정답이다. 'turkey'가 들어간 요리는 고기가 들어갔으므로 채식 요리가 아니라는 점에 유의한다.

6. What is NOT a side dish?

    (A) tofu salad
    (B) fried turkey
    (C) green beans
    (D) mashed potatoes

해석 곁들임 요리가 아닌 것은 무엇인가?

    (A) 두부 샐러드
    (B) 칠면조 튀김
    (C) 껍질 콩
    (D) 으깬 감자

풀이 오른쪽 열의 곁들임 요리 메뉴에 'fried turkey'는 포함되어 있지 않으므로 (B)가 정답이다.

[7-10]

My mom, dad, and I live in New York. But my grandparents, aunts, uncles, and cousins live in Detroit. Every Thanksgiving, we travel to Detroit. My dad drives us to Detroit. It takes about 10 hours. When we get to Grandma and Grandpa's house, the adults start cooking food. My mom cooks turkey and sweet potatoes. My aunts make cornbread and apple pies. Grandma washes the dishes. My dad makes tofu salad and fruit dishes. Those dishes are for the vegetarians in the family. Vegetarians don't eat meat. Grandma is a vegetarian.

While the adults cook, the kids stay in the living room. We are all very close to one another. We play board games and card games. I like card games more because I always win. This year, my cousin Amy brought video games. So we took turns playing them. My cousin James won every game! After three hours, Grandma said, "Dinner is ready!" So we all went to the dining room and sat down to eat. There was a lot of food, but we ate it all! After dinner, we watched TV in the living room. We watched a parade on TV. It was very fun. Then we went to sleep. We have to drive back to New York tomorrow!

해석

우리 엄마, 아빠, 그리고 나는 뉴욕에 산다. 하지만 내 조부모님, 이모들, 삼촌들, 그리고 사촌들은 디트로이트에 산다. 매년 추수감사절에, 우리는 디트로이트로 여행한다. 우리 아빠는 우리를 디트로이트까지 태워다 주신다. 10시간 정도 걸린다. 우리가 할머니와 할아버지 댁에 도착하면, 어른들은 음식을 요리하기 시작한다. 우리 엄마는 칠면조와 고구마를 요리한다. 이모들은 옥수수빵과 사과 파이를 만든다. 할머니는 설거지를 한다. 아빠는 두부 샐러드와 과일 요리를 만든다. 그 요리들은 가족 중의 채식주의자들을 위한 것이다. 채식주의자들은 고기를 먹지 않는다. 우리 할머니는 채식주의자이다.

어른들이 요리하는 동안, 아이들은 거실에 머문다. 우리는 모두 서로 매우 친하다. 우리는 보드게임과 카드 게임을 한다. 나는 내가 항상 이기기 때문에 카드 게임을 더 좋아한다. 올해, 내 사촌 Amy가 비디오 게임을 가져왔다. 그래서 우리는 교대로 그것을 했다. 내 사촌 James가 모든 게임을 이겼다! 세 시간 후에, 할머니가 말했다, "저녁 준비가 됐단다!" 그래서 우리는 모두 주방으로 갔고 먹으려고 앉았다. 음식이 아주 많았지만, 우리는 그것을 다 먹었다! 저녁 식사 후에, 우리는 거실에서 TV를 봤다. 우리는 TV에서 행진을 봤다. 그것은 매우 재밌었다. 그런 다음 우리는 잠을 잤다. 우리는 내일 뉴욕으로 다시 차를 타고 돌아가야 한다!

7. What does the writer say about Grandma?

   (A) She is very sick.
   (B) She does not eat meat.
   (C) She plays video games.
   (D) She cooks delicious food.

해석 글쓴이가 할머니에 관해 말한 것은 무엇인가?

   (A) 매우 편찮으시다.
   (B) 고기를 드시지 않는다.
   (C) 비디오 게임을 하신다.
   (D) 맛있는 음식을 요리하신다.

유형 세부 내용 파악

풀이 'Vegetarians don't eat meat. Grandma is a vegetarian.'에서 할머니가 채식주의자이고 고기를 먹지 않는다고 했으므로 (B)가 정답이다. (C)는 아이들이 비디오 게임을 했으므로 오답이다. (D)는 할머니는 요리가 아니라 설거지를 했으므로 오답이다.

8. What is NOT a dish the family cooked?

   (A) turkey
   (B) chicken
   (C) apple pie
   (D) tofu salad

해석 가족이 요리하지 않은 음식은 무엇인가?

   (A) 칠면조
   (B) 닭
   (C) 사과 파이
   (D) 두부 샐러드

유형 세부 내용 파악

풀이 가족이 요리한 음식 중에서 닭은 언급되지 않았으므로 (B)가 정답이다. (A)는 엄마가, (C)는 이모들이, (D)는 아빠가 요리한 음식이므로 오답이다.

9. Who was the best at playing video games?

   (A) Amy
   (B) James
   (C) the writer
   (D) Grandpa

해석 비디오 게임을 가장 잘 한 사람은 누구인가?

   (A) Amy
   (B) James
   (C) 글쓴이
   (D) 할아버지

유형 세부 내용 파악

풀이 'My cousin James won every game!'에서 글쓴이의 사촌 James가 모든 비디오 게임에서 이겼다고 하였으므로 (B)가 정답이다.

10. Which sentence goes best in the blank?

   (A) Dinner is ready!
   (B) Come help us cook!
   (C) Go play video games!
   (D) This is really delicious!

해석 빈칸에 들어갈 가장 알맞은 문장은 무엇인가?

   (A) 저녁 준비가 됐단다!
   (B) 와서 요리를 도와주렴!
   (C) 가서 비디오 게임을 하렴!
   (D) 이건 정말 맛있구나!

유형 추론하기

풀이 바로 뒷부분 'So we all went to the dining room, and sat down to eat. There was a lot of food, but we ate it all!'에서 빈칸의 말을 듣고 아이들이 저녁 식사를 하러 갔다는 것을 알 수 있다. 따라서 아이들에게 저녁이 준비됐다고 말하는 내용이 흐름상 빈칸에 가장 적절하므로 (A)가 정답이다.

🎧 **Listening Practice**　　　⏵ B3-5　　p.50

My mom, dad, and I live in New York. But my grandparents, aunts, uncles, and cousins live in Detroit. Every Thanksgiving, we travel to Detroit. My dad drives us to Detroit. It takes about 10 hours. When we get to Grandma and Grandpa's house, the <u>adults</u> start cooking food. My mom cooks <u>turkey</u> and sweet potatoes. My aunts make cornbread and apple pies. Grandma washes the dishes. My dad makes tofu salad and fruit dishes. Those dishes are for the vegetarians in the family. Vegetarians don't eat meat. Grandma is a <u>vegetarian</u>.

While the adults cook, the kids stay in the living room. We are all very <u>close</u> to one another. We play board games and card games. I like card games more because I always win. This year, my cousin Amy brought video games. So we took turns playing them. My cousin James won every game! After three hours, Grandma said, "Dinner is ready!" So we all went to the <u>dining</u> room and sat down to eat. There was a lot of food, but we ate it all! After dinner, we watched TV in the living room. We watched a <u>parade</u> on TV. It was very fun. Then we went to sleep. We have to drive back to New York tomorrow!

1. adults

2. turkey

3. vegetarian

4. close

5. dining

6. parade

✏️ Writing Practice   p.51

1. adult
2. turkey
3. vegetarian
4. We are close
5. dining room
6. parade

📄 Summary

Every Thanksgiving, my family goes to see my
grandparents. The drive is ten hours. We cook and eat a
lot. Some of us eat meat, and some are vegetarians. We
play cards and watch TV.

매년 추수감사절에, 우리 가족은 조부모님 댁에 간다. 운전은 열 시간
걸린다. 우리는 요리도 하고 많이 먹는다. 우리 중 일부는 고기를
먹고, 일부는 채식주의자이다. 우리는 카드 게임을 하고 텔레비전을
본다.

🧩 Word Puzzle   p.52

Across	Down
2. adult	1. we are close
5. parade	3. dining room
6. turkey	4. vegetarian

Unit 6 | Siesta   p.53

Part A. Sentence Completion   p.55

1 (B)   2 (C)

Part B. Situational Writing   p.55

3 (A)   4 (C)

Part C. Practical Reading and Retelling   p.56

5 (D)   6 (A)

Part D. General Reading and Retelling   p.57

7 (D)   8 (D)   9 (B)   10 (B)

Listening Practice   p.58

1 went to bed	2 take a nap
3 break	4 continued
5 cool	6 These days

Writing Practice   p.59

1 go to bed late

2 break   3 take a nap

4 continue with your story

5 cool   6 these days

Summary break, hot, restaurants, these days

Word Puzzle   p.60

Across

1 cool   4 go to bed late

Down

1 continue with your story

2 break   3 take a nap

5 these days

💡 Pre-reading Questions   p.53

Think about your town. When do shops open and close?

당신의 동네에 관해 생각해보세요. 가게들이 언제 여닫나요?

Siesta

Jessica has to work now, but she went to bed late last night. She is tired, and she wants to take a nap. She remembers a story. Her friend Juana told her the story. Juana lives in Spain now. Juana talked about the "siesta." The siesta is famous in Spanish culture, but what is it? It is a work break during the day. During the siesta, shops close, so people can take a nap. The siesta time for shops is from 2 PM to 5 PM. People go to restaurants to eat. Then they rest. So the siesta time for restaurants is from 4 PM to 8 PM. Jessica asked, "Why do people enjoy the siesta in Spain?" Juana continued with her story. Spain is a hot country. Many workers enjoy a break when it is very hot, around 2 PM. After 5 PM, the weather becomes cooler, and people can work again. Jessica asked again, "Shops now can cool their air. Why do people need a siesta?" Juana said, "Maybe they don't. These days, many people do not take a siesta."

시에스타(Siesta)

Jessica는 지금 일해야 하지만, 그녀는 어젯밤 늦게 잠자리에 들었다. 그녀는 피곤하다, 그리고 낮잠을 자고 싶다. 그녀는 이야기 하나를 기억한다. 그녀의 친구 Juana가 그녀에게 그 이야기를 해줬다. Juana는 지금 스페인에서 산다. Juana는 "시에스타(siesta)"에 관해 이야기했다. 시에스타는 스페인 문화에서 유명한데, 그것은 무엇일까? 그것은 하루 중에 있는 업무 휴식이다. 시에스타 동안, 가게들은 문을 닫고, 그래서 사람들은 낮잠을 잘 수 있다. 가게들의 시에스타 시간은 오후 2시에서 오후 5시까지이다. 사람들은 먹으러 식당에 간다. 그런 다음 그들은 쉰다. 그래서 식당들의 시에스타 시간은 오후 4시에서부터 오후 8시까지이다. Jessica가 물었다, "스페인에서 사람들이 왜 시에스타를 즐기니?" Juana는 그녀의 이야기를 계속 이어나갔다. 스페인은 더운 나라이다. 많은 근로자는 오후 2시쯤, 매우 더울 때 시에스타를 즐긴다. 오후 5시 이후에, 날씨가 더 선선해지고, 사람들은 다시 일할 수 있다. Jessica가 다시 물었다, "이제 가게들은 그곳의 공기를 시원하게 할 수 있잖아. 왜 사람들이 시에스타가 필요해?" Juana가 말했다, "아마 필요하지 않을지도 모르지. 요즘에는, 많은 사람이 시에스타를 갖지 않아."

어휘 ship 운송하다 | come from ~에서 오다 | full 꽉 찬 | popular 인기 있는 | tired 피곤한 | nap 낮잠 | once 한 번 | twice 두 번; 두 배로 | culture 문화 | break 휴식; 부서지다 | during ~ 동안 | from A to B A부터 B까지 | country 나라 | take a break 휴식을 취하다 | cool 식히다[차게 하다]; 시원한 | reason 이유 | due to ~ 때문에 | lazy 게으른 | heavy 무거운; 양이 많은; 부담되는

1. <u>It</u> is very hot today.

    (A) I
    (B) It
    (C) Those
    (D) Today

해석   오늘 정말 덥다.

    (A) 나는
    (B) 비인칭주어 it
    (C) 저것들
    (D) 오늘

풀이   'It's sunny', 'It's 7 o'clock'과 같이 날씨나 시간 등을 나타낼 때 비인칭주어 'it'을 사용하므로 (B)가 정답이다. (D)는 이미 뒤에 'today'가 있어 중복되기 때문에 오답이다.

관련 문장   Many workers enjoy a break when it is very hot, around 2 PM.

2. Sam went to the market <u>to buy</u> some fruit.

    (A) buys
    (B) buyer
    (C) to buy
    (D) bought

해석   Sam은 과일을 좀 <u>사려고</u> 시장에 갔다.

    (A) 사다
    (B) 구매자
    (C) 사려고
    (D) 샀다

풀이   '~하려고'라는 목적을 나타낼 때 to 부정사를 사용할 수 있으므로 (C)가 정답이다. 'to buy some fruit'는 문장에서 부사 역할을 하고 있다는 점에 주목한다. (D)는 'Sam went to the market' 이 이미 'went'라는 문장의 동사가 있는 완전한 절로서, 'and'와 같은 접속사 없이 또 다른 동사인 'bought'를 쓰면 어색하므로 오답이다.

관련 문장   People go to restaurants to eat.

3. It is time to <u>go to</u> bed.

    (A) go to
    (B) ship the
    (C) make the
    (D) come from

해석   잠잘 시간이다.

    (A) ~하러 가기/잠자기
    (B) ~을 운송하기
    (C) ~을 정돈하기
    (D) ~에서 오기

풀이   달이 떠 있는 밤에 잠자리에 들려는 모습이므로 (A)가 정답이다.

관련 문장   Jessica has to work now, but she went to bed late last night.

4. It is Monday at 7:00 PM. The shop is <u>closed</u>.

    (A) full

    (B) open

    (C) closed

    (D) popular

해석 월요일 오후 7시이다. 가게는 <u>닫았다</u>.

    (A) 꽉 찬

    (B) 영업하는

    (C) 닫힌

    (D) 인기 있는

풀이 월요일 영업시간('Business Hours')이 오후 6시까지라고 표시되어 있다. 따라서 오후 7시에는 가게가 문을 닫았으므로 (C)가 정답이다.

관련 문장 During the siesta, shops close, so people can take a nap.

[5-6]

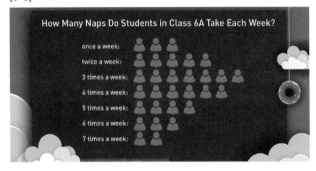

해석

6A반 학생들은 매주 몇 번의 낮잠을 자는가?

일주일에 한 번: 3

일주일에 두 번: 5

일주일에 3번: 7

일주일에 4번: 6

일주일에 5번: 4

일주일에 6번: 3

일주일에 7번: 2

5. How many students take naps four times a week?

    (A) 3

    (B) 4

    (C) 5

    (D) 6

해석 일주일에 네 번 낮잠을 자는 학생은 몇 명인가?

    (A) 3

    (B) 4

    (C) 5

    (D) 6

풀이 일주일에 네 번 낮잠을 자는 학생이 6명이라고 표시되어 있으므로 (D)가 정답이다.

6. Which of the following is NOT true?

    (A) The class has 25 students.

    (B) Two students take a nap every day.

    (C) Some students take a nap on weekends.

    (D) All students take a nap at least one time a week.

해석 다음 중 옳지 않은 설명은 무엇인가?

    (A) 이 학급에는 25명의 학생이 있다.

    (B) 학생 두 명이 매일 낮잠을 잔다.

    (C) 몇몇 학생들은 주말에 낮잠을 잔다.

    (D) 모든 학생이 일주일에 적어도 한 번 낮잠을 잔다.

풀이 총학생 수는 25명이 아니라 30명(3+5+7+6+4+3+2)이므로 (A)가 정답이다. (B)는 매일 낮잠을 자는 학생, 즉 일주일에 7번 낮잠을 자는 학생이 2명이므로 오답이다. (C)는 일주일에 6-7번 낮잠을 자는 학생들은 주말에 적어도 하루 낮잠을 자게 되는 것이므로 오답이다. (D)는 낮잠을 자지 않는 학생이 없으므로 오답이다.

Jessica has to work now, but she went to bed late last night. She is tired, and she wants to take a nap. She remembers a story. Her friend Juana told her the story. Juana lives in Spain now. Juana talked about the "siesta." The siesta is famous in Spanish culture, but what is it? It is a work break during the day. During the siesta, shops close, so people can take a nap. The siesta time for shops is from 2 PM to 5 PM. People go to restaurants to eat. Then they rest. So the siesta time for restaurants is from 4 PM to 8 PM. Jessica asked, "Why do people enjoy the siesta in Spain?" Juana continued with her story. Spain is a hot country. Many workers enjoy a break when it is very hot, around 2 PM. After 5 PM, the weather becomes cooler, and people can work again. Jessica asked again, "Shops now can cool their air. Why do people need a siesta?" Juana said, "Maybe they don't. These days, many people do not take a siesta."

해석

Jessica는 지금 일해야 하지만, 그녀는 어젯밤 늦게 잠자리에 들었다. 그녀는 피곤하다, 그리고 낮잠을 자고 싶다. 그녀는 이야기 하나를 기억한다. 그녀의 친구 Juana가 그녀에게 그 이야기를 해줬다. Juana는 지금 스페인에서 산다. Juana는 "시에스타(siesta)"에 관해 이야기했다. 시에스타는 스페인 문화에서 유명한데, 그것은 무엇일까? 그것은 하루 중에 있는 업무 휴식이다. 시에스타 동안, 가게들은 문을 닫고, 그래서 사람들은 낮잠을 잘 수 있다. 가게들의 시에스타 시간은 오후 2시에서 오후 5시까지이다. 사람들은 먹으러 식당에 간다. 그런 다음 그들은 쉰다. 그래서 식당들의 시에스타 시간은 오후 4시에서부터 오후 8시까지이다. Jessica가 물었다, "스페인에서 사람들이 왜 시에스타를 즐기니?" Juana는 그녀의 이야기를 계속 이어나갔다. 스페인은 더운 나라이다. 많은 근로자는 오후 2시쯤, 매우 더울 때 시에스타를 즐긴다. 오후 5시 이후에, 날씨가 더 선선해지고, 사람들은 다시 일할 수 있다. Jessica가 다시 물었다, "이제 가게들은 그곳의 공기를 시원하게 할 수 있잖아. 왜 사람들이 시에스타가 필요해?" Juana가 말했다, "아마 필요하지 않을지도 모르지. 요즘에는, 많은 사람이 시에스타를 갖지 않아."

---

7. What is the main idea of the passage?

   (A) The food in Spain is delicious.
   (B) Jessica and Juana are best friends.
   (C) Jessica and Juana always rest after lunch.
   (D) Spanish people have a siesta for a reason.

해석 지문의 요지는 무엇인가?

   (A) 스페인의 음식은 맛있다.
   (B) Jessica와 Juana는 단짝이다.
   (C) Jessica와 Juana는 점심 식사 후에 늘 쉰다.
   (D) 스페인 사람들이 시에스타를 갖는 데에는 이유가 있다.

유형 전체 내용 파악

풀이 초반부에 시에스타(siesta)라는 중심 소재를 언급한 뒤 시에스타의 개념, 시에스타 시간, 시에스타를 갖는 이유를 차례대로 설명하고 있는 글이다. 따라서 글의 요지는 스페인 사람들이 더운 날씨에 시에스타를 갖는 데에는 이유가 있다는 것이므로 (D)가 정답이다.

8. What is NOT true about Juana?

   (A) She lives in Spain.
   (B) She is Jessica's friend.
   (C) She knows what a siesta is.
   (D) She thinks everyone needs a siesta.

해석 Juana에 관해 옳지 않은 설명은 무엇인가?

   (A) 스페인에 산다.
   (B) Jessica의 친구이다.
   (C) 시에스타가 무엇인지 안다.
   (D) 모두에게 시에스타가 필요하다고 생각한다.

유형 세부 내용 파악

풀이 마지막 부분 "'Why do people need a siesta?' Juana said, "Maybe they don't. These days, many people do not take a siesta.'"에서 Juana가 요즘에는 시에스타가 필요하지 않을 수도 있고, 많은 사람들이 시에스타를 갖지 않는다고 했다. 따라서 Juana가 모든 사람에게 시에스타가 필요하다고 생각한다는 것은 옳지 않으므로 (D)가 정답이다. (A)는 'Juana lives in Spain now.'에서, (B)는 'Her friend Juana told her the story.'에서, (C)는 'Juana talked about the idea of the "siesta."'에서 확인할 수 있으므로 오답이다.

9. According to Juana, when is the siesta for restaurants?

   (A) 2 PM to 5 PM
   (B) 4 PM to 8 PM
   (C) After 5 PM
   (D) After 8 PM

해석 Juana에 따르면, 식당의 시에스타는 언제인가?

   (A) 오후 2시에서 오후 5시까지
   (B) 오후 4시에서 오후 8시까지
   (C) 오후 5시 후에
   (D) 오후 8시 후에

유형 세부 내용 파악

풀이 'So the siesta time for restaurants is from 4 PM to 8 PM.'에서 식당의 시에스타 시간이 오후 4시에서 오후 8시까지라는 것을 알 수 있으므로 (B)가 정답이다. (A)는 가게의 시에스타 시간이므로 오답이다.

Basic Book 3

10. According to Juana, why do people take siestas?

    (A) Some people are lazy.

    (B) The weather is very hot.

    (C) People don't need breaks.

    (D) Spanish meals are heavy.

해석 Juana에 따르면, 사람들이 시에스타를 갖는 이유는 무엇인가?

    (A) 몇몇 사람들은 게으르다.

    (B) 날씨가 매우 덥다.

    (C) 사람들은 휴식이 필요 없다.

    (D) 스페인 식사는 양이 많다.

유형 세부 내용 파악

풀이 'Jessica asked, "Why do people enjoy the siesta in Spain?" [...] Spain is a hot country. Many workers enjoy a break when it is very hot'에서 더운 날씨 때문에 스페인 사람들이 시에스타 시간을 가진다고 Juana가 설명하고 있으므로 (B)가 정답이다.

🎧 **Listening Practice**　　▶ B3-6　　p.58

Jessica has to work now, but she <u>went to bed</u> late last night. She is tired, and she wants to <u>take a nap</u>. She remembers a story. Her friend Juana told her the story. Juana lives in Spain now. Juana talked about the "siesta." The siesta is famous in Spanish culture, but what is it? It is a work <u>break</u> during the day. During the siesta, shops close, so people can take a nap. The siesta time for shops is from 2 PM to 5 PM. People go to restaurants to eat. Then they rest. So the siesta time for restaurants is from 4 PM to 8 PM. Jessica asked, "Why do people enjoy the siesta in Spain?" Juana <u>continued</u> with her story. Spain is a hot country. Many workers enjoy a break when it is very hot, around 2 PM. After 5 PM, the weather becomes cooler, and people can work again. Jessica asked again, "Shops now can <u>cool</u> their air. Why do people need a siesta?" Juana said, "Maybe they don't. <u>These days</u>, many people do not take a siesta."

1. went to bed

2. take a nap

3. break

4. continued

5. cool

6. These days

✏️ **Writing Practice**　　p.59

1. go to bed late

2. break

3. take a nap

4. continue with your story

5. cool

6. these days

📄 Summary

In Spain, the "siesta" is a <u>break</u> in the day. It started due to <u>hot</u> weather. Shops and <u>restaurants</u> close. But <u>these days</u>, not everyone does the siesta.

스페인에서, "시에스타"는 낮에 있는 <u>휴식</u>이다. 그것은 <u>더운</u> 날씨 때문에 시작되었다. 가게와 <u>음식점들</u>은 문을 닫는다. 하지만 <u>요즘에는</u>, 모든 사람이 시에스타를 갖지는 않는다.

🧩 **Word Puzzle**　　p.60

Across	Down
1. cool	1. continue with your story
4. go to bed late	2. break
	3. take a nap
	5. these days

Pre-reading Questions   p.61

What does "pharaoh" mean?

Can you name a pharaoh of ancient Egypt?

"파라오(pharaoh)"는 무엇을 뜻하나요?

고대 이집트 파라오 이름을 한 명 말할 수 있나요?

Reading Passage   p.62

The Mystery of King Tut

King Tut was a famous king in Egypt. He was called a "pharaoh." Pharaoh means king. Pharaohs ruled Egypt. Why was King Tut so famous? Because his body was in a very clean and tidy tomb. A tomb is a place for a dead body. Modern people could study the tomb. They could learn about King Tut's life.

Howard Carter found King Tut's tomb in 1922. Carter studied old history. How old was King Tut's body? About 3,200 years old! There were many treasures in the area. It became famous very quickly. Then people had a question. How did King Tut die? He died young. He was only 19 when he died. Some people think he was ill. Others say an animal bit him. Professor Albert Zink is from Italy. He believes King Tut was always weak — even as a baby. Zink did some tests on King Tut's family. The tests looked at King Tut's parents. The parents were brother and sister. Maybe that made a weak baby, but nobody really knows how King Tut died. We only know he was young.

투탕카멘 왕(King Tut)의 수수께끼

투탕카멘 왕은 이집트의 유명한 왕이었다. 그는 "파라오"라고 불렸다. 파라오는 왕을 의미한다. 파라오는 이집트를 통치했다. 투탕카멘 왕은 왜 그렇게 유명한가? 왜냐하면 그의 몸이 몹시 깨끗하고 잘 정돈된 무덤에 있었기 때문이다. 무덤은 시체가 있는 곳이다. 현대 사람들은 그 무덤을 연구할 수 있었다. 그들은 투탕카멘 왕의 생애에 관해 배울 수 있었다.

Howard Carter는 1922년에 투탕카멘 왕의 무덤을 발견했다. Carter는 옛 역사를 연구했다. 투탕카멘 왕의 시신은 얼마나 오래되었을까? 약 3,200살이다! 그 구역에는 많은 보물이 있었다. 그곳은 매우 빠르게 유명해졌다. 그러자 사람들에게 질문이 생겼다. 투탕카멘 왕은 어떻게 죽었을까? 그는 젊을 때 죽었다. 그가 죽을 때 그는 고작 19살이었다. 몇몇 사람들은 그가 아팠다고 생각한다. 다른 이들은 동물이 그를 물었다고 말한다. Albert Zink 교수는 이탈리아 출신이다. 그는 투탕카멘 왕이 항상 약했다고 믿는다 — 심지어 아기였을 때조차도. Zink는 투탕카멘 왕가에 몇 가지 실험을 했다. 실험은 투탕카멘 왕의 부모를 조사했다. 그 부모는 남매였다. 아마도 그것이 약한 아기를 만들었겠지만, 아무도 투탕카멘 왕이 어떻게 죽었는지는 실제로 모른다. 우리는 그가 어렸다는 것만 알 뿐이다.

어휘   pharaoh 파라오(고대 이집트 왕) | ancient 고대의 | how 얼마나; 어떻게 | Germany 독일 | bit 물었다 (bite의 과거형) | robber 도둑 | kick 차다 | hug 안다 | owner 주인 | floor 바닥; 층 | messy 지저분한 | tidy 잘 정돈된 | famous 유명한 | rule 통치하다; 규칙 | tomb 무덤 | place 장소 | modern 현대의 | study 연구하다 | learn 배우다 | history 역사 | treasure 보물 | quickly 빠르게 | question 질문 | ill 아픈 | professor 교수 | touch 만지다 | noise 소음, 소리 | steal 훔치다 | hide 숨기다 | fall 떨어지다, 빠지다

Basic Book 3

1. <u>How old</u> is your sister?

    (A) How old
    (B) How long
    (C) How often
    (D) How many

해석 네 여동생은 <u>몇 살</u>이니?

    (A) 몇 살
    (B) 얼마나 긴
    (C) 얼마나 자주
    (D) 얼마나 많이

풀이 'How (얼마나, 어느 정도) + 형용사'의 구조를 활용한 문장이다. 주어가 'your sister'이므로 나이를 물어보는 것이 맥락상 가장 적절하므로 (A)가 정답이다. (B)는 기간, (C)는 횟수, (D)는 개수 등을 물어볼 때 주로 쓰이므로 오답이다.

새겨 두기 위 선택지에 나온 다양한 'How + 형용사' 구조로 문장을 만들어보며 익숙해지도록 하자.
    예) How often do you watch TV?
        How many cookies do you want?

관련 문장 How old was King Tut's body?

2. Albert Einstein was <u>from</u> Germany.

    (A) to
    (B) on
    (C) from
    (D) about

해석 Albert Einstein은 독일 <u>출신</u>이었다.

    (A) ~로
    (B) ~ (위)에
    (C) ~로부터
    (D) ~에 관한

풀이 '~에서 오다, ~ 출신이다'를 뜻할 때 전치사 'from'을 사용하므로 (C)가 정답이다.

관련 문장 Professor Albert Zink is from Italy.

3. The dog <u>bit the robber</u>.

    (A) bit the robber
    (B) kicked the man
    (C) hugged the owner
    (D) danced on the floor

해석 개는 <u>도둑을 물었다</u>.

    (A) 도둑을 물었다
    (B) 남자를 찼다
    (C) 주인을 안았다
    (D) 바닥에서 춤췄다

풀이 개가 도둑을 물고 있으므로 (A)가 정답이다.

새겨 두기 '물다'를 뜻하는 동사 'bite'는 불규칙 동사로서 과거형이 'bit'이라는 점에 주목한다.

관련 문장 Others say an animal bit him.

4. The room was messy but now it is <u>tidy</u>.

    (A) pink
    (B) tidy
    (C) weak
    (D) young

해석 방은 지저분했지만 지금은 <u>깔끔하다</u>.

    (A) 분홍색인
    (B) 잘 정돈된
    (C) 약한
    (D) 젊은

풀이 물건들이 제자리에 깔끔하게 정돈된 방의 모습이므로 (B)가 정답이다.

관련 문장 Because his body was in a very clean and tidy tomb.

[5-6]

King Tut's tomb is open to visitors!
Come and see the pharaoh!

Date: September 4th, 2019 - February 28th, 2020
Tickets: $20 for adults, $10 for children 8-14

*Please do not touch ANYTHING in the tomb.
*Please do not take pictures in the tomb.
*Please do not make loud noises in the tomb.
*Children under 8 may NOT enter.

해석

투탕카멘 왕의 무덤은 방문객들에게 열려 있습니다!
와서 파라오를 구경하세요!

날짜: 2019년 9월 4일 - 2020년 2월 28일
입장권: 성인 20달러, 8-14세 어린이 10달러

* 무덤 안에서 아무것도 만지지 말아 주세요.
* 무덤 안에서 사진을 찍지 말아 주세요.
* 무덤 안에서 시끄러운 소리를 내지 말아 주세요.
* 8세 미만 어린이는 입장할 수 없습니다.

5. John is 7 years old. How much is the ticket for John?

    (A) $5
    (B) $10
    (C) $20
    (D) John cannot have a ticket.

해석 John은 7살이다. John의 입장권은 얼마인가?

    (A) $5
    (B) $10
    (C) $20
    (D) John은 입장권을 가질 수 없다.

풀이 'Children under 8 may NOT enter.'에서 8세 미만 어린이는 무덤 안에 들어갈 수 없다고 했으므로 7살인 John은 무덤에 들어갈 수 없다. 따라서 (D)가 정답이다.

6. What should you do in the tomb?

   (A) be quiet
   (B) take pictures
   (C) bring babies
   (D) touch the pharaoh

해석 무덤 안에서 무엇을 해야 하는가?

   (A) 조용히 하기
   (B) 사진 찍기
   (C) 아기 데려가기
   (D) 파라오 만지기

풀이 'Please do not make loud noises in the tomb.'에서 시끄러운 소리를 내지 말아 달라고 했으므로 (A)가 정답이다. (B)는 사진을 찍지 말라고 했으므로 오답이다. (C)는 8살 미만 아동은 입장할 수 없으므로 오답이다. (D)는 무덤 안에서 아무것도 만지지 말라고 했으므로 오답이다.

[7-10]

King Tut was a famous king in Egypt. He was called a "pharaoh." Pharaoh means king. Pharaohs ruled Egypt. Why was King Tut so famous? Because his body was in a very clean and tidy tomb. A tomb is a place for a dead body. Modern people could study the tomb. They could learn about King Tut's life.

Howard Carter found King Tut's tomb in 1922. Carter studied old history. How old was King Tut's body? About 3,200 years old! There were many treasures in the area. It became famous very quickly. Then people had a question. How did King Tut die? He died young. He was only 19 when he died. Some people think he was ill. Others say an animal bit him. Professor Albert Zink is from Italy. He believes King Tut was always weak — even as a baby. Zink did some tests on King Tut's family. The tests looked at King Tut's parents. The parents were brother and sister. Maybe that made a weak baby, but nobody really knows how King Tut died. We only know he was young.

해석

투탕카멘 왕은 이집트의 유명한 왕이었다. 그는 "파라오"라고 불렸다. 파라오는 왕을 의미한다. 파라오는 이집트를 통치했다. 투탕카멘 왕은 왜 그렇게 유명했는가? 왜냐하면 그의 몸이 몹시 깨끗하고 잘 정돈된 무덤에 있었기 때문이다. 무덤은 시체가 있는 곳이다. 현대 사람들은 그 무덤을 연구할 수 있었다. 그들은 투탕카멘 왕의 생애에 관해 배울 수 있었다.

Howard Carter는 1922년에 투탕카멘 왕의 무덤을 발견했다. Carter는 옛 역사를 연구했다. 투탕카멘 왕의 시신은 얼마나 오래되었을까? 약 3,200살이다! 그 구역에는 많은 보물이 있었다. 그곳은 매우 빠르게 유명해졌다. 그러자 사람들에게 질문이 생겼다. 투탕카멘 왕은 어떻게 죽었을까? 그는 젊을 때 죽었다. 그가 죽을 때 그는 고작 19살이었다. 몇몇 사람들은 그가 아팠다고 생각한다. 다른 이들은 동물이 그를 물었다고 말한다. Albert Zink 교수는 이탈리아 출신이다. 그는 투탕카멘 왕이 항상 약했다고 믿는다 — 심지어 아기였을 때조차도. Zink는 투탕카멘 왕가에 몇 가지 실험을 했다. 실험은 투탕카멘 왕의 부모를 조사했다. 그 부모는 남매였다. 아마도 그것이 약한 아기를 만들었겠지만, 아무도 투탕카멘 왕이 어떻게 죽었는지는 실제로 모른다. 우리는 그가 어렸다는 것만 알 뿐이다.

7. What is the best title for the passage?

   (A) Facts about King Tut
   (B) All the Kings of Egypt
   (C) How to Test Old People
   (D) Pharaohs Work Very Hard

해석 지문에 가장 알맞은 제목은 무엇인가?

   (A) 투탕카멘 왕에 관한 사실들
   (B) 이집트의 모든 왕들
   (C) 옛날 사람들을 실험하는 법
   (D) 파라오는 매우 열심히 일한다

유형 전체 내용 파악

풀이 첫 문장 'King Tut was a famous king in Egypt.'에서 투탕카멘 왕이라는 중심 소재가 드러나고 그 후에 투탕카멘 왕의 무덤, 투탕카멘 왕이 어렸을 때 죽었다는 사실과 죽음에 관한 여러 가설 등을 언급하고 있는 글이다. 따라서 본문은 투탕카멘 왕에 관한 사실을 다루고 있는 글이므로 (A)가 정답이다.

8. According to the passage, what did pharaohs do?

   (A) rule Egypt
   (B) steal treasure
   (C) hide old tombs
   (D) study old history

해석 지문에 따르면, 파라오는 무엇을 했는가?

   (A) 이집트 통치하기
   (B) 보물 훔치기
   (C) 오래된 무덤들 숨기기
   (D) 옛 역사 연구하기

유형 세부 내용 파악

풀이 'Pharaohs ruled Egypt.'에서 파라오가 이집트를 통치했다고 하였으므로 (A)가 정답이다.

9. Which is mentioned about King Tut's death?

   (A) A rock hit him.
   (B) An animal bit him.
   (C) He fell from a tree.
   (D) He fell into a fast river.

해석 투탕카멘 왕의 죽음에 관해 언급된 것은 무엇인가?

   (A) 바위가 그를 쳤다.
   (B) 동물이 그를 물었다.
   (C) 나무에서 떨어졌다.
   (D) 빠른 강물에 빠졌다.

유형 세부 내용 파악

풀이 'Others say an animal bit him.'에서 투탕카멘 왕이 죽은 이유에 관해 동물이 그를 물었다는 가설을 언급하고 있으므로 (B)가 정답이다.

10. What did Albert Zink do?

   (A) find King Tut's tomb
   (B) die when he was 19
   (C) test King Tut's family
   (D) make King Tut famous

해석 Albert Zink는 무엇을 했는가?

   (A) 투탕카멘 왕 무덤 발견하기
   (B) 19살 때 죽기
   (C) 투탕카멘 왕 가문 실험하기
   (D) 투탕카멘 왕 유명하게 하기

유형 세부 내용 파악

풀이 'Zink did some tests on King Tut's family.'에서 Zink 교수가 투탕카멘 왕 가문을 실험했다고 했으므로 (C)가 정답이다. (A)는 투탕카멘 왕 무덤을 발견한 사람이 Howard Carter이므로 오답이다. (B)는 19살 때 죽은 이는 투탕카멘 왕이므로 오답이다.

🎧 **Listening Practice**   ▶ B3-7   p.66

King Tut was a famous king in Egypt. He was called a "pharaoh." Pharaoh means king. Pharaohs ruled Egypt. Why was King Tut so famous? Because his body was in a very clean and <u>tidy</u> tomb. A tomb is a place for a dead body. <u>Modern</u> people could study the <u>tomb</u>. They could learn about King Tut's life.

Howard Carter found King Tut's tomb in 1922. Carter studied old history. How old was King Tut's body? About 3,200 years old! There were many <u>treasures</u> in the area. It became famous very quickly. Then people had a question. How did King Tut die? He died young. He was only 19 when he died. Some people think he was <u>ill</u>. Others say an animal bit him. Professor Albert Zink is from Italy. He believes King Tut was always <u>weak</u> — even as a baby. Zink did some tests on King Tut's family. The tests looked at King Tut's parents. The parents were brother and sister. Maybe that made a weak baby, but nobody really knows how King Tut died. We only know he was young.

1. tidy
2. Modern
3. tomb
4. treasures
5. ill
6. weak

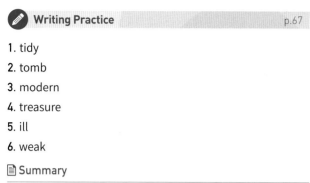

Writing Practice p.67

1. tidy
2. tomb
3. modern
4. treasure
5. ill
6. weak

📄 **Summary**

King Tut was a famous king in <u>Egypt</u>. Modern people could <u>learn</u> about his life by studying his old <u>tomb</u>. But no one knows why he <u>died</u> so young.

투탕카멘 왕은 <u>이집트</u>의 유명한 왕이었다. 현대인들은 그의 오래된 <u>무덤</u>을 공부하면서 그의 삶을 <u>배울</u> 수 있었다. 하지만 아무도 그가 왜 일찍 <u>죽었</u>는지는 알지 못한다.

🧩 **Word Puzzle** p.68

Across	Down
1. tomb	1. treasure
2. weak	5. ill
3. modern	
4. tidy	

Unit 8 | The History of the Mexican Flag p.69

Part A. Sentence Completion p.71

1 (A)	2 (C)

Part B. Situational Writing p.71

3 (D)	4 (A)

Part C. Practical Reading and Retelling p.72

5 (C)	6 (B)

Part D. General Reading and Retelling p.73

7 (C)	8 (C)	9 (D)	10 (B)

Listening Practice p.74

1 wide	2 stripe
3 cactus	4 capital
5 similar	6 soldier

Writing Practice p.75

1 wide	2 stripe
3 cactus	4 capital
5 similar	6 soldier
Summary flag, Mexican, white, snake	

Word Puzzle p.76

Across

4 wide	5 capital
6 soldier	

Down

1 stripe	2 similar
3 cactus	

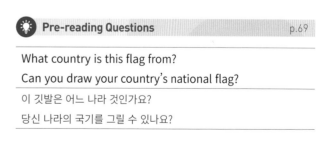

Pre-reading Questions p.69

What country is this flag from?

Can you draw your country's national flag?

이 깃발은 어느 나라 것인가요?

당신 나라의 국기를 그릴 수 있나요?

Reading Passage
p.70

The History of the Mexican Flag

February 24th is a special day for Mexicans. On February 24th, 1984, Mexico chose its modern flag. The Mexican flag has three wide stripes. The stripes are green, white, and red. The green stripe is on the left. The white one is in the middle. And the red one is on the right. Each color has a meaning. Green is for hope. White is about being together. Red is like the blood of heroes. There are also pictures on the middle stripe. The white stripe has an eagle, a snake, and a cactus. These things show Mexico's special story. In the story, the Aztec people were looking for a place. The place had an eagle, snake, and cactus. Tenoch was an Aztec leader. He found the place and built a city there. The Aztecs called the city Tenochtitlan. Tenochtitlan is now Mexico City, Mexico's capital.

Mexicans had actually used the flag before 1984. Miguel Hidalgo used a similar flag. Hidalgo was a famous Mexican soldier. He fought against Spain. Then President Guadalupe Victoria also used the flag. He took it with him in a war with Spain. The Mexican flag has a long history. However, in 1984, the flag became the national symbol by law. This is why February 24th is Flag Day in Mexico.

멕시코 깃발의 역사

2월 24일은 멕시코인들에게 특별한 날이다. 1984년 2월 24일에, 멕시코는 현재의 (멕시코) 깃발을 선택했다. 멕시코 깃발에는 세 개의 넓은 줄무늬가 있다. 줄무늬들은 초록색, 흰색, 그리고 빨간색이다. 초록색 줄무늬는 왼쪽에 있다. 하얀색은 중앙에 있다. 그리고 빨간색은 오른쪽에 있다. 각 색깔은 의미를 지니고 있다. 초록색은 희망을 위한 것이다. 흰색은 함께 있는 것에 관한 것이다. 빨간색은 영웅들의 피와 같은 것이다. 또한 가운데 줄무늬에는 그림들이 있다. 하얀색 줄무늬에는 독수리, 뱀, 그리고 선인장이 있다. 이것들은 멕시코의 특별한 이야기를 나타낸다. 그 이야기에서, 아스텍 사람들은 장소를 찾고 있었다. 그 장소에는 독수리, 뱀, 그리고 선인장이 있었다. Tenoch는 아스텍의 지도자였다. 그는 그 장소를 발견했고 거기에 도시를 건설했다. 아스텍인들은 그 도시를 테노치티틀란이라고 불렀다. 테노치티틀란은 현재 멕시코의 수도인, 멕시코시티이다.

멕시코인들은 사실 1984년 이전에 그 깃발을 사용했었다. Miguel Hidalgo는 비슷한 깃발을 사용했다. Hidalgo는 유명한 멕시코 군인이었다. 그는 스페인에 맞서 싸웠다. 그러고 나서 Guadalupe Victoria 대통령 또한 그 깃발을 사용했다. 그는 스페인과의 전쟁에서 그것을 가지고 갔다. 멕시코 깃발은 오랜 역사를 가지고 있다. 하지만, 1984년이 돼서, 그 깃발이 법으로써 국가의 상징이 되었다. 이것이 2월 24일이 멕시코에서 국기 제정 기념일인 이유이다.

어휘 country 나라 | flag 깃발 | draw 그리다 | national 국가의 | holiday 공휴일, 휴일 | firework 불꽃놀이 | war 전쟁 | against ~에 맞서 | modern 현대의, 근대의; 최신의 | soldier 군인 | fight 싸우다[전투하다] | firefighter 소방관 | pharmacist 약사 | wide 넓은 | stripe 줄무늬 | middle 가운데, 중앙 | hope 희망 | blood 피 | hero 영웅 | eagle 독수리 | cactus 선인장 | look for ~을 찾다 | leader 지도자, 리더 | capital 수도 | similar 비슷한 | history 역사 | symbol 상징 | law 법 | similarity 비슷한 점, 유사성 | band 줄무늬; 띠, 끈 | diagram 도표 | ratio 비율 | general 장군

Comprehension Questions
p.71

1. <u>Why</u> is New Year's Day your favorite holiday? Is it because of the fireworks?

   (A) **Why**
   (B) Who
   (C) When
   (D) Where

   해석 왜 새해 첫날이 네가 가장 좋아하는 공휴일이니? 불꽃놀이 때문이니?

   (A) 왜
   (B) 누가
   (C) 언제
   (D) 어디

   풀이 빈칸 뒤에 완전한 절 'is New Year's Day your favorite holiday?'이 나오므로 이를 수식할 수 있는 의문 부사가 필요하다. 두 번째 문장에서 이유를 나타내는 'because of'를 사용한 점으로 보아 첫 번째 문장에서도 이유를 물어보는 'why'를 사용하는 것이 내용상 자연스러우므로 (A)가 정답이다.

   새겨 두기 'why' 의문문과 'because (of)'가 들어간 구절은 자주 함께 쓰인다는 점에 주목한다.

   관련 문장 This is why February 24th is Flag Day in Mexico.

2. France fought <u>against</u> England in 1754.

   (A) to
   (B) war
   (C) **against**
   (D) together

   해석 프랑스는 1754년에 영국<u>에 맞서</u> 싸웠다.

   (A) ~로
   (B) 전쟁
   (C) ~에 맞서
   (D) 함께

   풀이 '~에 맞서, ~에 대항하여'라는 뜻을 나타낼 때 전치사 'against'를 사용하므로 (C)가 정답이다.

   관련 문장 He fought against Spain.

3. The phone on the right is <u>more modern</u>.

    (A) older
    (B) smaller
    (C) more black
    (D) more modern

해석 오른쪽에 있는 휴대 전화가 <u>더 최신이다</u>.

    (A) 더 오래된
    (B) 더 작은
    (C) 더 검은
    (D) 더 현대적인

풀이 왼쪽은 2009년 휴대 전화이고 오른쪽은 2019년 스마트폰이다. 따라서 오른쪽이 더 최신이라고 할 수 있으므로 (D)가 정답이다.

관련 문장 On February 24th, 1984, Mexico chose its modern flag.

4. They are <u>soldiers</u>.

    (A) soldiers
    (B) teachers
    (C) firefighters
    (D) pharmacists

해석 그들은 <u>군인</u>이다.

    (A) 군인
    (B) 교사
    (C) 소방관
    (D) 약사

풀이 군인들이 경례하고 있으므로 (A)가 정답이다.

관련 문장 Hidalgo was a famous Mexican soldier.

[5-6]

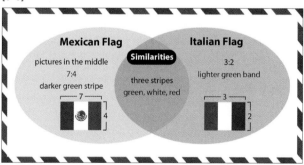

해석

멕시코 깃발	유사점	이탈리아 깃발
가운데에 그림	줄무늬 세 개	3:2
7:4	녹색, 하얀색, 빨간색	더 옅은 녹색 띠
더 진한 녹색 줄무늬		

5. According to the diagram, what is NOT the same for the Mexican and Italian flags?

    (A) three stripes
    (B) a green band
    (C) pictures in the middle
    (D) a red band on the right

해석 도표에 따르면, 멕시코와 이탈리아 깃발에서 같은 점이 아닌 것은 무엇인가?

    (A) 줄무늬 세 개
    (B) 녹색 띠
    (C) 중앙의 그림
    (D) 오른쪽에 빨간색 띠

풀이 멕시코 깃발에만 중앙에 그림이 있다고 나와 있으므로 (C)가 정답이다.

6. What does the diagram say about the Italian flag?

    (A) It has a ratio of 7:4.
    (B) It has a lighter green band.
    (C) It has a darker green band.
    (D) It has pictures in the middle.

해석 이탈리아 깃발에 관해 도표에서 나타내는 내용은 무엇인가?

    (A) 7:4의 비율이다.
    (B) 더 옅은 녹색 띠가 있다.
    (C) 더 진한 녹색 띠가 있다.
    (D) 가운데에 그림이 있다.

풀이 이탈리아 깃발의 녹색 띠가 더 옅은 녹색('lighter green band') 이라고 나와 있으므로 (B)가 정답이다. 나머지 선택지는 이탈리아 깃발이 아니라 멕시코 깃발의 특징에 해당하므로 오답이다.

February 24th is a special day for Mexicans. On February 24th, 1984, Mexico chose its modern flag. The Mexican flag has three wide stripes. The stripes are green, white, and red. The green stripe is on the left. The white one is in the middle. And the red one is on the right. Each color has a meaning. Green is for hope. White is about being together. Red is like the blood of heroes. There are also pictures on the middle stripe. The white stripe has an eagle, a snake, and a cactus. These things show Mexico's special story. In the story, the Aztec people were looking for a place. The place had an eagle, snake, and cactus. Tenoch was an Aztec leader. He found the place and built a city there. The Aztecs called the city Tenochtitlan. Tenochtitlan is now Mexico City, Mexico's capital.

Mexicans had actually used the flag before 1984. Miguel Hidalgo used a similar flag. Hidalgo was a famous Mexican soldier. He fought against Spain. Then President Guadalupe Victoria also used the flag. He took it with him in a war with Spain. The Mexican flag has a long history. However, in 1984, the flag became the national symbol by law. This is why February 24th is Flag Day in Mexico.

해석

2월 24일은 멕시코인들에게 특별한 날이다. 1984년 2월 24일에, 멕시코는 현재의 (멕시코) 깃발을 선택했다. 멕시코 깃발에는 세 개의 넓은 줄무늬가 있다. 줄무늬들은 초록색, 흰색, 그리고 빨간색이다. 초록색 줄무늬는 왼쪽에 있다. 하얀색은 중앙에 있다. 그리고 빨간색은 오른쪽에 있다. 각 색깔은 의미를 지니고 있다. 초록색은 희망을 위한 것이다. 흰색은 함께 있는 것에 관한 것이다. 빨간색은 영웅들의 피와 같은 것이다. 또한 가운데 줄무늬에는 그림들이 있다. 하얀색 줄무늬에는 독수리, 뱀, 그리고 선인장이 있다. 이것들은 멕시코의 특별한 이야기를 나타낸다. 그 이야기에서, 아스텍 사람들은 장소를 찾고 있었다. 그 장소에는 독수리, 뱀, 그리고 선인장이 있었다. Tenoch는 아스텍의 지도자였다. 그는 그 장소를 발견했고 거기에 도시를 건설했다. 아스텍인들은 그 도시를 테노치티틀란이라고 불렀다. 테노치티틀란은 현재 멕시코의 수도인, 멕시코시티이다.

멕시코인들은 사실 1984년 이전에 그 깃발을 사용했었다. Miguel Hidalgo는 비슷한 깃발을 사용했다. Hidalgo는 유명한 멕시코 군인이었다. 그는 스페인에 맞서 싸웠다. 그러고 나서 Guadalupe Victoria 대통령 또한 그 깃발을 사용했다. 그는 스페인과의 전쟁에서 그것을 가지고 갔다. 멕시코 깃발은 오랜 역사를 가지고 있다. 하지만, 1984년이 돼서, 그 깃발이 법으로써 국가의 상징이 되었다. 이것이 2월 24일이 멕시코에서 국기 제정 기념일인 이유이다.

7. What is the best title for the passage?

(A) Animals in Mexico City
(B) Ways to Celebrate Flag Day
(C) The History of the Mexican Flag
(D) How Guadalupe Became the President

해석 지문에 가장 알맞은 제목은 무엇인가?

(A) 멕시코 시티의 동물들
(B) 국기 제정 기념일 기리는 법
(C) 멕시코 깃발의 역사
(D) Guadalupe는 어떻게 대통령이 됐는가

유형 전체 내용 파악

풀이 첫 번째 문단에서 멕시코 깃발의 색깔과 그림의 의미와 유래를 설명하고, 두 번째 문단에서 1984년에 국기로 제정된 멕시코 깃발의 역사에 관해 서술하고 있다. 따라서 (C)가 정답이다.

8. According to the passage, what is NOT true about the Mexican flag?

(A) It has three stripes.
(B) Red is for the heroes.
(C) Green means being together.
(D) It became the national flag in 1984.

해석 지문에 따르면, 멕시코 깃발에 관해 옳지 않은 설명은 무엇인가?

(A) 줄무늬가 세 개 있다.
(B) 빨간색은 영웅들을 위한 것이다.
(C) 초록색은 함께하는 것을 의미한다.
(D) 1984년에 국기가 되었다.

유형 세부 내용 파악

풀이 'Green is for hope.'에서 초록색은 희망과 관련이 있다는 것을 알 수 있으므로 (C)가 정답이다. (A)는 'The Mexican flag has three wide stripes.'에서, (B)는 'Red is like the blood of heroes.'에서, (D)는 'However, in 1984, the flag became the national symbol by law.' 등에서 확인할 수 있으므로 오답이다.

9. What is NOT on the flag?

(A) a snake
(B) a cactus
(C) an eagle
(D) a person

해석 깃발에 나타나 있지 않은 것은 무엇인가?

(A) 뱀
(B) 선인장
(C) 독수리
(D) 사람

유형 세부 내용 파악

풀이 멕시코 깃발 중앙에 'an eagle, a snake, and a cactus'가 있다고 하였고, 이 중 사람은 언급되지 않았으므로 (D)가 정답이다.

10. Who was Miguel Hidalgo?

(A) an Aztec leader

(B) a Mexican soldier

(C) a Spanish general

(D) the first president of Mexico

해석 Miguel Hidalgo는 누구였는가?

(A) 아스텍 지도자

(B) 멕시코 군인

(C) 스페인 장군

(D) 멕시코 초대 대통령

유형 세부 내용 파악

풀이 'Hidalgo was a famous Mexican soldier.'에서 Miguel Hidalgo가 멕시코 군인이라는 것을 알 수 있으므로 (B)가 정답이다.

🎧 **Listening Practice**   ▶ B3-8   p.74

February 24th is a special day for Mexicans. On February 24th, 1984, Mexico chose its modern flag. The Mexican flag has three <u>wide</u> stripes. The stripes are green, white, and red. The green <u>stripe</u> is on the left. The white one is in the middle. And the red one is on the right. Each color has a meaning. Green is for hope. White is about being together. Red is like the blood of heroes. There are also pictures on the middle stripe. The white stripe has an eagle, a snake, and a <u>cactus</u>. These things show Mexico's special story. In the story, the Aztec people were looking for a place. The place had an eagle, snake, and cactus. Tenoch was an Aztec leader. He found the place and built a city there. The Aztecs called the city Tenochtitlan. Tenochtitlan is now Mexico City, Mexico's <u>capital</u>.

Mexicans had actually used the flag before 1984. Miguel Hidalgo used a <u>similar</u> flag. Hidalgo was a famous Mexican <u>soldier</u>. He fought against Spain. Then President Guadalupe Victoria also used the flag. He took it with him in a war with Spain. The Mexican flag has a long history. However, in 1984, the flag became the national symbol by law. This is why February 24th is Flag Day in Mexico.

1. wide

2. stripe

3. cactus

4. capital

5. similar

6. soldier

✏️ **Writing Practice**   p.75

1. wide

2. stripe

3. cactus

4. capital

5. similar

6. soldier

📄 **Summary**

Mexico chose its modern <u>flag</u> on February 24th, 1984. The <u>Mexican</u> flag has wide green, <u>white</u>, and red stripes. It also has an eagle, a <u>snake</u>, and a cactus.

멕시코는 1984년 2월 24일에 현재의 <u>깃발</u>을 채택했다. 멕시코 국기에는 초록색, <u>흰색</u>, 그리고 빨간색의 넓은 줄무늬가 있다. 또한 독수리, <u>뱀</u>, 그리고 선인장이 있다.

🧩 **Word Puzzle**   p.76

Across	Down
4. wide	1. stripe
5. capital	2. similar
6. soldier	3. cactus

Learning the Culture of Planet 182

An alien named Blorg lived on Planet 97. One day, she decided to go on a trip to Planet 182. When she arrived there, she was very surprised. The hotel workers said "hello" to Blorg by waving their feet! Then, Blorg went into a restaurant. Inside, aliens were eating food with their toes. Some were also reading books and using computers with their feet. She asked a local alien, "Why do you use your feet for everything?" He answered, "Feet are an important part of the body. Using the feet helps your brain and makes you smarter." At first, Blorg could not understand. But then, she stayed on Planet 182 for a month. She used her feet to eat, write, and brush her teeth. After a month, she thought, "I feel much smarter!" She began to love using her feet. After a month, Blorg returned to Planet 97. There, she kept using her feet to do some things every day.

행성 182의 문화 배우기

Blorg라 불리는 외계인이 행성 97에 살았다. 어느 날, 그녀는 행성 182로 여행을 가기로 결심했다. 거기에 도착했을 때, 그녀는 몹시 놀랐다. 호텔 직원들이 Blorg에게 "안녕하세요"라고 발을 흔들면서 말했다! 그런 다음, Blorg는 식당으로 갔다. 안에서, 외계인들이 발가락으로 음식을 먹고 있었다. 몇몇은 또한 발로 책을 읽고 컴퓨터를 사용하고 있었다. 그녀는 현지 외계인에게 물었다, "왜 모든 일에 발을 사용하나요?" 그가 대답했다, "발은 몸에서 중요한 부위예요. 발을 사용하는 것은 뇌에 도움이 되고 더 똑똑하게 만들어줘요." 처음에는, Blorg는 이해할 수 없었다. 하지만 그러고 나서, 그녀는 한 달 동안 행성 182에 머물렀다. 그녀는 먹고, 쓰고, 그리고 양치질하는 데에 그녀의 발을 사용했다. 한 달이 지난 후, 그녀는 생각했다, "내가 훨씬 더 똑똑해진 것 같아!" 그녀는 발을 사용하는 것이 좋아지기 시작했다. 한 달이 지난 후, Blorg는 행성 97로 돌아갔다. 거기서, 그녀는 매일 무언가를 할 때 계속해서 발을 사용했다.

Chapter 3. Nature & the Earth

💡 Pre-reading Questions · p.79

Name three animals. Where do they live?
동물의 이름 세 가지를 대보세요. 그들은 어디에 사나요?

Reading Passage · p.80

Eric's Book about Habitats

Last week was reading week at Hyden Elementary School. During reading week, all students visit the library every day. Students choose and read books there. Eric read a book called "Animals and their Habitats." He is interested in learning about animals.

At first, Eric didn't know the meaning of the word "habitat." So he asked his mom, Helen. Helen is a scientist and studies animal habitats. That's why she knows a lot about different animals and where they live. Helen is always reading books about animals. Helen told Eric that a habitat is a place for animals and plants. Animals and plants live in a habitat. So it is like a home!

How do animals choose habitats? They choose by need. The needs are air, water, food, and space. For example, fish live in the sea. That's because they need water. Sharks and sea turtles live in the ocean, too. They live in the same habitat as fish.

Eric liked learning about habitats. He wants to learn more. Do dogs and cats have a habitat? What about birds? Tomorrow, Eric will get more books and learn more.

Eric이 읽는 서식지에 관한 책

지난주는 Hyden 초등학교의 독서 주간이었다. 독서 주간 중에는, 모든 학생이 매일 도서관에 방문한다. 학생들은 거기서 책을 고르고 읽는다. Eric은 "동물과 그들의 서식지"라는 책을 읽었다. 그는 동물에 관해 배우는 데 흥미가 있다.

처음에는, Eric은 "서식지"라는 단어의 의미를 알지 못했다. 그래서 그는 엄마인 Helen에게 물었다. Helen은 과학자이고 동물 서식지를 연구한다. 그것이 그녀가 여러 동물과 그들이 어디서 사는지에 관해 많이 아는 이유이다. Helen은 항상 동물에 관한 책을 읽는다. Helen은 Eric에게 서식지는 동물과 식물을 위한 장소라고 말했다. 동물과 식물은 서식지에 산다. 그래서 그것은 집과 같은 것이다!

동물은 어떻게 서식지를 선택할까? 그들은 필요에 의해 선택한다. 필요에는 공기, 물, 음식, 그리고 공간이 있다. 예를 들어, 물고기는 바다에서 산다. 이는 그들이 물이 필요하기 때문이다. 상어와 바다거북도 바다에서 산다. 그들은 물고기와 같은 서식지에서 산다.

Eric은 서식지에 관해 배우는 것이 좋았다. 그는 더 배우고 싶다. 개와 고양이들에게도 서식지가 있을까? 새들은 어떨까? 내일, Eric은 책을 더 구해서 더 배울 것이다.

어휘 interest ~에 관심을 보이다; 관심, 흥미 | chore 집안일 | water 물 주다 | cook 요리사 | florist 플로리스트, 꽃집 주인 | pianist 피아니스트 | scientist 과학자 | during ~ 동안 | visit 방문하다 | library 도서관 | habitat 서식지 | different 여러, 다양한 | place 장소 | choose 선택하다 | share 함께 쓰다, 공유하다 | need 필요; 필요로 하다 | air 공기 | space 공간 | shark 상어 | turtle 거북이 | desert 사막 | camel 낙타 | lizard 도마뱀 | grassland 초원 | rainforest 열대우림 | parrot 앵무새 | frog 개구리 | arctic 북극; 북극의 | polar bear 북극곰 | seal 물개 | beluga whale 벨루가 (고래) | squirrel 다람쥐 | dislike 싫어하다 | gym 체육관

1. Liuwei <u>is interested</u> in reading books.

    (A) interests
    (B) interesting
    (C) is interested
    (D) is interesting

해석 Liuwei는 책 읽는 것<u>에 흥미가 있다</u>.

    (A) 흥미
    (B) 흥미로운
    (C) 흥미가 있다
    (D) 흥미롭다

풀이 '~에 흥미 있는'이라는 뜻을 나타낼 때 수동형 표현을 사용하여 'be interested in ~'이라 나타내므로 (C)가 정답이다. (D)는 흥미를 느끼게 만든다는 의미가 되어 어색하므로 오답이다.

새겨 두기 '-ed'에는 주로 수동, '-ing'에는 주로 능동의 의미가 있다는 점에 유의하자. 따라서 'interested'는 '(주어로 쓰인) 대상이 흥미를 받는[느끼는]'이라는 수동의 의미로, 'interesting'은 '(주어로 쓰인) 대상 자체가 흥미를 느끼게 만드는, 흥미로운' 이라는 능동의 의미를 가진다.

관련 문장 He is interested in learning about animals.

2. <u>Fish</u> are swimming in the sea.

    (A) Fish
    (B) Seal
    (C) A fish
    (D) A seal

해석 <u>물고기들</u>이 바다에서 헤엄치고 있다.

    (A) 물고기들
    (B) 물개
    (C) 물고기 한 마리
    (D) 물개 한 마리

풀이 빈칸은 주어 자리이고, 동사가 'are'이므로 2인칭 단수/복수나 3 인칭 복수 명사가 들어갈 수 있다. 따라서 (A)가 정답이다. (C)와 (D)는 단수 명사이므로 오답이다.

새겨 두기 'fish'는 단수와 복수의 형태가 똑같다는 점에 주목한다.

관련 문장 For example, fish live in the sea.

3. Ben tries to <u>help an animal</u>.

    (A) do chores
    (B) study hard
    (C) water trees
    (D) help an animal

해석 Ben은 <u>동물을 도우려고</u> 노력한다.

    (A) 집안일 하기
    (B) 공부 열심히 하기
    (C) 나무에 물 주기
    (D) 동물 돕기

풀이 높은 나무에 매달려 있는 고양이를 도와주려 하고 있으므로 (D)가 정답이다.

4. My grandmother is a <u>scientist</u>.

    (A) cook
    (B) florist
    (C) pianist
    (D) scientist

해석 우리 할머니는 <u>과학자</u>이다.

    (A) 요리사
    (B) 플로리스트
    (C) 피아니스트
    (D) 과학자

풀이 가운을 입고 플라스크와 현미경 등을 가지고 실험하는 과학자의 모습이므로 (D)가 정답이다.

관련 문장 Helen is a scientist and studies animal habitats.

[5-6]

해석

사막	초원	해양
낙타, 도마뱀	꽃, 토끼	상어, 물고기
열대우림	북극	숲
개구리, 앵무새	북극곰, 벨루가, 물개	곰, 다람쥐, 사슴

5. Delar will draw a rainforest poster. What kind of animal should he draw?

    (A) a frog
    (B) a seal
    (C) a camel
    (D) a polar bear

해석 Delar는 열대우림 포스터를 그릴 것이다. 그는 어떤 종류의 동물을 그려야 하는가?

    (A) 개구리
    (B) 물개
    (C) 낙타
    (D) 북극곰

풀이 열대우림('Rainforest')에 개구리가 있으므로 (A)가 정답이다.

6. According to the poster, which animals share the same habitat?

(A) sharks and bears
(B) camels and seals
(C) deer and squirrels
(D) frogs and beluga whales

해석 포스터에 따르면, 어떤 동물들이 같은 서식지를 공유하는가?

(A) 상어와 곰
(B) 낙타와 물개
(C) 사슴과 다람쥐
(D) 개구리와 벨루가

풀이 사슴과 다람쥐가 숲('Forest')에 같이 서식하므로 (C)가 정답이다.

Last week was reading week at Hyden Elementary School. During reading week, all students visit the library every day. Students choose and read books there. Eric read a book called "Animals and their Habitats." He is interested in learning about animals.

At first, Eric didn't know the meaning of the word "habitat." So he asked his mom, Helen. Helen is a scientist and studies animal habitats. That's why she knows a lot about different animals and where they live. Helen is always reading books about animals. Helen told Eric that a habitat is a place for animals and plants. Animals and plants live in a habitat. So it is like a home!

How do animals choose habitats? They choose by need. The needs are air, water, food, and space. For example, fish live in the sea. That's because they need water. Sharks and sea turtles live in the ocean, too. They live in the same habitat as fish.

Eric liked learning about habitats. He wants to learn more. Do dogs and cats have a habitat? What about birds? Tomorrow, Eric will get more books and learn more.

해석

지난주는 Hyden 초등학교의 독서 주간이었다. 독서 주간 중에는, 모든 학생이 매일 도서관에 방문한다. 학생들은 거기서 책을 고르고 읽는다. Eric은 "동물과 그들의 서식지"라는 책을 읽었다. 그는 동물에 관해 배우는 데 흥미가 있다.

처음에는, Eric은 "서식지"라는 단어의 의미를 알지 못했다. 그래서 그는 엄마인 Helen에게 물었다. Helen은 과학자이고 동물 서식지를 연구한다. 그것이 그녀가 여러 동물과 그들이 어디서 사는지에 관해 많이 아는 이유이다. Helen은 항상 동물에 관한 책을 읽는다. Helen은 Eric에게 서식지는 동물과 식물을 위한 장소라고 말했다. 동물과 식물은 서식지에 산다. 그래서 그것은 집과 같은 것이다!

동물은 어떻게 서식지를 선택할까? 그들은 필요에 의해 선택한다. 필요에는 공기, 물, 음식, 그리고 공간이 있다. 예를 들어, 물고기는 바다에서 산다. 이는 그들이 물이 필요하기 때문이다. 상어와 바다거북도 바다에서 산다. 그들은 물고기와 같은 서식지에서 산다.

Eric은 서식지에 관해 배우는 것이 좋았다. 그는 더 배우고 싶다. 개와 고양이들에게도 서식지가 있을까? 새들은 어떨까? 내일, Eric은 책을 더 구해서 더 배울 것이다.

7. What is the best title for the passage?

(A) Eric's Pet Fish
(B) Eric Teaches Helen
(C) Eric Dislikes Reading
(D) Eric Learns about Habitat

해석 지문에 가장 알맞은 제목은 무엇인가?

(A) Eric의 애완 물고기
(B) Eric이 Helen을 가르치다
(C) Eric이 읽기를 싫어하다
(D) Eric이 서식지에 관해 배우다

유형 전체 내용 파악

풀이 Eric이 서식지에 관한 책을 읽고, 과학자인 엄마로부터 서식지에 관한 설명을 들은 내용이 주를 이루는 글이다. 전체적으로 Eric의 엄마가 Eric에게 알려준 서식지의 정의와 예시 등을 서술하고 있으므로 (D)가 정답이다.

8. Where do the students read books during reading week?

(A) at home
(B) in the gym
(C) in the library
(D) in the classroom

해석 독서 주간 동안 학생들은 어디서 책을 읽는가?

(A) 집에서
(B) 체육관에서
(C) 도서관에서
(D) 교실에서

유형 세부 내용 파악

풀이 'During reading week, all students visit the library every day. Students choose and read books there.'에서 학생들이 독서 주간에 도서관에서 책을 읽는다는 것을 알 수 있으므로 (C)가 정답이다.

9. What is a habitat?

(A) a reading week
(B) a place for books
(C) a food for animals
(D) a home for animals

해석 서식지란 무엇인가?

(A) 독서 주간
(B) 책을 위한 장소
(C) 동물들을 위한 음식
(D) 동물들의 집

유형 세부 내용 파악

풀이 'Helen told Eric that a habitat is a place for animals and plants. Animals and plants live in a habitat. So it is like a home!'에서 'habitat'(서식지)은 동물과 식물들이 사는 집과 같은 곳이라고 하였으므로 (D)가 정답이다.

10. According to the story, which animals share a habitat?

(A) Eric, sharks, cats
(B) dogs, fish, sea turtles
(C) Helen, fish, sea turtles
(D) sharks, fish, sea turtles

해석 이야기에 따르면, 어떤 동물들이 서식지를 공유하는가?

(A) Eric, 상어, 고양이
(B) 개, 물고기, 바다거북
(C) Helen, 물고기, 바다거북
(D) 상어, 물고기, 바다거북

유형 세부 내용 파악

풀이 'Sharks and sea turtles live in the ocean, too. They live in the same habitat as fish.'에서 상어, 바다거북, 물고기의 서식지가 모두 바다라는 것을 알 수 있으므로 (D)가 정답이다.

🎧 **Listening Practice**   ▶ B3-9   p.84

Last week was reading week at Hyden Elementary School. During reading week, all students visit the library every day. Students choose and read books there. Eric read a book called "Animals and their Habitats." He is <u>interested in</u> learning about animals.

At first, Eric didn't know the meaning of the word "<u>habitat</u>." So he asked his mom, Helen. Helen is a <u>scientist</u> and studies animal habitats. That's why she knows a lot about different animals and where they live. Helen is always reading books about animals. Helen told Eric that a habitat is a place for animals and plants. Animals and plants live in a habitat. So it is like a home!

How do animals choose habitats? They choose by <u>need</u>. The needs are air, water, food, and <u>space</u>. For example, fish live in the sea. That's because they need water. <u>Sharks</u> and sea turtles live in the ocean, too. They live in the same habitat as fish.

Eric liked learning about habitats. He wants to learn more. Do dogs and cats have a habitat? What about birds? Tomorrow, Eric will get more books and learn more.

1. interested in
2. habitat
3. scientist
4. need
5. space
6. Sharks

✏️ Writing Practice p.85

1. habitat
2. be interested in
3. scientist
4. need
5. space
6. shark

📄 Summary

Eric learned about habitats. A <u>habitat</u> is where animals and <u>plants</u> live. Animals choose their habitat by the things they need, such as <u>air</u>, water, <u>food</u> and space.

Eric은 서식지에 관해 배웠다. <u>서식지</u>는 동물과 <u>식물</u>이 사는 곳이다. 동물은 <u>공기</u>, 물, <u>음식</u>, 그리고 공간과 같이 그들이 필요로 하는 것들에 의해 그들의 서식지를 선택한다.

🧩 Word Puzzle p.86

Across	Down
3. scientist	1. be interested in
4. shark	2. habitat
5. need	4. space

Unit 10 | Global Warming: The Sahara p.87

Part A. Sentence Completion p.89

1 (D) 2 (C)

Part B. Situational Writing p.89

3 (A) 4 (B)

Part C. Practical Reading and Retelling p.90

5 (B) 6 (B)

Part D. General Reading and Retelling p.91

7 (D) 8 (C) 9 (C) 10 (B)

Listening Practice p.92

1 global	2 melting
3 desert	4 bigger
5 humans	6 lakes

Writing Practice p.93

1 global warming	2 melt
3 human	4 desert
5 get bigger	6 lake

Summary bigger, two, warming, water

Word Puzzle p.94

Across

3 get bigger	4 lake
5 human	

Down

1 melt	2 desert
3 global warming	

💡 Pre-reading Questions p.87

What is global warming?

Name a problem from global warming.

지구온난화가 무엇인가요?

지구온난화 문제 하나를 말해보세요.

Basic Book 3

Global Warming: The Sahara

The earth is becoming hot very fast. This is called global warming. Ice is melting, the ocean is getting bigger, and animals are dying. Who is making the earth hot and sick? Scientists say it is us. Humans cause global warming. Here is one big problem with global warming in Africa. The Sahara Desert in Africa is the world's biggest hot desert. Some scientists found that it is getting bigger every year. This means there is less water in Africa. Why is the Sahara Desert becoming bigger? There are two big reasons. First, the weather is changing, and it doesn't rain as much anymore. The weather is changing because of global warming. So humans are causing weather changes. Second, people are using lakes by the desert for their plants. They use too much water from the lakes. So the lakes are getting smaller. Lake Chad is one of these lakes. Sadly, other deserts are getting bigger, too. In the future, people will not have enough water. To stop this problem, the weather should stop changing. To stop the changing weather, global warming must stop.

지구온난화: 사하라(Sahara)

지구는 매우 빠르게 더워지고 있다. 이는 지구온난화라고 불린다. 얼음이 녹고 있고, 바다가 더 커지고 있으며, 동물들이 죽어가고 있다. 누가 지구를 덥고 아프게 하는가? 과학자들은 그것은 우리라고 말한다. 인간들이 지구온난화를 일으킨다. 지구온난화 관련해서 아프리카의 한 가지 큰 문제는 다음과 같다. 아프리카의 사하라 사막은 전 세계에서 가장 큰 더운 사막이다. 몇몇 과학자들은 그것이 매년 더 커지고 있다는 것을 발견했다. 이는 아프리카에 물이 더 적어짐을 의미한다. 왜 사하라 사막은 더 커지고 있을까? 두 가지 큰 이유가 있다. 첫째, 날씨가 변하고 있다, 그리고 더 이상 비가 그만큼 많이 내리지 않는다. 날씨는 지구온난화 때문에 변하고 있다. 그래서 인간들이 날씨 변화를 일으키고 있다는 것이다. 둘째, 사람들이 본인들의 식물을 위해 사막 근처의 호수를 이용하고 있다. 호수에서 물을 너무 많이 사용한다. 그래서 호수들이 작아지고 있다. Chad 호수는 이런 호수 중 하나이다. 슬프게도, 다른 사막들도 더 커지고 있다. 미래에는, 사람들에게 충분한 물이 없을 것이다. 이 문제를 멈추기 위해서는, 날씨는 그만 변해야 한다. 변하는 날씨를 막기 위해서는, 지구온난화가 멈춰야만 한다.

어휘 global warming 지구온난화 | strong 튼튼한, 힘센 | enough 충분한 | cheap 싼 | dry 마르다 | melt 녹다 | wave 흔들다 | jog 조깅하다 | become ~이 되다 | scientist 과학자 | cause 일으키다 | desert 사막 | mean 의미하다 | less 더 적은 | reason 이유 | anymore 더는, 이제는, 지금은 | change 변화; 변하다 | lake 호수 | one of ~ 중의 하나 | future 미래 | must ~해야만 한다 | happen 일어나다 | tropical forest 열대림 | bare (산, 땅 등이) 헐벗은 | visitor 방문객 | river 강 | close (시간·공간적으로) 가까운

1. She is exercising, so she is <u>getting</u> stronger every day.
   - (A) get
   - (B) got
   - (C) gets
   - **(D) getting**

해석 그녀는 운동하고 있다, 그래서 그녀는 매일 튼튼<u>해진다</u>.
   - (A) ~가 되다
   - (B) ~가 됐다
   - (C) ~가 되다
   - (D) ~가 되는

풀이 빈칸 앞에 be 동사 'is'가 있으므로 '-ed'나 '-ing'과 같은 동사의 활용형이 들어가야 한다. 의미상 능동형 '-ing'이 더 적절하므로 (D)가 정답이다.

관련 문장 Some scientists found that it is getting bigger every year.

2. I'm hungry because I didn't have <u>enough food</u> for lunch.
   - (A) too food
   - (B) food must
   - **(C) enough food**
   - (D) food enough

해석 나는 점심으로 <u>충분한 음식</u>을 먹지 않아서 배고프다.
   - (A) 부사 too + 명사 food
   - (B) 명사 food + 조동사 must
   - **(C) 충분한 음식**
   - (D) 음식 충분한

풀이 빈칸에는 동사 'have'의 목적어 역할을 할 수 있는 명사(구)가 필요하다. 따라서 '형용사(enough) + 명사(food)' 구조의 명사구인 (C)가 정답이다. (A)는 부사 'too'가 명사 'food'를 바로 수식하는 것은 어색하므로 오답이다. (D)는 'enough'가 명사 앞에 와야 하므로 오답이다.

새겨 두기 'enough (충분한 / 충분히)'는 수식하는 품사에 따라 구조와 위치가 달라진다. 'enough + 명사', '형용사 / 부사 + enough'로 그 차이점에 유의하자.

관련 문장 In the future, people will not have enough water.

3. The green fish is <u>bigger</u> than the yellow fish.
   - **(A) bigger**
   - (B) smaller
   - (C) shorter
   - (D) cheaper

해석 녹색 물고기는 노란색 물고기<u>보다 크다</u>.
   - (A) 더 큰
   - (B) 더 작은
   - (C) 더 짧은
   - (D) 더 싼

풀이 녹색 물고기가 노란색 물고기보다 크기가 더 크므로 (A)가 정답이다.

관련 문장 [...] the ocean is getting bigger, and [...]

4. The snowman is <u>melting</u>.

   (A) drying

   (B) melting

   (C) waving

   (D) jogging

해석 눈사람이 <u>녹고</u> 있다.

   (A) 마르는

   (B) 녹는

   (C) 흔드는

   (D) 조깅하는

풀이 눈사람이 녹고 있으므로 (B)가 정답이다.

관련 문장 Ice is melting, the ocean [...]

[5-6]

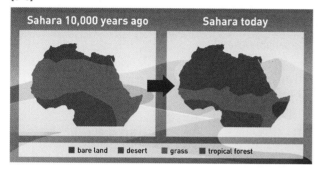

해석

10,000년 전의 사하라	오늘날의 사하라
헐벗은 땅 사막 초원 열대림	

5. According to the picture, what happened to the tropical forest?

   (A) It became bigger.

   (B) It became smaller.

   (C) It stayed the same.

   (D) It became bigger than the desert.

해석 그림에 따르면, 열대림에는 무슨 일이 일어났는가?

   (A) 더 커졌다.

   (B) 더 작아졌다.

   (C) 그대로였다.

   (D) 사막보다 더 커졌다.

풀이 초록색으로 표시된 열대림은 크기가 작아졌으므로 (B)가 정답이다.

6. According to the picture, which land grew the most?

   (A) grass

   (B) desert

   (C) bare land

   (D) tropical forest

해석 그림에 따르면, 어느 땅이 가장 많이 커졌는가?

   (A) 초원

   (B) 사막

   (C) 헐벗은 땅

   (D) 열대림

풀이 사막이 그림에서 절반을 차지할 정도로 가장 많이 커졌으므로 (B)가 정답이다. (A)와 (D)는 오히려 작아졌으므로 오답이다.

The earth is becoming hot very fast. This is called global warming. Ice is melting, the ocean is getting bigger, and animals are dying. Who is making the earth hot and sick? Scientists say it is us. Humans cause global warming. Here is one big problem with global warming in Africa. The Sahara Desert in Africa is the world's biggest hot desert. Some scientists found that it is getting bigger every year. This means there is less water in Africa. Why is the Sahara Desert becoming bigger? There are two big reasons. First, the weather is changing, and it doesn't rain as much anymore. The weather is changing because of global warming. So humans are causing weather changes. Second, people are using lakes by the desert for their plants. They use too much water from the <u>lakes</u>. So the lakes are getting smaller. Lake Chad is one of these lakes. Sadly, other deserts are getting bigger, too. In the future, people will not have enough water. To stop this problem, the weather should stop changing. To stop the changing weather, global warming must stop.

해석

지구는 매우 빠르게 더워지고 있다. 이는 지구온난화라고 불린다. 얼음이 녹고 있고, 바다가 더 커지고 있으며, 동물들이 죽어가고 있다. 누가 지구를 덥고 아프게 하는가? 과학자들은 그것은 우리라고 말한다. 인간들이 지구온난화를 일으킨다. 지구온난화 관련해서 아프리카의 한 가지 큰 문제는 다음과 같다. 아프리카의 사하라 사막은 전 세계에서 가장 큰 더운 사막이다. 몇몇 과학자들은 그것이 매년 더 커지고 있다는 것을 발견했다. 이는 아프리카에 물이 더 적어짐을 의미한다. 왜 사하라 사막은 더 커지고 있을까? 두 가지 큰 이유가 있다. 첫째, 날씨가 변하고 있다, 그리고 더 이상 비가 그만큼 많이 내리지 않는다. 날씨는 지구온난화 때문에 변하고 있다. 그래서 인간들이 날씨 변화를 일으키고 있다는 것이다. 둘째, 사람들이 본인들의 식물을 위해 사막 근처의 호수를 이용하고 있다. 호수에서 물을 너무 많이 사용한다. 그래서 호수들이 작아지고 있다. Chad 호수는 이런 호수 중 하나이다. 슬프게도, 다른 사막들도 더 커지고 있다. 미래에는, 사람들에게 충분한 물이 없을 것이다. 이 문제를 멈추기 위해서는, 날씨는 그만 변해야 한다. 변하는 날씨를 막기 위해서는, 지구온난화가 멈춰야만 한다.

7. What is the best title for the passage?

(A) A Trip to the Sahara Desert
(B) Scientists Study Nature in Africa
(C) People Love Swimming in Lake Chad
(D) Global Warming is a Big Problem in Africa

해석 지문에 가장 알맞은 제목은 무엇인가?

(A) 사하라 사막으로의 여행
(B) 과학자들이 아프리카에서 자연을 연구하다
(C) 사람들이 Chad 호수에서 수영하기를 매우 좋아한다
(D) 지구온난화는 아프리카에서 커다란 문제이다

유형 전체 내용 파악

풀이 지구온난화라는 중심 소재를 언급한 뒤 아프리카에 있는 사하라 사막의 지구온난화 현상과 문제점, 그리고 그 이유를 두 가지로 들어 설명하였다. 따라서 (D)가 정답이다.

8. According to the passage, what is the problem of the Sahara Desert?

(A) It has no animals.
(B) It rains too much.
(C) It is getting bigger.
(D) It has too many visitors.

해석 지문에 따르면, 사하라 사막의 문제점은 무엇인가?

(A) 동물이 없다.
(B) 비가 너무 많이 내린다.
(C) 커지고 있다.
(D) 방문객이 너무 많다.

유형 세부 내용 파악

풀이 'Here is one big problem with global warming in Africa. [...]Some scientists found that it is getting bigger every year. This means there is less water in Africa.'에서 사하라 사막이 매년 더 커지고 있어 물이 적어진다는 문제점을 언급하고 있으므로 (C)가 정답이다.

9. What is NOT true about the Sahara Desert?

(A) It is in Africa.
(B) It has lakes close to it.
(C) It causes global warming.
(D) It is the biggest hot desert.

해석 사하라 사막에 관해 옳지 않은 설명은 무엇인가?

(A) 아프리카에 있다.
(B) 가까이에 호수가 있다.
(C) 지구온난화를 일으킨다.
(D) 가장 큰 더운 사막이다.

유형 세부 내용 파악

풀이 'Humans cause global warming.' 등에서 지구온난화를 일으키는 주범은 사람이라고 강조하고 있고, 사하라 사막은 지구온난화로 인해 피해를 겪고 있는 지역이므로 (C)가 정답이다. (A)와 (D)는 'The Sahara Desert in Africa is the world's biggest hot desert.'에서, (B)는 'Second, people are using lakes by the desert for their plants.'에서 확인할 수 있으므로 오답이다.

10. Which word goes best in the blank?

    (A) rivers
    (B) lakes
    (C) plants
    (D) people

해석 빈칸에 들어갈 가장 알맞은 단어는 무엇인가?

    (A) 강
    (B) 호수
    (C) 식물
    (D) 사람들

유형 추론하기

풀이 빈칸이 들어간 문장과 뒤 문장이 접속사 'so (그래서)'로 연결되어 인과관계를 나타내고 있다. 따라서 빈칸이 들어간 문장은 원인을, 뒤 문장은 결과를 언급하는 것이 적절하다. 사람들이 호수에서 너무 많은 물을 쓰는 것(앞 문장)이 원인이 되어 호수가 작아지는 결과(뒷 문장)를 초래할 수 있으므로 (B)가 정답이다.

🎧 **Listening Practice**   ▶ B3-10 p.92

The earth is becoming hot very fast. This is called <u>global</u> warming. Ice is <u>melting</u>, the ocean is getting bigger, and animals are dying. Who is making the earth hot and sick? Scientists say it is us. Humans cause global warming. Here is one big problem with global warming in Africa. The Sahara Desert in Africa is the world's biggest hot <u>desert</u>. Some scientists found that it is getting <u>bigger</u> every year. This means there is less water in Africa. Why is the Sahara Desert becoming bigger? There are two big reasons. First, the weather is changing, and it doesn't rain as much anymore. The weather is changing because of global warming. So <u>humans</u> are causing weather changes. Second, people are using lakes by the desert for their plants. They use too much water from the lakes. So the lakes are getting smaller. Lake Chad is one of these <u>lakes</u>. Sadly, other deserts are getting bigger, too. In the future, people will not have enough water. To stop this problem, the weather should stop changing. To stop the changing weather, global warming must stop.

1. global
2. melting
3. desert
4. bigger
5. humans
6. lakes

✏️ **Writing Practice**   p.93

1. global warming
2. melt
3. human
4. desert
5. get bigger
6. lake

📄 **Summary**

The Sahara Desert is getting even <u>bigger</u> every year. There are <u>two</u> main reasons. First, global <u>warming</u> means less rain. Second, people are using too much <u>water</u> from nearby lakes.

사하라 사막은 매년 훨씬 <u>더 커지고</u> 있다. <u>두 가지</u> 중요한 이유가 있다. 첫째, 지구<u>온난화</u>는 더 적은 강수를 뜻한다. 둘째, 사람들이 주변의 호수로부터 <u>물</u>을 너무 많이 사용한다.

▦ **Word Puzzle**   p.94

Across	Down
3. get bigger	**1.** melt
4. lake	**2.** desert
5. human	**3.** global warming

💡 Pre-reading Questions   p.95

Describe things you do to save the earth.

지구를 구하려고 당신이 하는 일을 설명해보세요.

 Reading Passage   p.96

Three Ways to Save the Earth

How do you feel when you hear the word "earth"? The earth is like our parent, because it gives everything to us. It gives us food, a home, and clothes. So we must save our parent by following these tips. We can save the trees, water, land, and even ourselves. First, we must save water. We cannot live without water. At home, we can turn off the water when we are not using it. We should turn it off when we brush our teeth. And we should wash our clothes in cold water. Second, we must save trees. Trees give us clean air. Let's not use paper cups. We should use glasses and wash them. Then, we can use them again! We should also not use too much paper. We should print on both sides of a piece of paper. Finally, we should save energy. We must turn off the lights when we leave a room. We should turn off our computers when we are not using them. Doing those things can help save money, too. Everyone should try to save the earth. Why? Because it is everyone's parent. Let's keep the earth safe.

지구를 구하는 세 가지 방법

"지구"라는 단어를 들었을 때 기분이 어떠한가? 지구는 우리의 부모와도 같다, 왜냐하면 그것은 우리에게 모든 것을 주기 때문이다. 그것은 우리에게 음식, 집, 그리고 옷을 준다. 그래서 우리는 다음 이 조언들을 따라 우리의 부모들을 구해야만 한다. 우리는 나무, 물, 땅, 그리고 심지어 우리 자신도 구할 수 있다. 첫째, 우리는 물을 절약해야 한다. 우리는 물 없이 살 수 없다. 집에서, 우리는 사용하지 않을 때 물을 잠글 수 있다. 우리는 양치를 할 때 그것을 잠가야 한다. 그리고 찬물에서 옷을 빨아야 한다. 둘째, 우리는 나무를 절약해야 한다. 나무는 우리에게 맑은 공기를 준다. 종이컵을 사용하지 말자. 우리는 유리잔을 사용하고 그것들을 씻어야 한다. 그러면, 우리는 그것들을 다시 사용할 수 있다! 우리는 또한 너무 많은 종이를 사용해서도 안 된다. 우리는 종이 한 장의 양쪽 면 모두에 인쇄해야 한다. 마지막으로, 우리는 에너지를 절약해야 한다. 우리는 방을 나설 때 불을 꺼야 한다. 우리는 사용하지 않을 때 컴퓨터들을 꺼야 한다. 그런 일들을 하는 것은 돈을 절약하는 데에도 도움이 될 수 있다. 모두가 지구를 구하려고 노력해야 한다. 왜일까? 왜냐하면 그것은 모두의 부모이기 때문이다. 지구를 안전하게 지키자.

어휘   describe 말하다[서술하다], 묘사하다 | save 구하다; 저축하다 | parent 부모님, 어버이 (아버지 또는 어머니); 근원[모체] | spoon 숟가락 | need 필요로 하다 | sunlight 햇빛 | lake 호수 | recycle 재활용하다 | paper cup 종이컵 | put down 내려놓다 | lift 들어 올리다 | turn off 끄다 | like ~와 같은; 좋아하다 | take care of ~을 돌보다, 뒷바라지 하다 | follow 따르다 | tip 조언 | even 심지어 | without ~ 없이 | should ~해야 한다 | glass 유리(잔) | air 공기 | then 그러면 | both sides 양면 | leave 떠나다 | keep 유지하다 | safe 안전한 | life 삶 | garbage 쓰레기 | plastic 플라스틱 | take care of ~을 돌보다 | take away ~을 빼앗다, 제거하다 | dirty 더러운 | hurt 다치게 하다 | meanly 빈약하게, 불충분하게; 심술궂게 | treat (특정한 태도로) 대하다

Comprehension Questions p.97

1. I cannot eat soup <u>without</u> a spoon.

(A) out
(B) with it
(C) without
(D) with you

해석 나는 숟가락 <u>없이는</u> 수프를 먹지 못한다.

(A) ~ 밖으로
(B) 그것을 가지고
(C) ~ 없이
(D) 당신과 함께

풀이 전치사 'without'을 사용하여 '~ 없이, ~을 사용하지 않고'라는 뜻을 나타내므로 (C)가 정답이다. (A)는 'out'이 홀로 전치사로 쓰이는 경우는 한정적이고 해당 문장에서 의미상으로도 어색하므로 오답이다. (B)와 (D)는 전치사 'with' 뒤에 대명사가 이미 있어 'a spoon'과 함께 쓰일 수 없고, 문맥상으로도 어색하므로 오답이다

관련 문장 We cannot live without water.

2. Does this plant need <u>much</u> sunlight?

(A) few
(B) two
(C) four
(D) much

해석 이 식물은 <u>많은</u> 햇빛을 필요로 하니?

(A) 소수의
(B) 둘
(C) 넷
(D) 많은

풀이 빈칸에는 셀 수 없는 명사 'sunlight'를 꾸밀 수 있는 수식어가 들어가야 하므로 (D)가 정답이다. (A)는 셀 수 있는 명사를 수식하므로 오답이다. (B)와 (C)는 복수 명사를 수식하므로 오답이다.

관련 문장 We should also not use too much paper.

3. The girl is <u>drinking a glass of water</u>.

(A) swimming in a lake
(B) recycling a paper cup
(C) drinking a glass of water
(D) putting down a glass cup

해석 소녀는 <u>물 한 잔을 마시고 있다</u>.

(A) 호수에서 수영하는
(B) 종이컵을 재활용하는
(C) 물 한 잔을 마시는
(D) 유리잔을 내려놓는

풀이 유리잔에 든 물을 마시고 있는 모습이므로 (C)가 정답이다.

관련 문장 We should use glasses and wash them.

4. Every night, Khalid <u>turns off</u> the light.

(A) puts in
(B) lifts up
(C) turns off
(D) puts down

해석 매일 밤, Khalid는 불을 <u>끈다</u>.

(A) 집어넣다
(B) 들어올리다
(C) 끄다
(D) 내려놓다

풀이 소년이 불을 꺼서 방이 캄캄해졌으므로 (C)가 정답이다.

관련 문장 We must turn off the lights when we leave a room.

[5-6]

Dear Earth,

I'm very sorry. You are like my mother or father.
You gave life to me, but I was not nice to you.
I threw garbage on the ground.
I picked flowers because they are beautiful.
I used plastic cups, dishes, and forks.
Now I will be nice to you. I will take care of you.
Thank you for giving me everything!

Fadi Bloch

해석

지구에게,

정말 미안해. 너는 나의 어머니나 아버지 같은 존재야. 너는 나에게 삶을 줬지, 하지만 난 너에게 잘해주지 못했어. 나는 땅에 쓰레기를 버렸어. 나는 예쁘다는 이유로 꽃을 땄어. 나는 플라스틱 컵, 접시, 그리고 포크를 사용했어. 이제 나는 너에게 잘해줄 거야. 내가 너를 돌봐줄게. 나에게 모든 것을 줘서 고마워!

Fadi Bloch가

5. According to the letter, what did Fadi NOT do?

(A) pick flowers
(B) use plastic dishes
(C) take care of the Earth
(D) throw garbage on the ground

해석 편지에 따르면, Fadi가 하지 않은 일은 무엇인가?

(A) 꽃 따기
(B) 플라스틱 접시 사용하기
(C) 지구 돌보기
(D) 땅에 쓰레기 버리기

풀이 'I will take care of you.'에서 지구를 돌보는 것은 Fadi가 과거에 한 일이 아니라 앞으로 할 일이라는 것을 알 수 있으므로 (C)가 정답이다. (A)는 네 번째 줄 'I picked flowers because they are beautiful.'에서, (B)는 다섯 번째 줄 'I used plastic cups, dishes, and forks.'에서, (D)는 세 번째 줄 'I threw garbage on the ground.'에서 확인할 수 있는 내용으로 오답이다.

Basic Book 3

6. According to the letter, what did Earth do for Fadi?

(A) give life to Fadi
(B) treat Fadi meanly
(C) make plastic cups
(D) take away everything

해석 편지에 따르면, Fadi를 위해 지구가 한 일은 무엇인가?

(A) Fadi에게 삶을 주기
(B) Fadi를 심술궂게 대하기
(C) 플라스틱 컵 만들기
(D) 모든 것을 빼앗아 가기

풀이 'You are like my mother or father. You gave life to me.'에서 Fadi가 지구가 자신에게 삶을 줬다고 말하고 있으므로 (A)가 정답이다.

[7-10]

How do you feel when you hear the word "earth"? The earth is like our parent, because it gives everything to us. It gives us food, a home, and clothes. So we must save our parent by following these tips. We can save the trees, water, land, and even ourselves. First, we must save water. We cannot live without water. At home, we can turn off the water when we are not using it. We should turn it off when we brush our teeth. And we should wash our clothes in cold water. Second, we must save trees. Trees give us clean air. Let's not use paper cups. We should use glasses and wash them. Then, we can use them again! We should also not use too much paper. We should print on both sides of a piece of paper. Finally, we should save energy. We must turn off the lights when we leave a room. We should turn off our computers when we are not using them. Doing those things can help save money, too. Everyone should try to save the earth. Why? Because it is everyone's parent. Let's keep the earth safe.

해석

"지구"라는 단어를 들었을 때 기분이 어떠한가? 지구는 우리의 부모와도 같다, 왜냐하면 그것은 우리에게 모든 것을 주기 때문이다. 그것은 우리에게 음식, 집, 그리고 옷을 준다. 그래서 우리는 다음 이 조언들을 따라 우리의 부모들을 구해야만 한다. 우리는 나무, 물, 땅, 그리고 심지어 우리 자신도 구할 수 있다. 첫째, 우리는 물을 절약해야 한다. 우리는 물 없이 살 수 없다. 집에서, 우리는 사용하지 않을 때 물을 잠글 수 있다. 우리는 양치를 할 때 그것을 잠가야 한다. 그리고 찬물에서 옷을 빨아야 한다. 둘째, 우리는 나무를 절약해야 한다. 나무는 우리에게 맑은 공기를 준다. 종이컵을 사용하지 말자. 우리는 유리잔을 사용하고 그것들을 씻어야 한다. 그러면, 우리는 그것들을 다시 사용할 수 있다! 우리는 또한 너무 많은 종이를 사용해서도 안 된다. 우리는 종이 한 장의 양쪽 면 모두에 인쇄해야 한다. 마지막으로, 우리는 에너지를 절약해야 한다. 우리는 방을 나설 때 불을 꺼야 한다. 우리는 사용하지 않을 때 컴퓨터들을 꺼야 한다. 그런 일들을 하는 것은 돈을 절약하는 데에도 도움이 될 수 있다. 모두가 지구를 구하려고 노력해야 한다. 왜일까? 왜냐하면 그것은 모두의 부모이기 때문이다. 지구를 안전하게 지키자.

7. What is the main idea of the passage?

(A) We should help save our planet.
(B) More trees will bring cleaner air.
(C) Parents should save their children.
(D) Drinking too much water is not healthy.

해석 지문의 요지는 무엇인가?

(A) 우리는 지구 구하는 것을 도와야 한다.
(B) 더 많은 나무는 더 깨끗한 공기를 가져온다.
(C) 부모는 자식을 구해야 한다.
(D) 너무 많은 물을 마시는 것은 건강에 좋지 않다.

유형 전체 내용 파악

풀이 초반부의 'So we must save our parent by following these tips.', 후반부의 'Everyone should try to save the earth. Why? [...] Let's keep the earth safe.'에서 지구를 보호하고 지켜야한다는 본문의 주장이 확실히 드러나고 있다. 또한 주장을 뒷받침하기 위해 중반부에서 지구를 지킬 수 있는 세 가지 방법을 구체적으로 나열하고 있으므로 (A)가 정답이다. (B)는 글의 전체 내용이 아니라 일부만을 반영하는 문장이므로 오답이다.

8. According to the passage, what will probably happen when trees are gone?

(A) The air will become dirty.
(B) There will be more water.
(C) There will be no glass cups.
(D) The earth will be a safe place.

해석 지문에 따르면, 나무가 없어지면 무슨 일이 일어나겠는가?

(A) 공기가 더러워질 것이다.
(B) 물이 더 많아질 것이다.
(C) 유리잔이 없어질 것이다.
(D) 지구가 안전한 곳이 될 것이다.

유형 세부 내용 파악 & 추론하기

풀이 'Trees give us clean air.'에서 나무가 공기를 맑게 한다고 언급하고 있다. 따라서 나무가 없어지면 반대로 공기가 탁해지고 더러워진다는 것을 유추할 수 있으므로 (A)가 정답이다.

9. Which of the following is NOT mentioned in the passage?

(A) saving water
(B) saving trees
(C) saving energy
(D) saving clothes

해석 다음 중 지문에서 언급되지 않은 것은 무엇인가?

(A) 물 절약하기
(B) 나무 절약하기
(C) 에너지 절약하기
(D) 옷 절약하기

유형 세부 내용 파악

풀이 본문은 지구를 지키는 방법을 여러 가지 나열한 글이다. 그런데 옷 절약은 본문에서 언급되지 않았으므로 (D)가 정답이다. (A)는 'First, we must save water.'에서, (B)는 Second, we must save trees.'에서, (C)는 'Finally, we should save energy.'에서 확인할 수 있으므로 오답이다.

10. According to the passage, why should we use glass cups?

(A) to use them again
(B) to throw them away
(C) to drink more water
(D) to save kids from getting hurt

해석 지문에 따르면, 왜 유리잔을 사용해야 하는가?

(A) 다시 사용하려고
(B) 내다 버리려고
(C) 물을 더 마시려고
(D) 아이들이 다치는 것을 막으려고

유형 세부 내용 파악

풀이 'We should use glasses and wash them. Then, we can use them again!'에서 유리잔을 사용하면 씻어서 다시 사용할 수 있다는 것을 알 수 있으므로 (A)가 정답이다.

🎧 **Listening Practice** ▶ B3-11 p.100

How do you feel when you hear the word "earth"? The earth is like our parent, because it gives everything to us. It gives us food, a home, and clothes. So we must save our parent by following these tips. We can save the trees, water, land, and even ourselves. First, we must save water. We cannot live without water. At home, we can <u>turn off</u> the water when we are not using it. We should turn it off when we <u>brush</u> our teeth. And we should wash our clothes in cold water. Second, we must save trees. Trees give us clean air. Let's not use paper cups. We should use <u>glasses</u> and wash them. Then, we can use them again! We should also not use too much paper. We should <u>print</u> on both sides of a piece of paper. Finally, we should save energy. We must turn off the lights when we <u>leave</u> a room. We should turn off our computers when we are not using them. Doing those things can help save money, too. Everyone should try to save the earth. Why? Because it is everyone's <u>parent</u>. Let's keep the earth safe.

1. turn off
2. brush
3. glasses
4. print
5. leave
6. parent

✏️ Writing Practice p.101

1. brush your teeth
2. turn off
3. print
4. glass
5. leave
6. parent

📄 Summary

The <u>earth</u> gives us everything. We need to save water, trees, and energy. For example, we should turn off the water when we <u>brush</u> our teeth. We also must <u>turn off</u> the lights when we <u>leave</u> the room. Let's keep the earth safe.

<u>지구</u>는 우리에게 모든 것을 준다. 우리는 물, 나무, 에너지를 절약해야 한다. 예를 들어, 우리는 이를 <u>닦을</u> 때 물을 잠가야 한다. 우리는 또한 방에서 <u>나올</u> 때 불을 <u>꺼야만</u> 한다. 지구를 안전하게 지키자.

❇️ Word Puzzle p.102

Across	Down
2. turn off	1. brush your teeth
3. glass	4. parent
4. print	
5. leave	

Unit 12 | How Will 2035 Be Different? p.103

Part A. Sentence Completion p.105

1 (A)   2 (B)

Part B. Situational Writing p.105

3 (A)   4 (B)

Part C. Practical Reading and Retelling p.106

5 (C)   6 (B)

Part D. General Reading and Retelling p.107

7 (B)   8 (D)   9 (D)   10 (D)

Listening Practice p.108

1 pills	2 vacation
3 technology	4 expert
5 insects	6 cancer

Writing Practice p.109

1 pill	2 vacation
3 technology	4 expert
5 insect	6 cancer

Summary future, insects, check, will

Word Puzzle p.110

Across

1 insect	3 vacation
4 expert	

Down

2 cancer	5 pill
6 technology	

💡 Pre-reading Questions p.103

Think! What will people eat in the future?

생각해보세요! 미래에는 사람들이 무엇을 먹을까요?

How Will 2035 Be Different?

What will life be like in 2035? How will it be different? Will there be flying cars, food pills, or a vacation on Mars? Is it going to be like a movie? Sadly, technology may not be that great. It may be less exciting. Technology expert Dean Evans tells you all about it! First, he talks about food. The future of food is greener than today. People will be eating more vegetables and less meat. That's because people will start to eat healthier. People will eat more insects, too. In parts of Asia, people are already eating insects. That's because insects are low in fat. What about the future of health? Will doctors cure everyone who has cancer? No, but there is good news! People will be able to check their health at home. How? They will use apps to check their health. This will help a lot of people. Lastly, there will be new jobs. Think about the future when we can travel to space. Then there will be space tour guides! Thinking about the future is fun. But here is the key: We can guess the future. Still, no one knows the future for sure.

2035년은 어떻게 다를까?

2035년의 삶은 어떠할까? 그것은 어떻게 다를까? 날아다니는 차, 음식 알약, 아니면 화성에서의 휴가가 존재할까? 영화처럼 될까? 슬프게도, 기술은 그리 대단하지 않을 수도 있다. 덜 신날지도 모른다. 기술 전문가 Dean Evans가 당신에게 그것에 관해 모든 것을 말해준다! 먼저, 그는 음식에 관해 말한다. 음식의 미래는 오늘날보다 더 푸르다. 사람들은 채소를 더 먹고 고기를 덜 먹을 것이다. 이는 사람들이 더 건강하게 먹기 시작할 것이기 때문이다. 사람들은 곤충을 더 먹기도 할 것이다. 아시아의 일부에서는, 사람들이 이미 곤충을 먹고 있다. 이는 곤충들은 지방이 적기 때문이다. 건강의 미래는 어떠할까? 의사들이 암에 걸린 모든 사람을 치료할까? 아니다, 하지만 좋은 소식이 있다! 사람들이 자신의 건강 상태를 집에서 확인할 수 있을 것이다. 어떻게 (확인하는가)? 그들은 건강 상태를 확인하려고 앱을 사용할 것이다. 이는 많은 사람을 도울 것이다. 마지막으로, 새로운 직업들이 있을 것이다. 우주로 여행할 수 있는 미래에 대해 생각해 보라. 그렇다면 우주여행 가이드가 있을 것이다! 미래에 관해 생각하는 건 재밌다. 하지만 여기 중요한 점이 있다: 우리는 미래를 추측할 수 있다. 그래도, 아무도 미래를 확실하게 알지는 못한다.

어휘 future 미래 | pill 알약 | sell 팔다 | medicine 약 | unhealthy 건강하지 않은 | less 덜, 더 적은 | life 삶 | different 다른, 다양한 | vacation 휴가 | technology 기술 | expert 전문가 | healthy 건강한; 건강에 좋은 | insect 곤충 | part 일부, 부분 | already 이미 | low 적은 | fat 지방 | cure 치료하다 | cancer 암 | check 확인하다 | app 앱(애플리케이션) | travel 여행하다 | tour guide 여행 가이드 | guess 추측하다 | sure 확실히 아는, 확신하는 | tofu 두부 | grasshopper 메뚜기 | eggplant 가지 | oily 기름기가 있는

---

1. <u>No</u> one knows the teacher very well.
   - **(A) No**
   - (B) Not
   - (C) None
   - (D) Nothing

   해석 <u>아무도</u> 그 선생님을 아주 잘 알지 못한다.
   - (A) 어떤 ~도 아닌
   - (B) ~가 아니다
   - (C) 아무도 (~아니다)
   - (D) 아무것도 (~아니다)

   풀이 빈칸에는 대명사 'one'을 꾸밀 수 있는 수식어가 들어가야 하므로 (A)가 정답이다. (B)는 'not'이 부사로서 동사나 전체 문장을 수식하여 부정의 의미를 나타내므로 오답이다. (C)와 (D)는 이미 각각 'no + one'과 'no + thing'이 축약된 명사이므로 오답이다.

   관련 문장 Still, no one knows the future for sure.

2. The candies in the box <u>are</u> for Ms. Stein.
   - (A) is
   - **(B) are**
   - (C) to be
   - (D) being

   해석 상자 안의 사탕들은 Stein 씨를 위한 것<u>이다</u>.
   - (A) ~이다
   - **(B) ~이다**
   - (C) ~인 것
   - (D) ~인 것

   풀이 빈칸은 동사 자리이고, 주어가 'The candies (in the box)'로서 3인칭 복수이므로 be 동사 (B)가 정답이다.

   관련 문장 That's because insects are low in fat.

3. Jisu <u>takes a pill</u> every day.
   - **(A) takes a pill**
   - (B) drinks juice
   - (C) sells medicine
   - (D) goes to the doctor

   해석 Jisu는 매일 <u>알약을 먹는다</u>.
   - (A) 알약을 먹다
   - (B) 주스를 마시다
   - (C) 약을 팔다
   - (D) 의사에게 가다

   풀이 알약을 먹는 모습이므로 (A)가 정답이다.

   관련 문장 Will there be flying cars, food pills, or a vacation on Mars?

4. The food on the right is <u>greener</u> than the food on the
   left.
   (A) green
   (B) greener
   (C) unhealthy
   (D) less healthy

해석 오른쪽에 있는 음식은 왼쪽에 있는 음식<u>보다 녹색이다</u>.

   (A) 녹색인
   (B) 더 녹색인
   (C) 건강에 좋지 않은
   (D) 건강에 덜 좋은

풀이 왼쪽에는 지방과 기름기가 높은 패스트푸드가 있고, 오른쪽에는
   채소와 과일 등 더 푸르고 녹색을 띠는 음식이 있으므로 (B)가
   정답이다. (A)는 비교급을 나타낼 때 사용하는 전치사 'than'과
   형용사 원형을 함께 사용하면 어색하므로 오답이다. (D)는 왼쪽의
   패스트푸드보다 더 건강에 좋은 음식이므로 오답이다.

관련 문장 The future of food is greener than today.

[5-6]

Kobi's Restaurant of the Future

Tofu Salad	$10	**Tea**	
Fried Grasshopper	$12	Green Tea	$4
Eggplant Steak	$15	Black Tea	$4
Vegetable Rice Bowl	$15	Black Milk Tea	$5

(beef, chicken, shrimp: extra $2)
*We only use fresh meat

해석

Kobi의 미래의 식당

두부 샐러드	$10	차	
튀긴 메뚜기	$12	녹차	$4
가지 스테이크	$15	홍차	$4
채소 공기밥	$15	블랙 밀크티	$5

(소고기, 닭고기, 새우: 추가 $2)

* 신선한 고기만 사용합니다.

5. How much is a vegetable rice bowl with chicken?
   (A) $13
   (B) $15
   (C) $17
   (D) $19

해석 닭고기를 추가한 채소 공기밥 하나는 얼마인가?

   (A) $13
   (B) $15
   (C) $17
   (D) $19

풀이 'Vegetable Rice Bowl'은 한 그릇에 15달러이고, 치킨을
   추가하면 2달러를 더 내야 하므로 총 17달러이다. 따라서 (C)가
   정답이다.

6. Donna orders a bowl of tofu salad and a cup of black
   tea. How much does she pay?
   (A) $10
   (B) $14
   (C) $16
   (D) $20

해석 Donna가 두부 샐러드 한 그릇과 홍차 한 잔을 주문한다. 얼마를
   지불해야 하는가?

   (A) $10
   (B) $14
   (C) $16
   (D) $20

풀이 'Tofu Salad'는 한 그릇에 10달러이고, 홍차는 한 잔에
   4달러이므로 총 14달러를 지불해야 한다. 따라서 (B)가 정답이다.

What will life be like in 2035? How will it be different? Will there be flying cars, food pills, or a vacation on Mars? Is it going to be like a movie? Sadly, technology may not be that great. It may be less exciting. Technology expert Dean Evans tells you all about it! First, he talks about food. The future of food is <u>greener</u> than today. People will be eating more vegetables and less meat. That's because people will start to eat healthier. People will eat more insects, too. In parts of Asia, people are already eating insects. That's because insects are low in fat. What about the future of health? Will doctors cure everyone who has cancer? No, but there is good news! People will be able to check their health at home. How? They will use apps to check their health. This will help a lot of people. Lastly, there will be new jobs. Think about the future when we can travel to space. Then there will be space tour guides! Thinking about the future is fun. But here is the key: We can guess the future. Still, no one knows the future for sure.

해석

2035년의 삶은 어떠할까? 그것은 어떻게 다를까? 날아다니는 차, 음식 알약, 아니면 화성에서의 휴가가 존재할까? 영화처럼 될까? 슬프게도, 기술은 그리 대단하지 않을 수도 있다. 덜 신날지도 모른다. 기술 전문가 Dean Evans가 당신에게 그것에 관해 모든 것을 말해준다! 먼저, 그는 음식에 관해 말한다. 음식의 미래는 오늘날보다 <u>더 푸르다</u>. 사람들은 채소를 더 먹고 고기를 덜 먹을 것이다. 이는 사람들이 더 건강하게 먹기 시작할 것이기 때문이다. 사람들은 곤충을 더 먹기도 할 것이다. 아시아의 일부에서는, 사람들이 이미 곤충을 먹고 있다. 이는 곤충들은 지방이 적기 때문이다. 건강의 미래는 어떠할까? 의사들이 암에 걸린 모든 사람을 치료할까? 아니다, 하지만 좋은 소식이 있다! 사람들이 자신의 건강 상태를 집에서 확인할 수 있을 것이다. 어떻게 (확인하는가)? 그들은 건강 상태를 확인하려고 앱을 사용할 것이다. 이는 많은 사람을 도울 것이다. 마지막으로, 새로운 직업들이 있을 것이다. 우주로 여행할 수 있는 미래에 대해 생각해 보라. 그렇다면 우주여행 가이드가 있을 것이다! 미래에 관해 생각하는 건 재밌다. 하지만 여기 중요한 점이 있다: 우리는 미래를 추측할 수 있다. 그래도, 아무도 미래를 확실하게 알지는 못한다.

---

7. What is the best title for the passage?

(A) Insects Are Full of Fat
(B) Life Changes in 2035
(C) New Jobs Will Kill Other Jobs
(D) People Are Becoming Healthier

해석 지문에 가장 알맞은 제목은 무엇인가?

(A) 곤충은 지방으로 가득 차 있다
(B) 2035년에 삶이 변한다
(C) 새 직업이 다른 직업을 없앨 것이다
(D) 사람들이 더 건강해지고 있다

유형 전체 내용 파악

풀이 첫 문장 'What will life be like in 2035?'에서 2035년 미래의 모습이라는 중심 소재를 드러내고 있다. 이어서 Dean Evans 라는 기술 전문가가 예상하는 2035년의 미래 모습을 음식, 건강, 직업이라는 세 가지 항목으로 나누어 차례대로 설명하고 있다. 따라서 (B)가 정답이다.

8. Who is Dean Evans?

(A) a cook
(B) a doctor
(C) a tour guide
(D) a technology expert

해석 Dean Evans는 누구인가?

(A) 요리사
(B) 의사
(C) 관광 가이드
(D) 기술 전문가

유형 세부 내용 파악

풀이 'Technology expert Dean Evans tells you all about it!'에서 Dean Evans가 기술 전문가라는 것을 알 수 있으므로 (D)가 정답이다.

9. Which word goes best in the blank?

(A) oilier
(B) heavier
(C) sweeter
(D) greener

해석 빈칸에 들어갈 가장 알맞은 단어는 무엇인가?

(A) 더 기름진
(B) 더 무거운
(C) 더 달콤한
(D) 더 푸른

유형 추론하기

풀이 미래의 음식이 오늘날과 어떻게 다른지 확인하면 빈칸에 들어갈 알맞은 단어를 추론할 수 있다. 바로 뒤 문장 'People will be eating more vegetables and less meat.'에서 미래에는 사람들이 채소를 더 먹고 고기를 덜 먹는다고 언급하고 있다. 채소가 많은 식단은 녹색을 더 많이 띨 것이므로 (D)가 정답이다.

10. What is mentioned about our life in 2035?

　　(A) Cars will fly to space.
　　(B) People will eat more meat.
　　(C) Insects will no longer be food.
　　(D) People will check their health at home.

해석　2035년의 삶에 관해 언급된 내용은 무엇인가?

　　(A) 자동차가 우주로 날아다닐 것이다.
　　(B) 사람들이 고기를 더 먹을 것이다.
　　(C) 곤충은 더는 음식이 아닐 것이다.
　　(D) 사람들이 집에서 건강을 진단할 것이다.

유형　세부 내용 파악

풀이　'People will be able to check their health at home.'에서 사람들이 집에서 건강 상태를 확인할 것이라고 했으므로 (D) 가 정답이다. (A)는 'Will there be flying cars, [...]'에서 나는 자동차가 언급되었으나 우주에서 난다고는 하지 않았으므로 오답이다. (B)는 'People will be eating more vegetables and less meat.'에서 고기를 덜 먹을 것이라고 하였으므로 오답이다. (C)는 'People will eat more insects, too.'에서 미래에 사람들이 곤충을 더 먹을 것이라고 하였으므로 오답이다.

🎧 Listening Practice　　▶ B3-12　p.108

What will life be like in 2035? How will it be different? Will there be flying cars, food <u>pills</u>, or a <u>vacation</u> on Mars? Is it going to be like a movie? Sadly, <u>technology</u> may not be that great. It may be less exciting. Technology <u>expert</u> Dean Evans tells you all about it! First, he talks about food. The future of food is greener than today. People will be eating more vegetables and less meat. That's because people will start to eat healthier. People will eat more <u>insects</u>, too. In parts of Asia, people are already eating insects. That's because insects are low in fat. What about the future of health? Will doctors cure everyone who has <u>cancer</u>? No, but there is good news! People will be able to check their health at home. How? They will use apps to check their health. This will help a lot of people. Lastly, there will be new jobs. Think about the future when we can travel to space. Then there will be space tour guides! Thinking about the future is fun. But here is the key: We can guess the future. Still, no one knows the future for sure.

1. pills
2. vacation
3. technology
4. expert
5. insects
6. cancer

✏️ Writing Practice　　p.109

1. pill
2. vacation
3. technology
4. expert
5. insect
6. cancer

📄 Summary

Dean Evans talks about year 2035. Maybe in the <u>future</u>, people will eat more vegetables and <u>insects</u>. Second, people will <u>check</u> their health with apps. And maybe there <u>will</u> be new jobs.

Dean Evans는 2035년에 관해 이야기한다. 아마도 <u>미래</u>에는, 사람들이 더 많은 채소와 <u>곤충</u>을 먹게 될 것이다. 둘째, 사람들은 앱으로 그들의 건강을 <u>확인할</u> 것이다. 그리고 아마도 새로운 직업들이 존재하게 <u>될 것이다</u>.

🧩 Word Puzzle　　p.110

Across	Down
1. insect	2. cancer
3. vacation	5. pill
4. expert	6. technology

What Is It?

- Person A: Read Questions 1 to 11.
  Person B: Read the answers.
  Then, try to guess together. Who or what is it?

	Questions	Answers
1	Is it an artist?	No, it is not a person.
2	Is it a sea turtle?	No, it's not an animal.
3	Is it a desert?	No, it's not a place.
4	Is it a carrot?	No, it's not a vegetable.
5	Is it a pair of sunglasses?	No, but it is an object.
6	Is this object bigger than a suitcase?	No, it's smaller than a suitcase.
7	Can a person carry it?	Yes, a person can carry it.
8	Is it made of glass?	No, it's not.
9	Can you put something in it?	Yes, you can put hot or cold drinks in it.
10	Can you wash it?	No, you can't.
11	Is it good for the earth?	No, not really.

그것은 무엇일까?

- 사람 A: 질문 1부터 11까지 읽자.
  사람 B: 답변들을 읽자.
  그런 다음, 함께 추측해 보자. 그것은 누구 혹은 무엇인가?

	질문	답변
1	예술가인가?	아니, 사람이 아니다.
2	바다거북인가?	아니, 동물이 아니다.
3	사막인가?	아니, 장소가 아니다.
4	당근인가?	아니, 채소가 아니다.
5	선글라스인가?	아니, 하지만 그것은 물건이다.
6	여행 가방보다 큰 물건인가?	아니, 여행 가방보다 작다.
7	사람 한 명이 옮길 수 있나?	그래, 사람 한 명이 옮길 수 있다.
8	유리로 만들어졌나?	아니, 그렇지 않다.
9	그 안에 무엇을 넣을 수 있나?	그래, 그 안에 따뜻하거나 차가운 음료를 넣을 수 있다.
10	씻을 수 있나?	아니, 그럴 수 없다.
11	지구에 좋은 것인가?	아니, 그렇진 않다.

(정답: paper cup, 종이컵)

MEMO

MEMO

MEMO